なんでもひける

世界地図

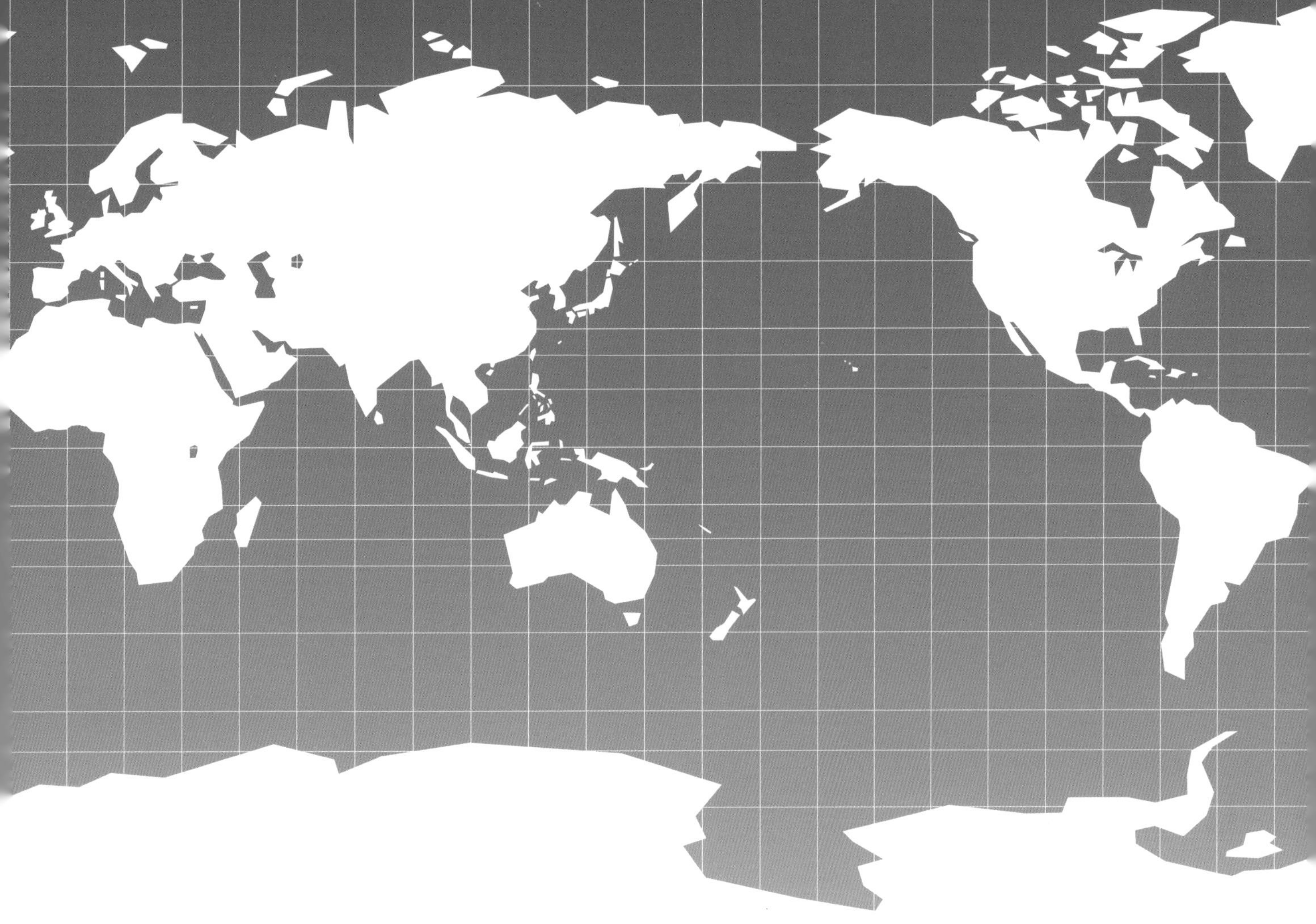

成美堂出版

なんでもひける世界地図

世界のいたるところからニュースが飛び込んでくる現代では、必要なものを素早く的確に知ることが大切です。

この地図は最新の地名情報をそろえ、さがしだすための索引ページを充実させました。豊富なテーマに分けた、情報つきの索引で、知りたい地名情報へもすぐにたどり着けます。

また、「世界遺産」のある場所を網羅し、地図からでも、名称からでもひきやすいようにしています。

ページ

地域名

地図タイトル

地球型ガイド

おおよその
地図エリアを示す。

ページガイド

P10-11

隣接する地図のページ。

ページ

緯度・経度線

図面の端に
緯度経度の数値が入る。

18 アジア 東南アジア

19

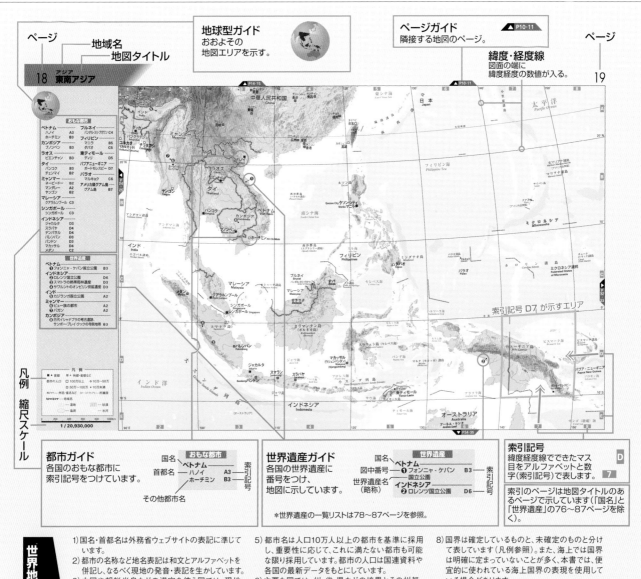

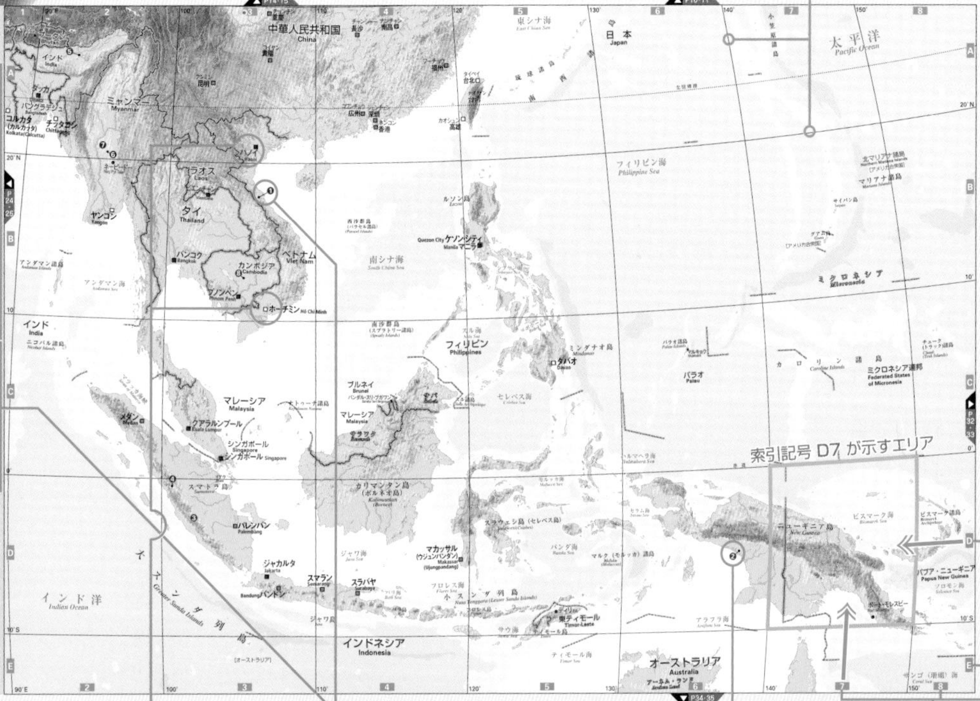

凡例

縮尺スケール

都市ガイド

各国のおもな都市に
索引記号をつけています。

国名
首都名
その他都市名

おもな都市		
ベトナム		
ハノイ	A3	
ホーチミン	B3	索引記号

世界遺産ガイド

各国の世界遺産に
番号をつけ、
地図に示しています。

国名
図中番号
世界遺産名（略称）

世界遺産		
ベトナム		
❶フォンニャ・ケバン国立公園	B3	索引記号
インドネシア		
❷ロレンツ国立公園	D6	

＊世界遺産の一覧リストは78〜87ページを参照。

索引記号

緯度経度線でできたマス目をアルファベットと数字（索引記号）で表します。 D 7

索引のページは地図タイトルのあるページで示しています（「国名」と「世界遺産」の76〜87ページを除く）。

世界地図の見方

1) 国名・首都名は外務省ウェブサイトの表記に準じています。
2) 都市の名称など地名表記は和文とアルファベットを併記し、なるべく現地の発音・表記を生かしています。
3) 中国や朝鮮半島などの漢字を使う国では、現地音のカタカナと漢字を併記しています。ただし、日本で慣習上使用頻度の高い表記（ペキンなど）を採用したものもあります。
4) 海や山脈など複数の国にわたる地名は、原則として英語表記を採用しています。
5) 都市名は人口10万人以上の都市を基準に採用し、重要性に応じて、これに満たない都市も可能な限り採用しています。都市の人口は国連資料や各国の最新データをもとにしています。
6) 主要な国では、州・省・県などの境界とその州都・省都・県都を表記し、歴史的・民族的な地名も区別して表記しています。
7) 山岳の標高は、「The Times Atlas of the World」などをもとにしていますが、発展途上国などでは信頼性の低い標高も含まれています。
8) 国界は確定しているものと、未確定のものと分けて表しています（凡例参照）。また、海上では国界は明確に定まっていないことが多く、本書では、便宜的に使われている海上国界の表現を使用している場合があります。
9) 飛行場は国際便が発着する国際空港をおもに採用しています。
10) 本書の世界地図は、米国Rand McNally社の世界地図データを使用し、編集・作成しました。

地図記号の凡例

- 日本 Japan — 国名
- ■ ● — 首都
- アルデンヌ *Ardennes* — 州名・省名・県名など
- ■ ● — 州都・省都・県都など
- ニュー・カレドニア New Caledonia ［フランス］ — 海外領や自治領などの名称とその所属国
- シャンパーニュ Champagne — 地方名など

都市の人口

- □ — 100万人以上
- □ — 50万〜100万人
- ○ — 10万〜50万人
- ∘ — 10万人未満（人口不明の都市を含む）

- 国界
- 未確定国境および海上の国界
- 連邦内の共和国界など
- 州・省・県などの境界
- おもな高速道路
- おもな道路
- おもな鉄道
- おもな国際空港
- 市街地
- 氷河
- 氷床
- 棚氷

- 河川
- 季節性河川および涸れ川
- 湖沼
- 塩湖
- 季節性の湖沼および涸れ湖
- 塩原など
- 湿地
- 砂漠
- サンゴ礁
- ▲エヴェレスト山 <8848> — おもな山岳と標高（m）

標高：6000(m)、5000、4000、3000、2000、1000、500、200、0、-200

水深：0、200、1000、3000、6000(m)

索引図

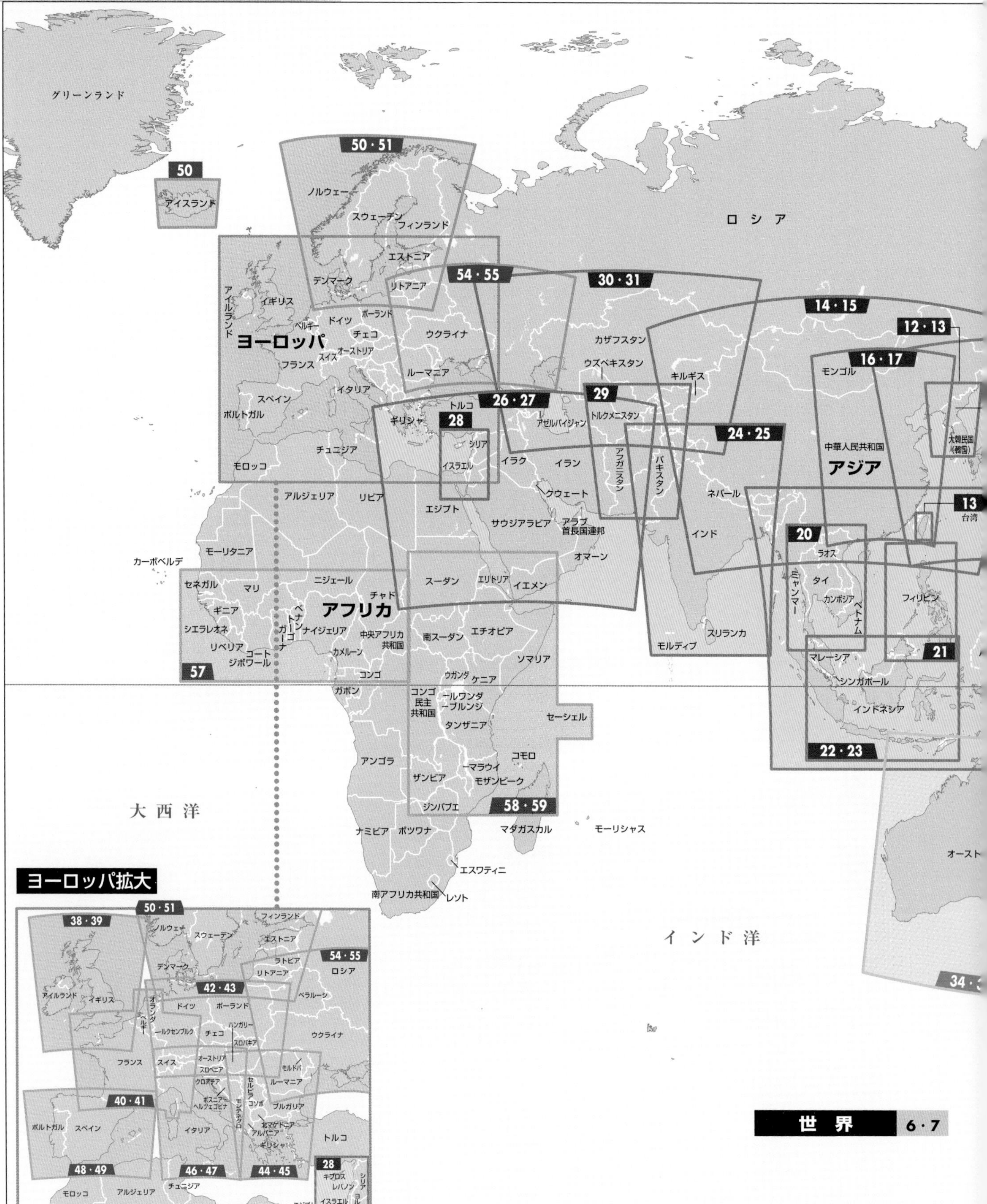

グリーンランド
50
アイスランド
50・51
ノルウェー
スウェーデン
フィンランド
エストニア
デンマーク
リトアニア
ロシア
54・55
30・31
14・15
12・13
16・17
アイルランド
イギリス
ベルギー
ドイツ
ポーランド
チェコ
ウクライナ
ヨーロッパ
オーストリア
スイス
フランス
ルーマニア
カザフスタン
ウズベキスタン
キルギス
モンゴル
スペイン
ポルトガル
イタリア
トルコ
26・27
29
ギリシャ
28
アゼルバイジャン
トルクメニスタン
24・25
シリア
大韓民国
(韓国)
中華人民共和国
チュニジア
モロッコ
イスラエル
イラク
イラン
アフガニスタン
パキスタン
アジア
アルジェリア
リビア
クウェート
ネパール
13
台湾
エジプト
サウジアラビア
アラブ首長国連邦
インド
20
カーボベルデ
モーリタニア
オマーン
ラオス
セネガル
マリ
ニジェール
スーダン
エリトリア
イエメン
ミャンマー
タイ
チャド
カンボジア
ベトナム
フィリピン
ギニア
アフリカ
ベナン
トーゴ
ガーナ
シエラレオネ
ナイジェリア
中央アフリカ共和国
南スーダン
エチオピア
スリランカ
リベリア
コートジボワール
カメルーン
モルディブ
21
マレーシア
ソマリア
57
コンゴ
ウガンダ
ケニア
シンガポール
ガボン
コンゴ民主共和国
ルワンダ
ブルンジ
インドネシア
セーシェル
タンザニア
22・23
アンゴラ
コモロ
マラウイ
ザンビア
モザンビーク
大西洋
ジンバブエ
58・59
ナミビア
ボツワナ
マダガスカル
モーリシャス
オースト
エスワティニ
ヨーロッパ拡大
南アフリカ共和国
レソト
インド洋
34・
38・39
50・51
フィンランド
ノルウェー
スウェーデン
エストニア
54・55
ラトビア
デンマーク
リトアニア
ロシア
42・43
アイルランド
イギリス
オランダ
ドイツ
ポーランド
ベラルーシ
ベルギー
ルクセンブルク
チェコ
ハンガリー
スロバキア
ウクライナ
フランス
スイス
オーストリア
スロベニア
モルドバ
クロアチア
ボスニア・ヘルツェゴビナ
セルビア
ルーマニア
40・41
コソボ
モンテネグロ
ブルガリア
北マケドニア
ポルトガル
スペイン
イタリア
アルバニア
トルコ
ギリシャ
28
48・49
46・47
44・45
キプロス
シリア
レバノン
モロッコ
アルジェリア
チュニジア
イスラエル
ヨルダン
リビア
エジプト
世界 6・7
・索引図中の数字は、各図のページです。

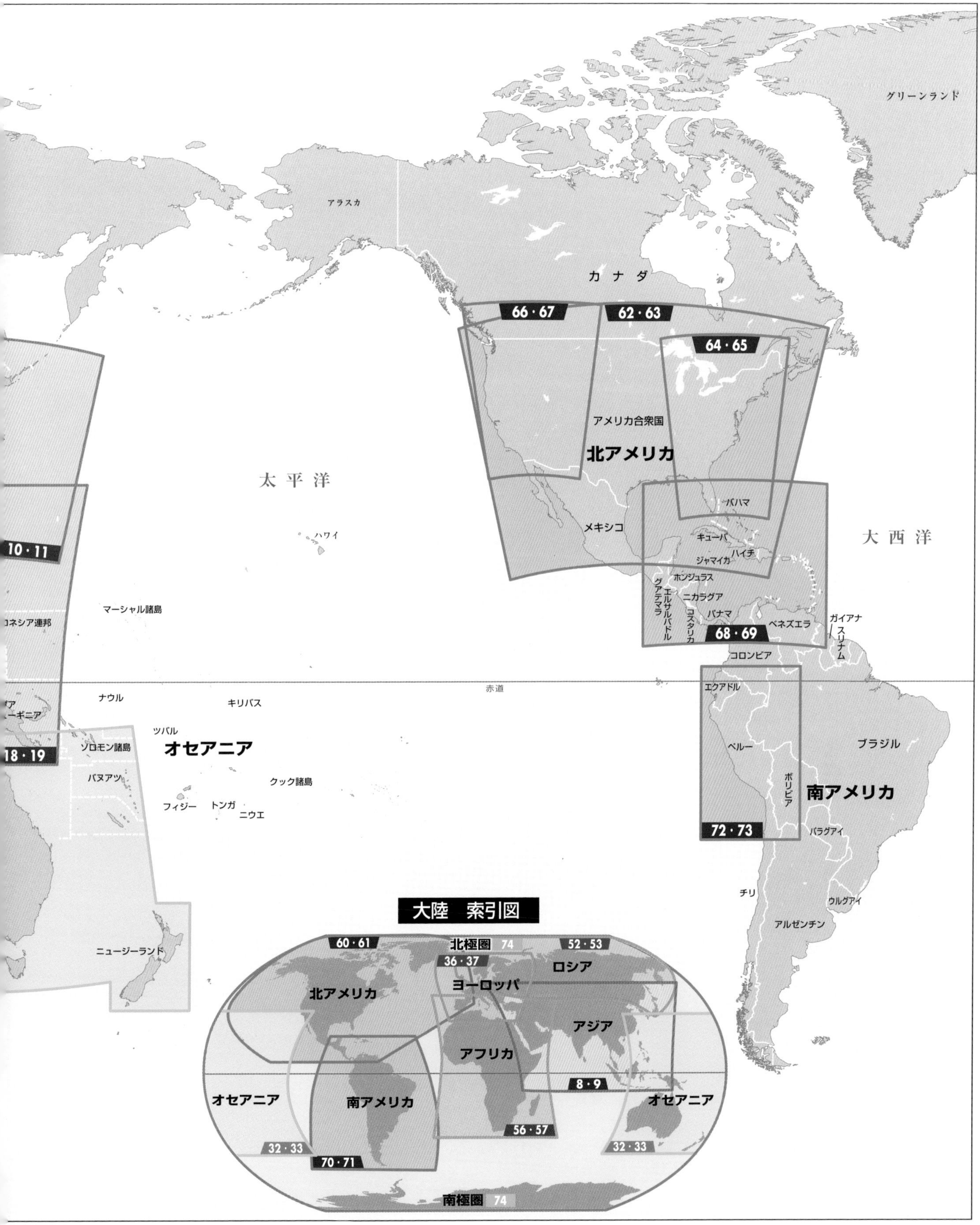

グリーンランド

アラスカ

カ　ナ　ダ

66・67　62・63

64・65

太 平 洋

アメリカ合衆国

北アメリカ

10・11

ハワイ

大 西 洋

バハマ

メキシコ

キューバ

ハイチ

ジャマイカ

マーシャル諸島

ホンジュラス

グアテマラ

ニカラグア

エルサルバドル

コスタリカ

パナマ

ベネズエラ

ガイアナ

スリナム

コネシア連邦

68・69

コロンビア

赤道

エクアドル

ナウル

キリバス

ア
ーギニア

ツバル

ソロモン諸島

オセアニア

ペルー

ブラジル

18・19

バヌアツ

クック諸島

ボリビア

南アメリカ

フィジー　トンガ

ニウエ

パラグアイ

72・73

チリ

ウルグアイ

ニュージーランド

アルゼンチン

大陸　索引図

60・61

北極圏 74

52・53

36・37

ロシア

北アメリカ

ヨーロッパ

アジア

アフリカ

8・9

オセアニア

南アメリカ

56・57

オセアニア

32・33

32・33

70・71

南極圏 74

6 世界

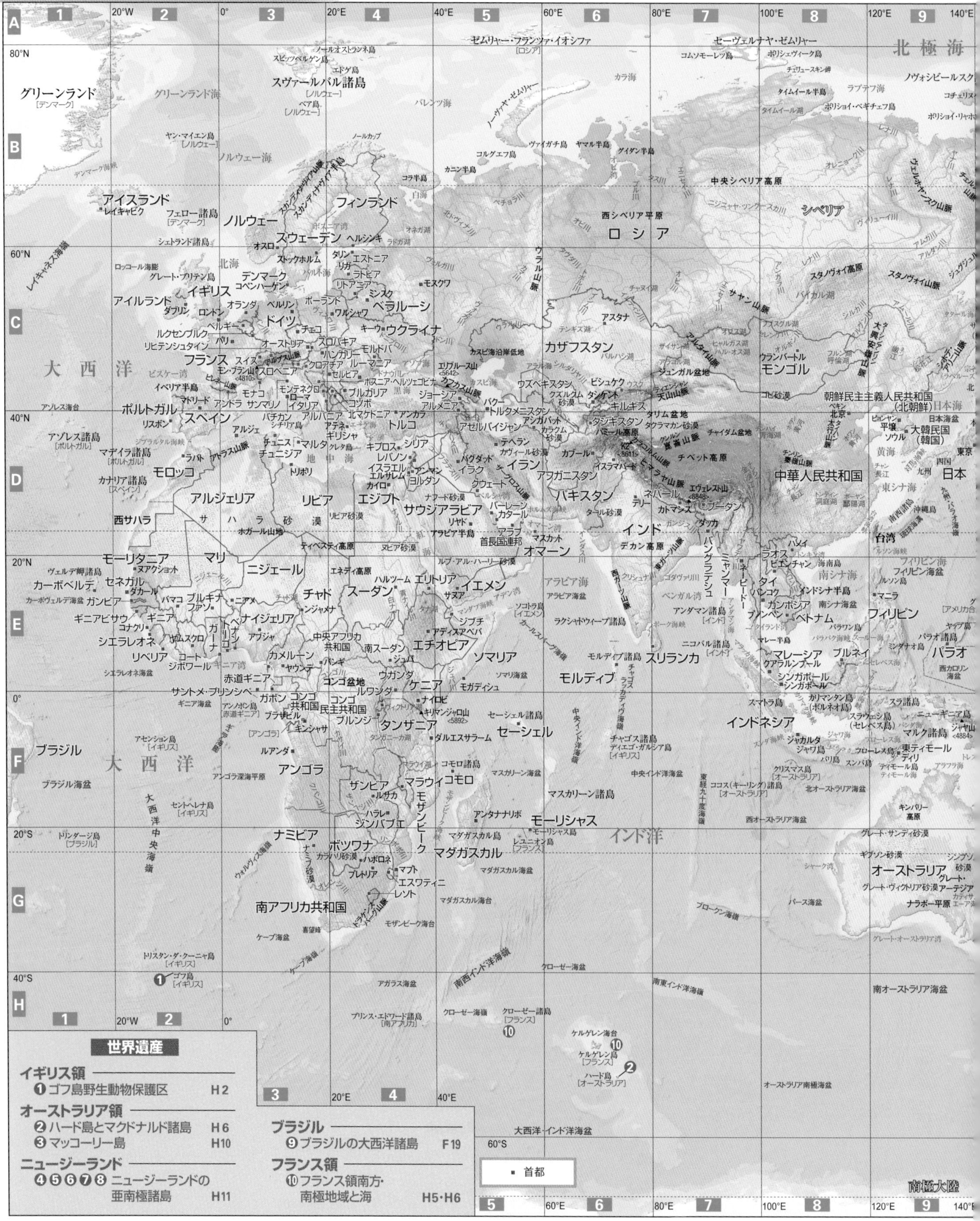

北極海
グリーンランド
［デンマーク］
グリーンランド海
スヴァールバル諸島
［ノルウェー］
ゼムリャー・フランツァ・イオシファ
［ロシア］
セーヴェルナヤ・ゼムリャー
バレンツ海
カラ海
ラプテフ海
ノヴァヤ・ゼムリャー
ヤン・マイエン島
［ノルウェー］
ノルウェー海
デンマーク海峡
アイスランド
レイキャビク
フェロー諸島
［デンマーク］
ノルウェー
スウェーデン
フィンランド
ヘルシンキ
オスロ
ストックホルム
タリン
エストニア
リガ
ラトビア
リトアニア
シェトランド諸島
北海
デンマーク
コペンハーゲン
グレート・ブリテン島
イギリス
アイルランド
ダブリン
ロンドン
オランダ
ベルリン
ポーランド
ワルシャワ
ドイツ
ベルギー
ルクセンブルク
リヒテンシュタイン
パリ
チェコ
オーストリア
スロバキア
ハンガリー
スイス
フランス
モン・ブラン山
スロベニア
クロアチア
セルビア
ルーマニア
モルドバ
キーウ
ウクライナ
ベラルーシ
ミンスク
モスクワ
ロシア
西シベリア平原
中央シベリア高原
シベリア
ウラル山脈
カザフスタン
アスタナ
モンゴル
ウランバートル
カスピ海沿岸低地
エリブルース山
黒海
ジョージア
アルメニア
アゼルバイジャン
バクー
トルクメニスタン
ウズベキスタン
タシケント
キルギス
ビシュケク
タジキスタン
タリム盆地
タクラマカン砂漠
チャイダム盆地
バイカル湖
サヤン山脈
アルタイ山脈
天山山脈
ジュンガル盆地
ゴビ砂漠
朝鮮民主主義人民共和国
（北朝鮮）
大韓民国
（韓国）
ソウル
ピョンヤン
北京
日本海
日本
東京
黄海
東シナ海
中華人民共和国
チベット高原
ヒマラヤ山脈
エヴェレスト山
<8848>
K2
<8611>
ネパール
カトマンズ
ブータン
インド
デリー
パキスタン
イスラマバード
アフガニスタン
カブール
イラン
テヘラン
イラク
バグダッド
クウェート
サウジアラビア
リヤド
カタール
バーレーン
アラブ首長国連邦
マスカット
オマーン
イエメン
アラビア海
アラビア半島
デカン高原
ダッカ
バングラデシュ
ミャンマー
ベンガル湾
スリランカ
モルディブ
ラオス
ハノイ
ベトナム
タイ
バンコク
カンボジア
インドシナ半島
南シナ海
台湾
フィリピン
マニラ
マレーシア
クアラルンプール
シンガポール
ブルネイ
インドネシア
ジャカルタ
ジャワ島
東ティモール
ディリ
カリマンタン島
（ボルネオ島）
スラウェシ島
（セレベス島）
パラオ
オーストラリア
大西洋
アゾレス諸島
［ポルトガル］
マデイラ諸島
［ポルトガル］
カナリア諸島
［スペイン］
ポルトガル
リスボン
スペイン
マドリード
イベリア半島
アンドラ
サンマリノ
モナコ
イタリア
ローマ
バチカン
シチリア島
マルタ
ギリシャ
アテネ
アルバニア
北マケドニア
ブルガリア
トルコ
アンカラ
キプロス
シリア
レバノン
イスラエル
エルサレム
ヨルダン
アンマン
地中海
チュニス
チュニジア
アルジェ
アルジェリア
ラバト
モロッコ
トリポリ
リビア
カイロ
エジプト
西サハラ
サハラ砂漠
アトラス山脈
モーリタニア
ヌアクショット
マリ
ニジェール
ニアメ
チャド
ンジャメナ
スーダン
ハルツーム
エリトリア
ジブチ
エチオピア
アディスアベバ
ソマリア
モガディシュ
南スーダン
ジュバ
中央アフリカ共和国
ナイジェリア
アブジャ
カメルーン
ヤウンデ
赤道ギニア
ガボン
コンゴ共和国
コンゴ民主共和国
ルワンダ
ブルンジ
ウガンダ
ケニア
ナイロビ
キリマンジャロ山
<5892>
タンザニア
ダルエスサラーム
アンゴラ
ルアンダ
ザンビア
ルサカ
マラウイ
コモロ
モザンビーク
ジンバブエ
ハラレ
ナミビア
ボツワナ
南アフリカ共和国
レソト
エスワティニ
マダガスカル
アンタナナリボ
モーリシャス
セーシェル
ヴェルデ岬諸島
カーボベルデ
セネガル
ダカール
ガンビア
ギニアビサウ
ギニア
シエラレオネ
リベリア
コートジボワール
ガーナ
トーゴ
ベナン
ブルキナファソ
サントメ・プリンシペ
ブラジル
大西洋中央海嶺
セントヘレナ島
［イギリス］
アセンション島
［イギリス］
トリスタン・ダ・クーニャ島
［イギリス］
ゴフ島
［イギリス］
インド洋
プリンス・エドワード諸島
［南アフリカ］
クローゼー諸島
［フランス］
ケルゲレン諸島
［フランス］
ハード島
［オーストラリア］
南極大陸
首都
世界遺産
イギリス領
❶ゴフ島野生動物保護区 H2
オーストラリア領
❷ハード島とマクドナルド諸島 H6
❸マッコーリー島 H10
ニュージーランド
❹❺❻❼❽ニュージーランドの亜南極諸島 H11
ブラジル
❾ブラジルの大西洋諸島 F19
フランス領
❿フランス領南方・南極地域と海 H5・H6

エルズミーア島
エルフ・リングネース島
チュコート海台
日付変更線
プリンス・パトリック島
メルヴィル島
デヴォン島
サマーセット島
バンクス島
プリンス・オブ・ウェールズ島
ヴィクトリア島
東シベリア海
チュコート海
ボーフォート海
バロー岬
ヴランゲリ島
ロング海峡
ベーリング海峡
アラスカ
[アメリカ合衆国]
ブルックス山脈
北極圏
チュコト半島
コルイマ山脈
アナドゥイリ湾
セント・ローレンス島
アラスカ山脈
デナリ
(マッキンリー山)
<6190>
ローガン山
<5959>
マッケンジー山脈
グレート・ベア湖
キング・ウィリアム島
メルヴィル半島
プリンス・チャールズ島
サウサンプトン島
コーツ島
マンセル島
アンガヴァ半島
バフィン湾
バフィン島
バフィン海盆
グリーンランド
[デンマーク]
80°N
ハドソン湾
グレート・スレーヴ湖
アサバスカ湖
レーシディア湖
ウィニペグ湖
ラブラドル海
ラブラドル海盆
ベルチャー諸島
ラブラドル半島
ラブラドル高原
カムチャツカ半島
ベーリング海
プリビロフ諸島
アリューシャン海盆
コマンドル諸島
アラスカ半島
コディアク島
アレクサンダー諸島
コースト山脈
ロッキー山脈
カナダ
アリューシャン列島
ハイダ・グアイ
(クイーン・シャーロット諸島)
ヴァンクーヴァー島
カスケード山脈
グレート・プレーンズ
ローレンシア台地
オタワ
ニューファンドランド島
ニューファンドランド海盆
ミシガン湖
ヒューロン湖
エリー湖
オンタリオ湖
ロング・アイランド島
ワシントン D.C.
グレート・ベースン
シエラネヴァダ山脈
コースト山脈
アパラチア山脈
アメリカ合衆国
天皇海山列
北西太平洋海盆
大西洋
40°N
大西洋中央海嶺
バミューダ諸島
[イギリス]
ブレーク台地
フロリダ半島
北アメリカ海盆
ミッドウェー諸島
[アメリカ合衆国]
ハワイ海嶺
カリフォルニア半島
メキシコ湾
西シエラマドレ山脈
東シエラマドレ山脈
バハマ
バハマ諸島
ドミニカ共和国
北回帰線
カイコス諸島
プエルト・リコ島
[アメリカ合衆国]
[イギリス]
ハバナ
キューバ
ハイチ
西インド諸島
セントクリストファー・ネービス
(セントキッツ・ネービス)
中央太平洋海山群
ハワイ諸島
[アメリカ合衆国]
カウアイ島
オアフ島
マウイ島
ハワイ島
メキシコ
ユカタン半島
メキシコシティ
ジャマイカ
アンティグア・バーブーダ
20°N
マリアナ諸島
ウェーク島
[アメリカ合衆国]
ジョンストン島
[アメリカ合衆国]
レビジャヒヘド諸島
[メキシコ]
ベリーズ
ホンジュラス
ニカラグア
カリブ海
ドミニカ国
グアドループ島
[フランス]
マルティニーク島
[フランス]
セントルシア
セントビンセント及びグレナディーン諸島
バルバドス
東マリアナ海盆
マーシャル諸島
ビキニ島
マーシャル諸島
ネッカー海嶺
クリスマス海嶺
中央アメリカ海溝
グアテマラ
エルサルバドル
アルバ島
[オランダ]
グレナダ
ミクロネシア
ポンペイ島
マジュロ島
ヤルート島
太平洋中央海盆
太平洋
コスタリカ
パナマ
カラカス
トリニダード・トバゴ
ベネズエラ
E
ミクロネシア連邦
ハウランド島
[アメリカ合衆国]
ベーカー島
[アメリカ合衆国]
ジャーヴィス島
[アメリカ合衆国]
テライナ島
キリティマティ島
(クリスマス島)
ライン諸島
ココ島
[コスタリカ]
ココス海嶺
ボゴタ
コロンビア
ギアナ高地
ジョージタウン
パラマリボ
ガイアナ
スリナム
フランス領ギアナ
タラワ島
赤道
ナウル島
ナウル
ガラパゴス諸島
[エクアドル]
エクアドル
キト
チンボラソ山
<6310>
グアヤキル湾
アマゾン川
マラジョー島
0°
ニューギニア
ビスマーク諸島
ブーゲンヴィル島
アロラエ島
キリバス
フェニックス諸島
ポリネシア
ツバル
フナフティ島
ツバル諸島
トケラウ諸島
カロリン島
ヴォストーク島
フリント島
マルケサス諸島
セルヴァ
ソロモン諸島
ソロモン諸島
サモア
サモア諸島
北クック諸島
クック諸島
ワスカラン山
<6768>
ペルー
リマ
ブラジル
マト・グロッソ高原
メラネシア
バヌアツ
北フィジー海盆
フィジー諸島
ワリス諸島
[フランス]
米領サモア
デサボアントマン諸島
トゥアモトゥ諸島
ボラ・ボラ島
タヒチ島
フランス領ポリネシア
ソシエテ諸島
ペルー海盆
ボリビア
ラパス
ブラジリア
ブラジル高原
東太平洋海膨
フィジー
トンガ
ニウエ島
ニウエ
南クック諸島
ラロトンガ島
ガンビエ諸島
ムルロア環礁
トゥブアイ諸島
ヘンダーソン島
ピトケアン島
[イギリス]
ラパ島
南回帰線
20°S
チリ海溝
アタカマ砂漠
パラグアイ
アスンシオン
ニュー・カレドニア島
[フランス]
ロワイヨテ諸島
ロード・ハウ海膨
南フィジー海盆
ノーフォーク島
[オーストラリア]
トンガタプ諸島
トンガ海溝
ケルマデック海溝
サラ・イ・ゴメス島
[チリ]
パスクア島
(イースター島)
[チリ]
サン・フェリクス島
サン・アンブロシオ島
[チリ]
グラン・チャコ
チリ
アコンカグア山
<6961>
サンティアゴ
ブエノスアイレス
モンテビデオ
ウルグアイ
リオ・グランデ海膨
ロード・ハウ島
[オーストラリア]
ファン・フェルナンデス諸島
[チリ]
パンパ
アルゼンチン
南西太平洋海盆
ニュージーランド
タスマン海
ウェリントン
北島
チャタム諸島
[ニュージーランド]
チリ海膨
チロエ島
大西洋
40°S
タスマニア島
タスマン海盆
アオラキ
(クック山)
<3724>
南島
バウンティ舟状海盆
パタゴニア
アルゼンチン海盆
チョノス諸島
スチュアート島
[ニュージーランド]
バウンティ諸島
[ニュージーランド]
アンティポディーズ諸島
[ニュージーランド]
太平洋
フォークランド諸島
(マルビナス諸島)
オークランド諸島
フォークランド海台
サウス・ジョージア島
[イギリス]
マゼラン海峡
フエゴ島
スコシア海嶺
キャンベル島
[ニュージーランド]
マッコーリー島
[オーストラリア]
ベリングスハウゼン海盆
ホーン岬
スコシア海
太平洋南極海嶺
ドレーク海峡
南極海
サウス・シェトランド諸島
サウス・オークニー諸島
60°S
南極圏
南極半島
160°E
180°
160°W
140°W
120°W
100°W
80°W
60°W
40°W
60°N
10
11
12
13
14
15
16
17
18
19
A
B
C
D
E
F
G
H
I
3
4
5
6
7
8
9

アジア

▲P52·53

おもな都市

大韓民国(韓国)
- ソウル D12
- 釜山 プサン D12

中華人民共和国
- 北京 ペキン D11
- 西安 シーアン D10
- 上海 シャンハイ D12
- 香港 ホンコン E11
- 澳門 マカオ E11

台湾
- 台北 タイペイ E12

タイ
- バンコク F10

ベトナム
- ハノイ E10
- ホーチミン F10

シンガポール
- シンガポール G10

フィリピン
- マニラ F12
- セブ島 F12

インドネシア
- ジャカルタ H10
- バリ島 H11

インド
- デリー E7
- ニュー・デリー E7
- コルカタ(カルカッタ) E8

イラク
- バグダッド D4

イスラエル
- エルサレム D3

トルコ
- アンカラ D3
- イスタンブール C2

世界遺産

中華人民共和国
- ❶故宮 D11
- ❷頤和園 D11
- ❸天壇 D11

中華人民共和国/カザフスタン/キルギス
- ❹シルクロード:長安から天山回廊の交易路網 C7·C8·D10

インド
- ❺デリーのフーマユーン廟 E7
- ❻デリーのクトゥブ・ミナールと建造物 E7

凡例

■● 首都

都市の人口 □ 100万以上 ○ 10万~50万 □ 50万~100万 • 10万未満

[アメリカ合衆国] …… 所属国

…… 塩湖 …… 氷河

0 500 1000 1500km

1 / 34,884,000

P36·37
P56·57
▼P6·7

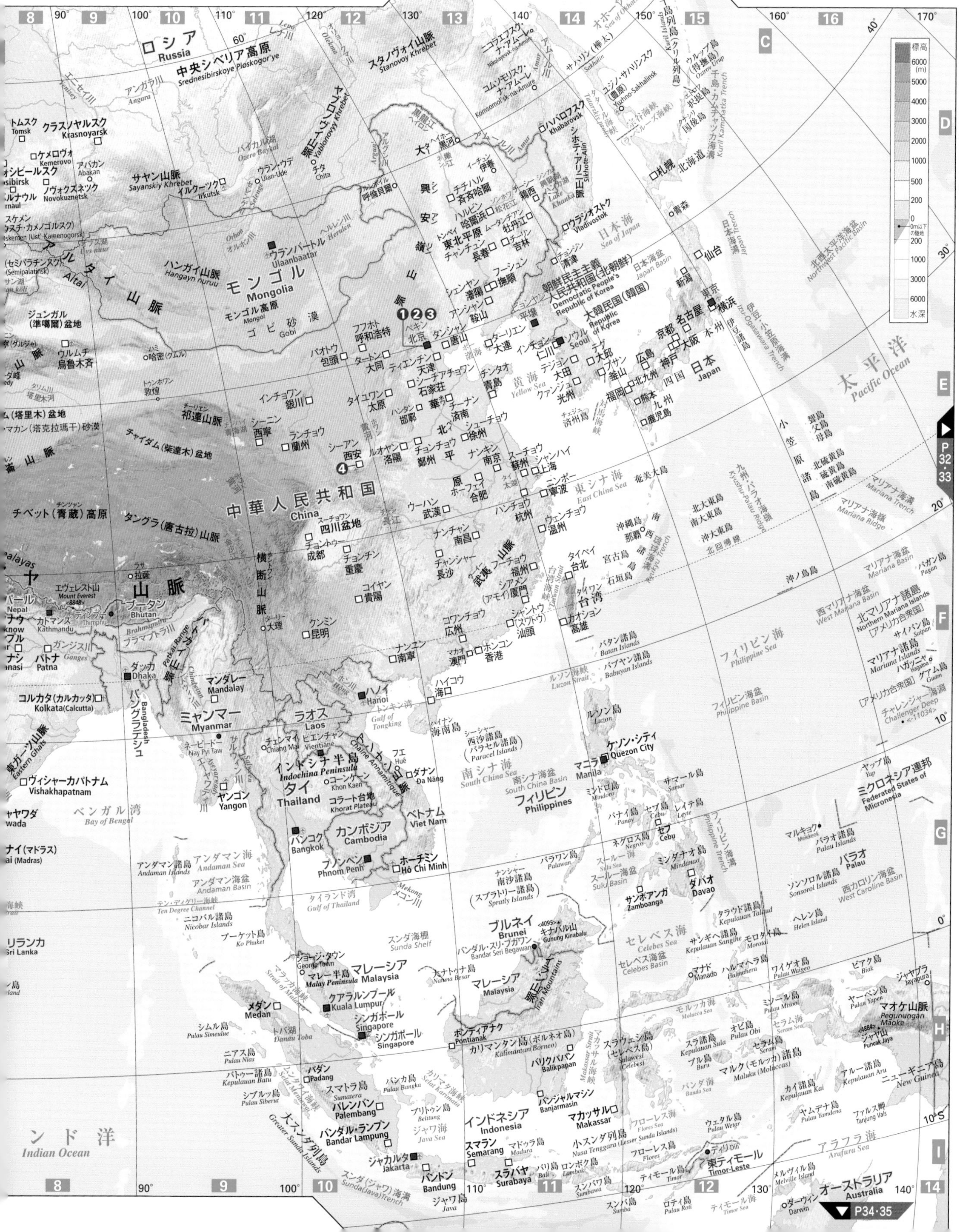
ロシア
Russia
中央シベリア高原
Srednesibirskoye Ploskogor'ye
スタノヴォイ山脈
Stanovoy Khrebet
ヤブロノヴイ山脈
Yablonovyy Khrebet
オホーツク海
Sea of Okhotsk
千島列島(クリル列島)
Kuril Islands
サハリン(樺太)
Sakhalin
ユジノ・サハリンスク(豊原)
Yuzhno-Sakhalinsk
ニコライエフスク・ナ・アムーレ
コムソモリスク・ナ・アムーレ
Komsomol'sk-na-Amure
ハバロフスク
Khabarovsk
シホテ・アリニ山脈
Sikhote-Alin
ウラジオストク
Vladivostok
トムスク
Tomsk
クラスノヤルスク
Krasnoyarsk
ケメロヴォ
Kemerovo
アバカン
Abakan
ノヴォクズネツク
Novokuznetsk
サヤン山脈
Sayanskiy Khrebet
イルクーツク
Irkutsk
ウラン・ウデ
Ulan-Ude
チタ
Chita
バイカル湖
Ozero Baykal
アンガラ川
Angara
エニセイ川
Yenisey
レナ川
Lena
アムール川
Amur
アルタイ山脈
Altai
ウランバートル
Ulaanbaatar
ハンガイ山脈
Hangayn nuruu
モンゴル
Mongolia
モンゴル高原
Mongol
ゴビ砂漠
Gobi
ジュンガル(準噶爾)盆地
ウルムチ
烏魯木斉
ハミ
哈密(クムル)
トゥンホワン
敦煌
タリム(塔里木)盆地
祁連山脈
チャイダム(柴達木)盆地
チベット(青蔵)高原
タングラ(唐古拉)山脈
ヒマラヤ山脈
ラサ
拉薩
エヴェレスト山
Mount Everest
<8848>
ネパール
Nepal
カトマンズ
Kathmandu
ブータン
Bhutan
ティンプー
Thimphu
ブラマプトラ川
Brahmaputra
ガンジス川
Ganges
パトナ
Patna
ダッカ
Dhaka
バングラデシュ
Bangladesh
コルカタ(カルカッタ)
Kolkata(Calcutta)
中華人民共和国
China
大興安嶺山脈
ハイラル
呼倫貝爾
チチハル
斉斉哈爾
ハルビン
哈爾浜
東北平原
チャンチュン
長春
チーリン
吉林
シェンヤン
瀋陽
フーシュン
撫順
アンシャン
鞍山
ターリエン
大連
ペキン
北京
テンシン
天津
タンシャン
唐山
フフホト
呼和浩特
パオトウ
包頭
タートン
大同
シーチアチョワン
石家荘
タイユワン
太原
インチョワン
銀川
シーニン
西寧
ランチョウ
蘭州
シーアン
西安
ルオヤン
洛陽
チョンチョウ
鄭州
チーナン
済南
チンタオ
青島
シューチョウ
徐州
ナンキン
南京
スーチョウ
蘇州
シャンハイ
上海
ホーフェイ
合肥
ハンチョウ
杭州
ニンポー
寧波
ウーハン
武漢
四川盆地
チョントゥー
成都
チョンチン
重慶
ナンチャン
南昌
チャンシャー
長沙
フーチョウ
福州
シアメン
厦門
コイヤン
貴陽
クンミン
昆明
ターリー
大理
コワンチョウ
広州
ホンコン
香港
マカオ
澳門
シャントウ
汕頭
ナンニン
南寧
ハイコウ
海口
海南島
黄海
Yellow Sea
東シナ海
East China Sea
朝鮮民主主義人民共和国(北朝鮮)
Democratic People's Republic of Korea
ピョンヤン
平壌
大韓民国(韓国)
Republic of Korea
ソウル
Seoul
インチョン
仁川
テジョン
大田
テグ
大邱
プサン
釜山
クァンジュ
光州
チェジュ
済州島
日本海
Sea of Japan
日本
Japan
札幌
北海道
青森
仙台
新潟
東京
横浜
名古屋
京都
大阪
神戸
広島
福岡
北九州
熊本
鹿児島
四国
九州
本州
伊豆諸島
小笠原諸島
南鳥島
沖ノ鳥島
沖縄島
那覇
宮古島
石垣島
奄美大島
南西諸島
台湾
タイペイ
台北
カオシュン
高雄
台湾海峡
太平洋
Pacific Ocean
日本海溝
伊豆・小笠原海溝
マリアナ海溝
Mariana Trench
北マリアナ諸島
Northern Mariana Islands
[アメリカ合衆国]
サイパン島
Saipan
マリアナ諸島
Mariana Islands
ハガッニャ
Hagåtña
グアム島
Guam
チャレンジャー海淵
Challenger Deep
<11034>
フィリピン海
Philippine Sea
バタン諸島
Batan Islands
バブヤン諸島
Babuyan Islands
ルソン海峡
Luzon Strait
ルソン島
Luzon
ケソン・シティ
Quezon City
マニラ
Manila
ミンドロ島
Mindoro
サマール島
Samar
レイテ島
Leyte
パナイ島
Panay
セブ島
Cebu
ネグロス島
Negros
ミンダナオ島
Mindanao
ダバオ
Davao
サンボアンガ
Zamboanga
パラワン島
Palawan
フィリピン
Philippines
フィリピン海溝
Philippine Trench
ミクロネシア連邦
Federated States of Micronesia
ヤップ島
Yap
パラオ諸島
Palau Islands
マルキョク
Melekeok
パラオ
Palau
西カロリン海盆
West Caroline Basin
ソンソロル諸島
Sonsorol Islands
ヘレン島
Helen Island
南シナ海
South China Sea
南シナ海盆
South China Basin
西沙諸島(パラセル諸島)
Paracel Islands
南沙諸島(スプラトリー諸島)
Spratly Islands
トンキン湾
Gulf of Tongking
ハノイ
Hanoi
ラオス
Laos
ビエンチャン
Vientiane
ミャンマー
Myanmar
マンダレー
Mandalay
ネーピードー
Nay Pyi Taw
ヤンゴン
Yangon
チェンマイ
Chiang Mai
インドシナ半島
Indochina Peninsula
タイ
Thailand
コーンケーン
Khon Kaen
コラート台地
Khorat Plateau
バンコク
Bangkok
カンボジア
Cambodia
プノンペン
Phnom Penh
ベトナム
Viet Nam
フエ
Huê
ダナン
Đà Nẵng
ホーチミン
Hô Chi Minh
メコン川
Mekong
アンナン山脈
タイランド湾
Gulf of Thailand
ベンガル湾
Bay of Bengal
アンダマン諸島
Andaman Islands
アンダマン海
Andaman Sea
ニコバル諸島
Nicobar Islands
テン・ディグリー海峡
Ten Degree Channel
東ガーツ山脈
Eastern Ghats
ヴィシャーカパトナム
Vishakhapatnam
チェンナイ(マドラス)
スリランカ
Sri Lanka
インド洋
Indian Ocean
プーケット島
Ko Phuket
マレー半島
Malay Peninsula
マレーシア
Malaysia
ジョージ・タウン
George Town
マラッカ海峡
Strait of Malacca
クアラルンプール
Kuala Lumpur
シンガポール
Singapore
メダン
Medan
トバ湖
Danau Toba
シムル島
Pulau Simeulue
ニアス島
Pulau Nias
バトゥー諸島
Kepulauan Batu
シブルッ島
Pulau Siberut
パダン
Padang
スマトラ島
Sumatera
パレンバン
Palembang
バンダル・ランプン
Bandar Lampung
大スンダ列島
Greater Sunda Islands
スンダ海棚
Sunda Shelf
ブルネイ
Brunei
バンダル・スリ・ブガワン
Bandar Seri Begawan
キナバル山
Gunung Kinabalu
<4095>
ナトゥナ島
Natuna Besar
イラン山脈
Iran Mountains
カリマンタン島(ボルネオ島)
Kalimantan(Borneo)
ポンティアナク
Pontianak
バリクパパン
Balikpapan
バンジャルマシン
Banjarmasin
バンカ島
Pulau Bangka
カリマタ海峡
Selat Karimata
ブリトゥン島
Belitung
ジャワ海
Java Sea
インドネシア
Indonesia
ジャカルタ
Jakarta
バンドン
Bandung
スマラン
Semarang
スラバヤ
Surabaya
ジャワ島
Java
マドゥラ島
Madura
バリ島
Bali
ロンボク島
Lombok
スンバワ島
Sumbawa
スンバ島
Sumba
フローレス島
Flores
フローレス海
Flores Sea
小スンダ列島
Nusa Tenggara (Lesser Sunda Islands)
ティモール島
Timor
ディリ
Dili
東ティモール
Timor-Leste
ロティ島
Pulau Roti
ティモール海
Timor Sea
スンダ(ジャワ)海溝
Sunda(Java)Trench
マカッサル
Makassar
マカッサル海峡
Makassar Strait
スラウェシ島(セレベス島)
Sulawesi (Celebes)
セレベス海
Celebes Sea
セレベス海盆
Celebes Basin
スールー海
Sulu Sea
スールー海盆
Sulu Basin
マナド
Manado
サンギヘ諸島
Kepulauan Sangihe
タラウド諸島
Kepulauan Talaud
モロタイ島
Morotai
ハルマヘラ島
Halmahera
モルッカ海
Molucca Sea
スラ諸島
Kepulauan Sula
オビ島
Pulau Obi
ブル島
Buru
セラム島
Seram
セラム海
Seram Sea
マルク(モルッカ)諸島
Maluku (Moluccas)
バンダ海
Banda Sea
ウェタル島
Pulau Wetar
ワイゲオ島
Pulau Waigeo
ミソール島
Pulau Misool
ビアク島
Biak
ヤーペン島
Pulau Yapen
ジャヤプラ
Jayapura
マオケ山脈
Pegunungan Maoke
ジャヤ山
Puncak Jaya
<4884>
ニューギニア島
New Guinea
アルー諸島
Kepulauan Aru
カイ諸島
Kepulauan Kai
ヤムデナ島
Pulau Yamdena
ファルス岬
Tanjung Vals
アラフラ海
Arafura Sea
メルヴィル島
Melville Island
ダーウィン
Darwin
オーストラリア
Australia
P34・35
P32・33
標高
水深

日本

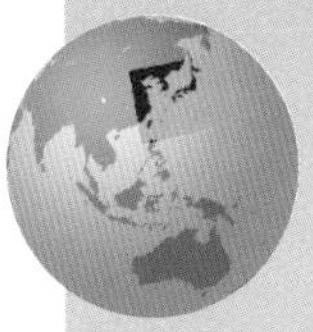

おもな都市

日本

東京	C6	静岡	D6
大阪	D6	仙台	C7
鹿児島	D5	千葉	C7
北九州	D5	名古屋	C6
京都	C6	新潟	C6
神戸	D6	広島	D5
さいたま	C6	福岡	D5
札幌	B7	横浜	C6

ロシア

ウラジオストク		B5

朝鮮民主主義人民共和国(北朝鮮)

平壌	ピョンヤン	C4

大韓民国(韓国)

ソウル		C4
釜山	プサン	C4

中華人民共和国

北京	ペキン	C2

台湾

台北	タイペイ	E3

世界遺産

日本

❶ 白神山地	B7
❷ 日光の社寺	C6
❸ 白川郷、五箇山の合掌造集落	C6
❹ 古都京都の文化財	C6
❺ 古都奈良の文化財	D6
❻ 法隆寺地域の仏教建造物群	D6
❼ 姫路城	D5
❽ 原爆ドーム(広島平和記念碑)	D5
❾ 厳島神社	D5
❿ 屋久島	D5
⓫ 琉球王国のグスク及び関連遺産群	E4
⓬ 紀伊山地の霊場と参詣道	D6
⓭ 知床	B8
⓮ 石見銀山遺跡とその文化的景観	C5
⓯ 平泉-仏国土(浄土)を表す建築・庭園及び考古学的遺跡群	C7
⓰ 小笠原諸島	E7
⓱ 富士山-信仰の対象と芸術の源泉	C6
⓲ 富岡製糸場と絹産業遺産群	C6

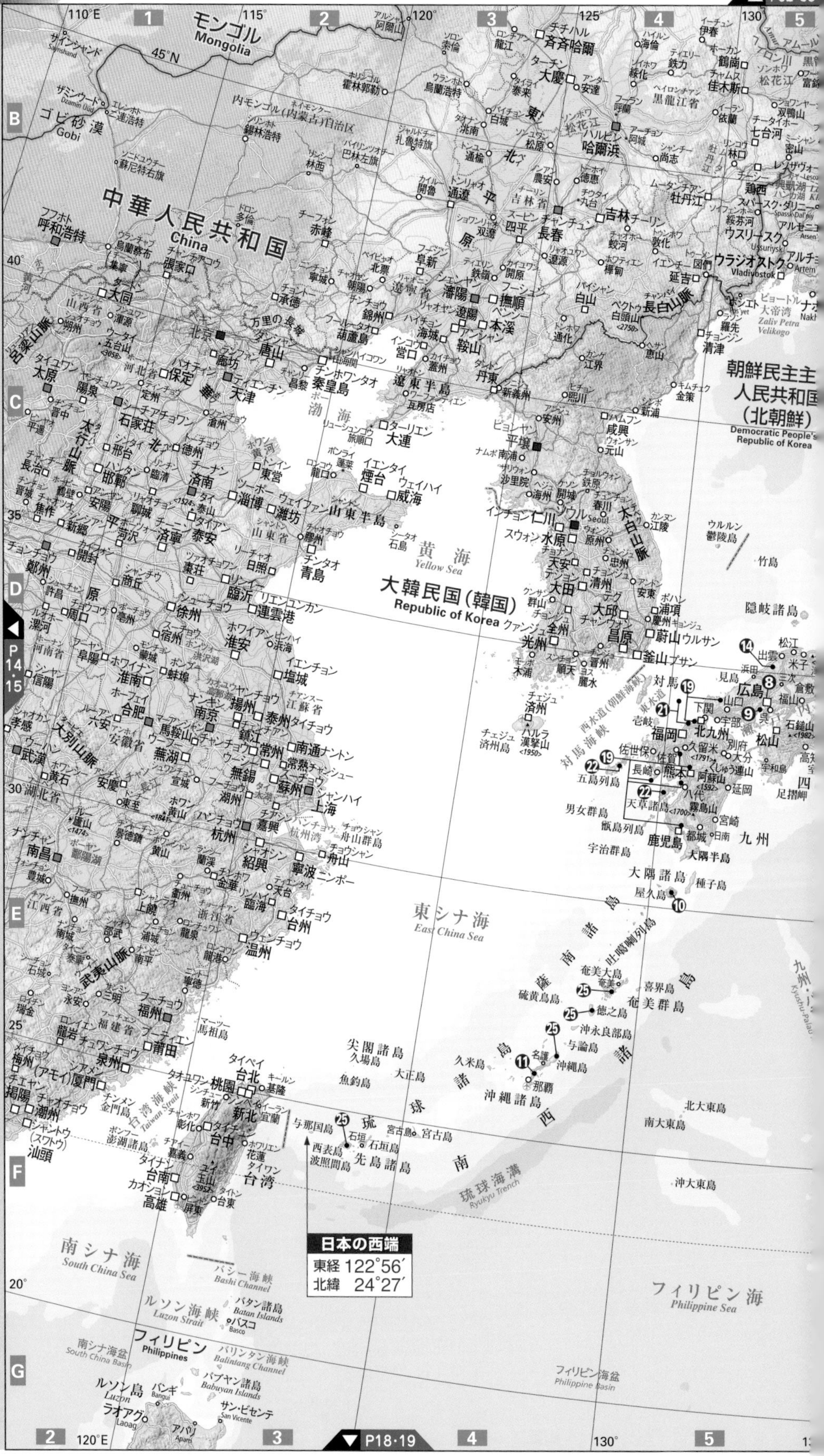

凡例

■● 首都　■● 州都・省都など

都市の人口　□ 100万以上　○ 10万～50万　□ 50万～100万　• 10万未満

福建省 …… 州名・省名など

[アメリカ合衆国] …… 所属国

…… 湿地　…… 砂漠　…… 塩湖　…… 氷河

0 100 200 300 400 500km

1 / 13,953,000

P52・53
P14 15
P18・19

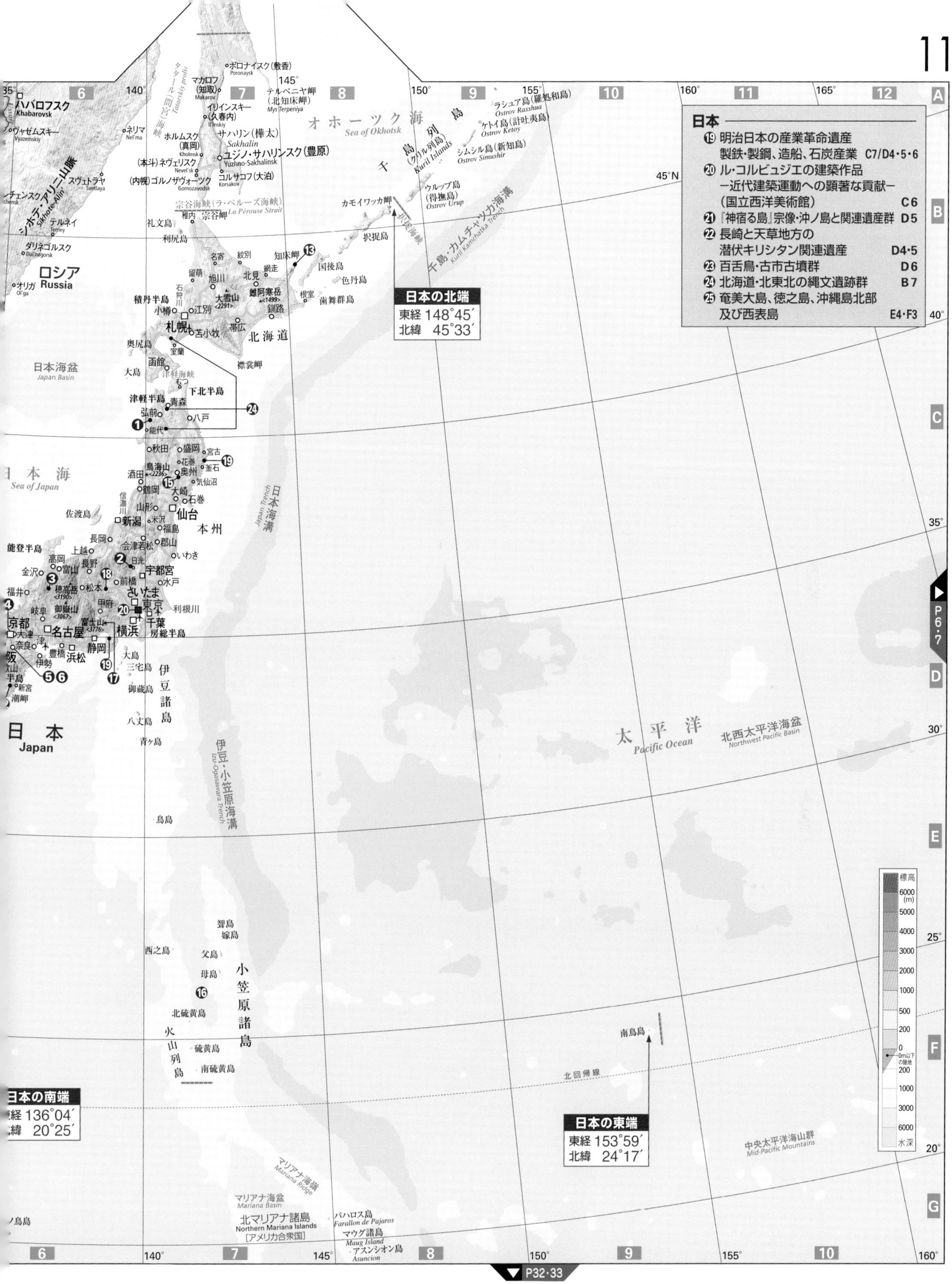
日本
⑲ 明治日本の産業革命遺産 製鉄・製鋼、造船、石炭産業 C7/D4・5・6
⑳ ル・コルビュジエの建築作品 ―近代建築運動への顕著な貢献― (国立西洋美術館) C6
㉑ 『神宿る島』宗像・沖ノ島と関連遺産群 D5
㉒ 長崎と天草地方の潜伏キリシタン関連遺産 D4・5
㉓ 百舌鳥・古市古墳群 D6
㉔ 北海道・北東北の縄文遺跡群 B7
㉕ 奄美大島、徳之島、沖縄島北部及び西表島 E4・F3
日本の北端
東経 148°45′
北緯 45°33′
日本の東端
東経 153°59′
北緯 24°17′
日本の南端
東経 136°04′
北緯 20°25′
ロシア
Russia
ハバロフスク
Khabarovsk
ヴャゼムスキー
Vyazemskiy
ネリマ
Nel'ma
シホテ・アリニ山脈
Sikhote-Alin
スヴェトラヤ
Svetlaya
テルネイ
Terney
ダリネゴルスク
Dal'negorsk
オリガ
Ol'ga
タタール(間宮)海峡
Tatarskiy proliv
ポロナイスク(敷香)
Poronaysk
マカロフ(知取)
Makarov
テルペニヤ岬(北知床岬)
Mys Terpeniya
イリインスキー(久春内)
Il'inskiy
ホルムスク(真岡)
Kholmsk
サハリン(樺太)
Sakhalin
ユジノ・サハリンスク(豊原)
Yuzhno-Sakhalinsk
(本斗)ネヴェリスク
Nevel'sk
(内幌)ゴルノザヴォーツク
Gornozavodsk
コルサコフ(大泊)
Korsakov
宗谷海峡(ラ・ペルーズ海峡)
La Pérouse Strait
稚内
宗谷岬
オホーツク海
Sea of Okhotsk
千島列島
(クリル列島)
Kuril Islands
ラシュア島(羅処和島)
Ostrov Rasshua
ケトイ島(計吐夷島)
Ostrov Ketoy
シムシル島(新知島)
Ostrov Simushir
ウルップ島(得撫島)
Ostrov Urup
カモイワッカ岬
択捉海峡
択捉島
千島・カムチャツカ海溝
Kuril Kamchatka Trench
45°N
礼文島
利尻島
名寄
紋別
知床岬
留萌
旭川
北見
網走
国後島
色丹島
石狩川
大雪山 <2291>
雌阿寒岳 <1499>
根室
歯舞群島
積丹半島
小樽
江別
釧路
札幌
苫小牧
帯広
北海道
奥尻島
室蘭
函館
襟裳岬
日本海盆
Japan Basin
大島
津軽海峡
むつ
下北半島
津軽半島
青森
弘前
八戸
能代
秋田
盛岡
宮古
花巻
釜石
鳥海山 <2236>
奥州
酒田
気仙沼
鶴岡
大崎
石巻
信濃川
山形
仙台
日本海
Sea of Japan
日本海溝
Japan Trench
佐渡島
新潟
米沢
福島
本州
長岡
会津若松
郡山
能登半島
上越
日光
いわき
高岡
長野
富山
金沢
宇都宮
前橋
水戸
福井
穂高岳 <3190>
松本
さいたま
甲府
東京
利根川
岐阜
御嶽山 <3067>
富士山 <3776>
千葉
京都
名古屋
横浜
房総半島
大津
奈良
津
静岡
豊橋
浜松
伊勢
新宮
潮岬
大島
三宅島
伊豆諸島
御蔵島
八丈島
青ヶ島
日本
Japan
伊豆・小笠原海溝
Izu-Ogasawara Trench
鳥島
太平洋
Pacific Ocean
北西太平洋海盆
Northwest Pacific Basin
聟島
嫁島
西之島
父島
母島
小笠原諸島
北硫黄島
火山列島
硫黄島
南硫黄島
南鳥島
北回帰線
中央太平洋海山群
Mid-Pacific Mountains
マリアナ海嶺
Mariana Ridge
マリアナ海盆
Mariana Basin
北マリアナ諸島
Northern Mariana Islands
[アメリカ合衆国]
パハロス島
Farallon de Pajaros
マウグ諸島
Maug Island
アスンシオン島
Asuncion
ノ鳥島
標高
6000 (m)
5000
4000
3000
2000
1000
500
200
0
0m以下の陸地
200
1000
3000
6000
水深
140°
145°
150°
155°
160°
165°
40°
35°
30°
25°
20°

P6・7

P32・33

凡 例

1 / 3,372,000

- ■ 首都
- ● 州都・省都など
- □ 100万以上
- □ 50万～100万
- ○ 10万～50万
- ○ 10万未満

都市の人口

京畿道 …… 州名・省名など　　温地

標高 (m) 6000 5000 3000 2000 1000 500 200／0／200 2000 3000 4000 6000 水深

0 50 100km

おもな都市

朝鮮民主主義人民共和国（北朝鮮）

平壌　ピョンヤン	B3
元山　ウォンサン	C3
開城　ケソン	C4
新義州　シニジュ	B2
清津　チョンジン	D2
南浦　ナムポ	B3
咸興　ハムフン	C3

大韓民国（韓国）

ソウル	C4
仁川　インチョン	C4
蔚山　ウルサン	D5
光州　クァンジュ	C5
全州　チョンジュ	C6
大邱　テグ	D5
大田　テジョン	C4
釜山　プサン	D5

台湾

台北　タイペイ	G7
高雄　カオシュン	G8
台中　タイチョン	G7
台南　タイナン	G8

世界遺産

大韓民国（韓国）

① 宗廟	C4
② 昌徳宮	C4
③ 水原の華城	D5
④ 伽耶山海印寺	D5
⑤ 石窟庵、仏国寺	D5
⑥ 慶州の歴史地域	D5
⑦ 高敞、⑧和順、⑨江華の支石墓群	C4・C5
⑩ 済州火山島と溶岩洞窟群	C6
⑪ 朝鮮王朝の王墓群	D4
⑫ 河回と良洞の歴史村	D4
⑬ 南漢山城	C4

大韓民国（韓国）
- ⑭ 百済歴史地区　C4・C5
- ⑮ 山寺（サンサ）、韓国の山岳仏寺群　C4
- ⑯ 書院（ソウォン）、韓国の新儒学者学校　C4・C5・D4・D5
- ⑰ 韓国の干潟ケッボル　C5

朝鮮民主主義人民共和国（北朝鮮）
- ⑱ 高句麗古墳群　B3
- ⑲ 開城の歴史的建造物と史跡　C4

中華人民共和国
- ⑳ 古代高句麗王国の…

朝鮮民主主義人民共和国（北朝鮮）
Democratic People's Republic of Korea

中華人民共和国 China

ロシア Russia

▲ P14·15
▼ P16·17

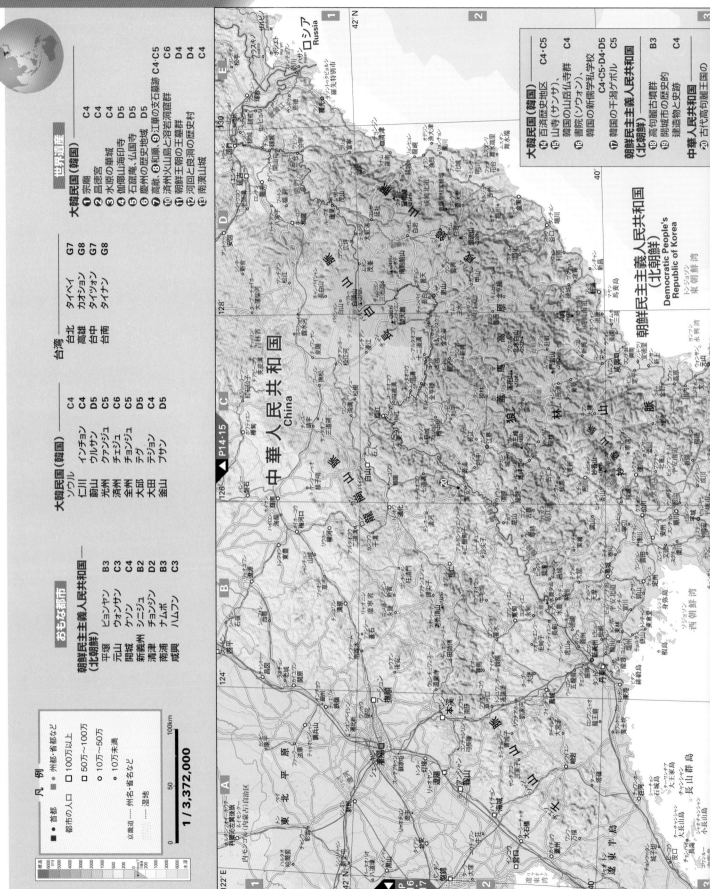

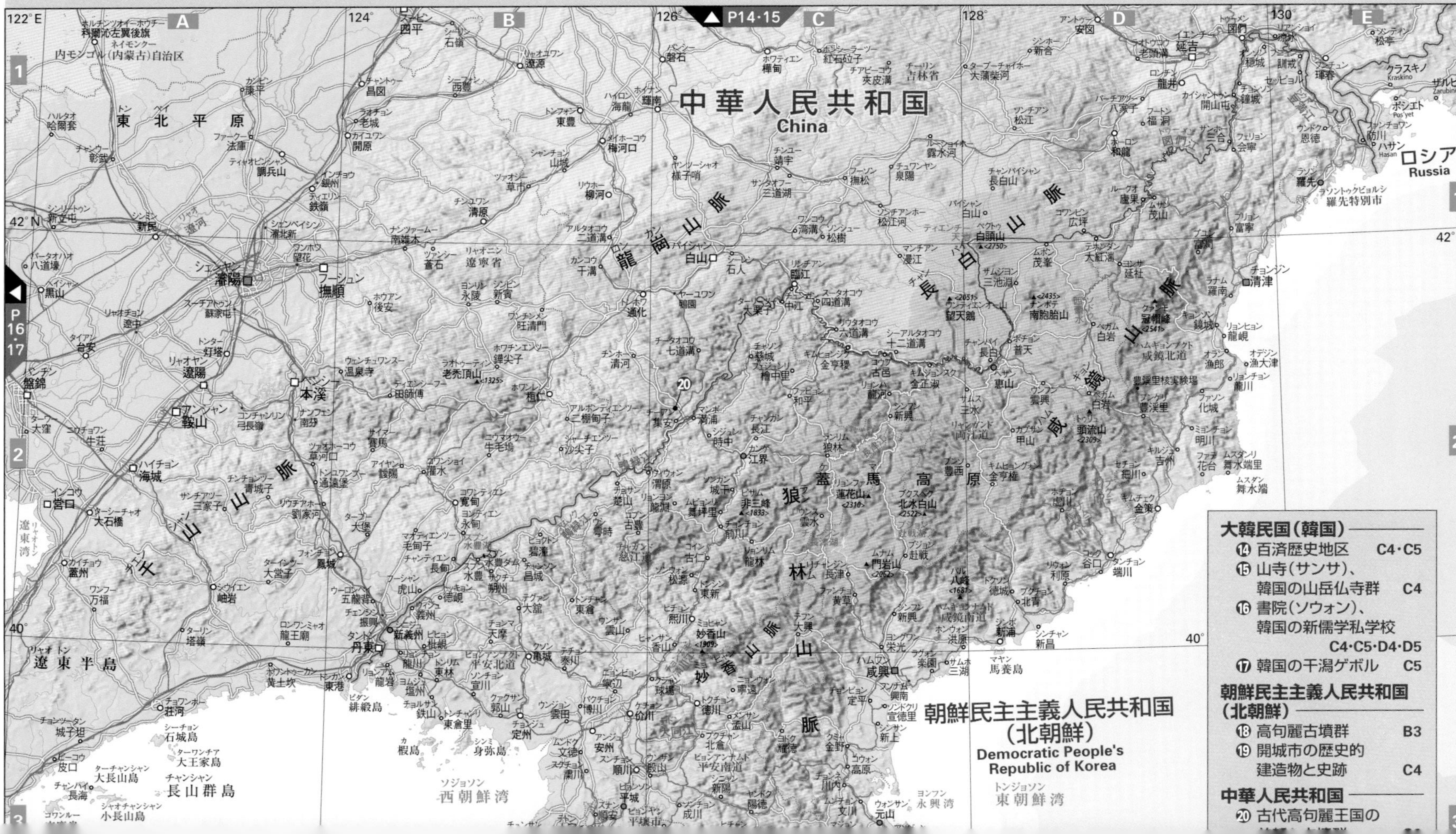

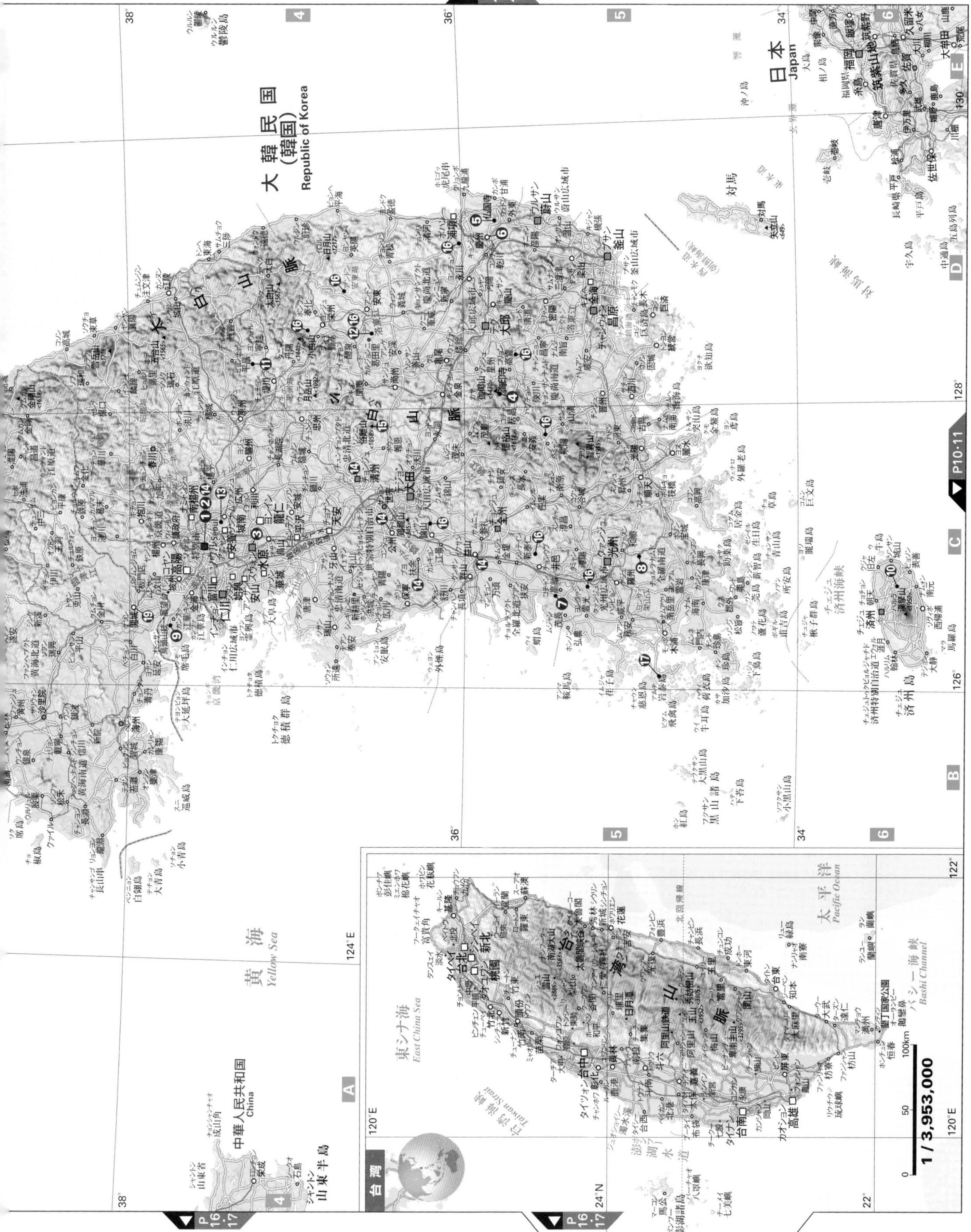
大韓民国
(韓国)
Republic of Korea
日本
Japan
中華人民共和国
China
黄海
Yellow Sea
東シナ海
East China Sea
太平洋
Pacific Ocean
台湾
バシー海峡
Bashi Channel
Taiwan Strait
済州海峡
済州島
対馬
山東半島
ソウル Seoul
釜山
大邱
光州
大田
台北
台中
高雄
1 / 3,953,000
P10·11
P16·17

P52·53

おもな都市

中華人民共和国

北京	ペキン	D11
武漢	ウーハン	E10
烏魯木斉	ウルムチ	C 5
昆明	クンミン	F 8
貴陽	コイヤン	F 9
広州	コワンチョウ	G10
西安	シーアン	E 9
瀋陽	シェンヤン	C12
上海	シャンハイ	E12
重慶	チョンチン	F 9
成都	チョントゥー	E 8
南京	ナンキン	E11
哈爾浜	ハルビン	B13
杭州	ハンチョウ	E12
香港	ホンコン	G10
澳門	マカオ	G10
拉薩	ラサ	F 6

モンゴル

ウランバートル	B 9

台湾

台北	タイペイ	G12

中国の省

安徽省	アンホイ	E11
甘粛省	カンスー	E 8
貴州省	コイチョウ	F 9
広東省	コワントン	G10
陝西省	シャンシー	D 9
山西省	シャンシー	D10
山東省	シャントン	D11
四川省	スーチョワン	E 8
江西省	チアンシー	F11
江蘇省	チアンスー	E12
吉林省	チーリン	C12
浙江省	チョーチアン	F12
青海省	チンハイ	D 7
海南省	ハイナン	H 9
福建省	フーチエン	F11
湖南省	フーナン	F10
湖北省	フーペイ	E10
黒龍江省	ヘイロンチアン	B13
河南省	ホーナン	E10
河北省	ホーペイ	C11
雲南省	ユンナン	G 8
遼寧省	リャオニン	C12
内モンゴル自治区		B11
広西壮族自治区		G 9
新疆ウイグル自治区		C 4
チベット自治区		E 5
寧夏回族自治区		D 9

凡例

■● 首都　■● 州都・省都など

都市の人口　□ 100万以上　○ 10万～50万

□ 50万～100万　∘ 10万未満

河北省…… 州名・省名など　アルタイ山脈…… 地域名

…… 湿地　…… 砂漠

…… 塩湖　…… 氷河

0 200 400 600 800km

1 / 16,860,000

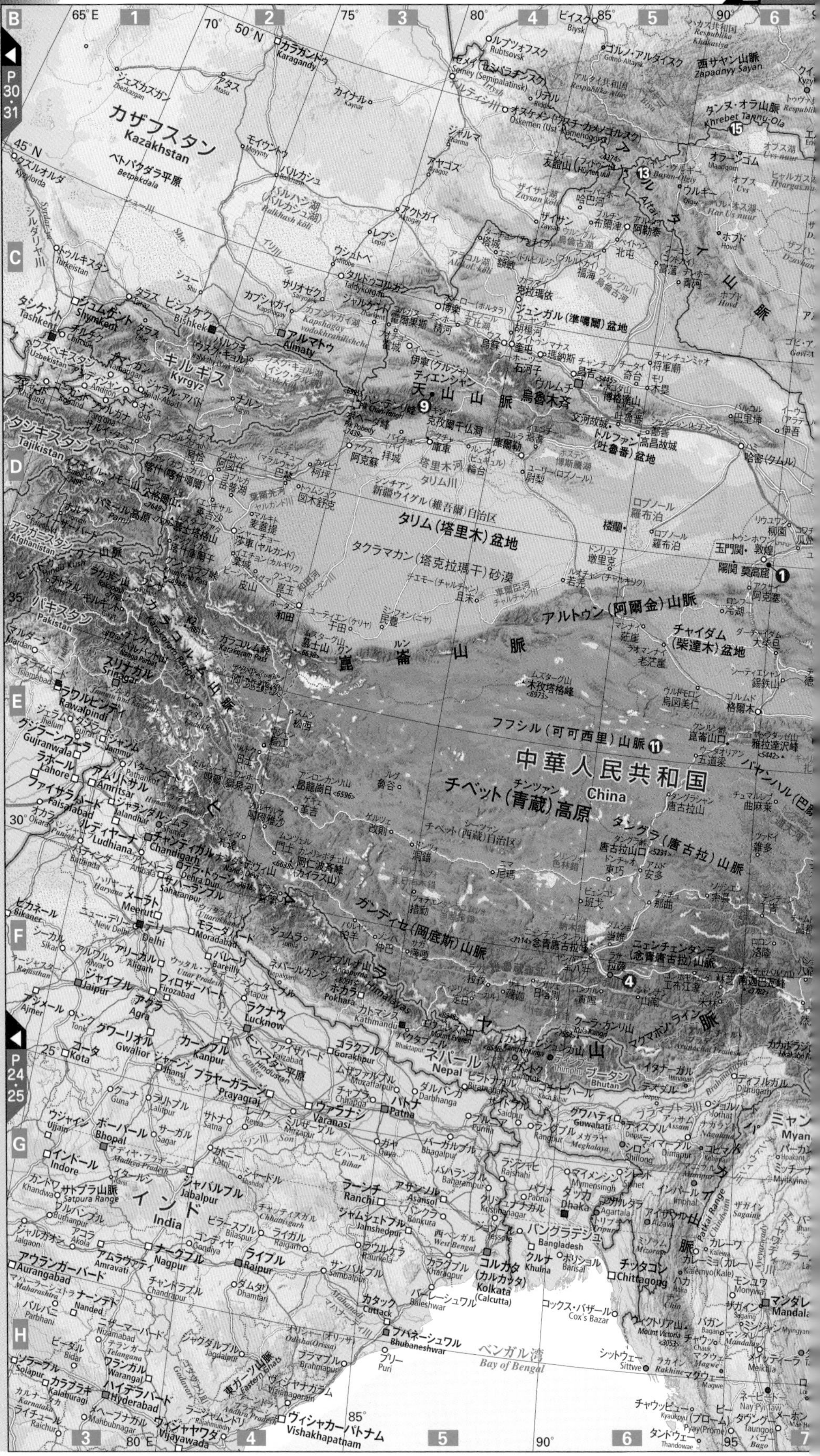

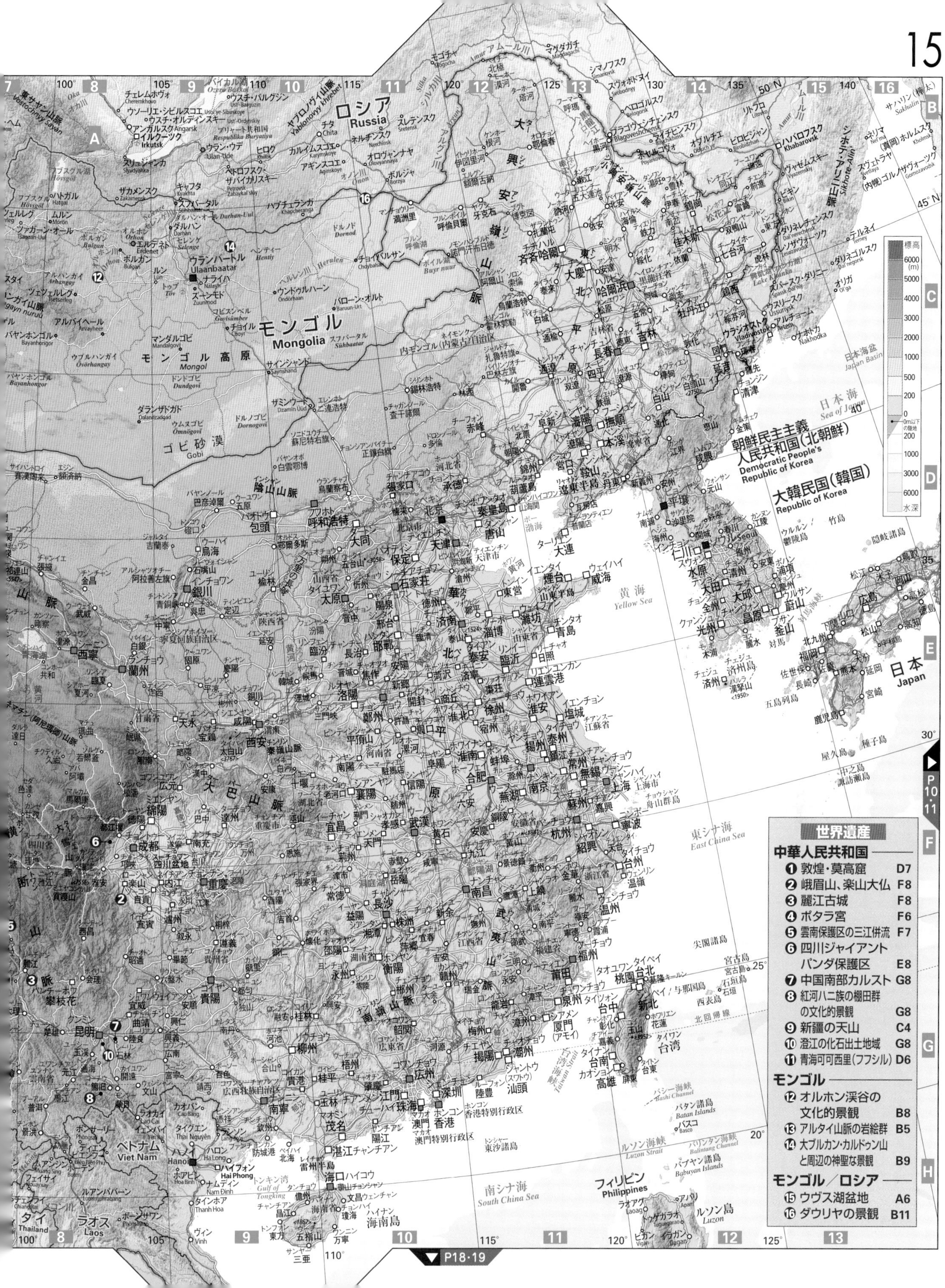

世界遺産

中華人民共和国

- ❶ 敦煌・莫高窟 D7
- ❷ 峨眉山、楽山大仏 F8
- ❸ 麗江古城 F8
- ❹ ポタラ宮 F6
- ❺ 雲南保護区の三江併流 F7
- ❻ 四川ジャイアントパンダ保護区 E8
- ❼ 中国南部カルスト G8
- ❽ 紅河ハニ族の棚田群の文化的景観 G8
- ❾ 新疆の天山 C4
- ❿ 澄江の化石出土地域 G8
- ⓫ 青海可可西里(フフシル) D6

モンゴル

- ⓬ オルホン渓谷の文化的景観 B8
- ⓭ アルタイ山脈の岩絵群 B5
- ⓮ 大ブルカン・カルドゥン山と周辺の神聖な景観 B9

モンゴル／ロシア

- ⓯ ウヴス湖盆地 A6
- ⓰ ダウリヤの景観 B11

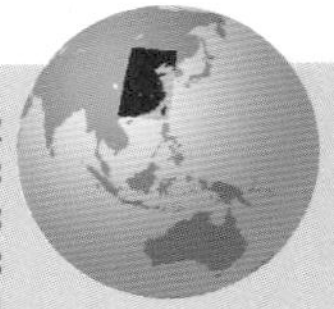

▲ P12.13
▲ P14.15
▲ P6.7

凡 例

1 / 8,604,000

0　100　200　300　400km

■ 首都
■ 州都・省都など
都市の人口　□ 100万以上
□ 50万〜100万
○ 10万〜50万
○ 10万未満
河北省…州名・省名など
湿地　塩湖　砂漠　氷河

おもな都市

中華人民共和国
北京 ペキン	C4
武漢 ウーハン	C6
広州 コワンチョウ	C6
瀋陽 シェンヤン	E2
上海 シャンハイ	E4
重慶 チョンチン	B5
成都 チョントゥー	A4
天津 ティエンチン	D3
南京 ナンキン	D4
哈爾浜 ハルビン	F1
杭州 ハンチョウ	E4
香港 ホンコン	C6

台湾
台北 タイペイ	E5

中国の省
安徽省 アンホイ	D4
甘粛省 カンスー	A3
貴州省 コイチョウ	B5
広東省 コワントン	C6
陝西省 シャンシー	B4
山西省 シャンシー	C3
山東省 シャントン	D3
四川省 スーチョワン	B4
江西省 チアンシー	D5
江蘇省 チアンスー	E4
吉林省 チーリン	E2
浙江省 チョーチヤン	E5
福建省 フーチエン	D5
湖南省 フーナン	C5
湖北省 フーペイ	C4
黒龍江省 ヘイロンチヤン	E1
河南省 ホーナン	C4
河北省 ホーペイ	D2
雲南省 ユンナン	A5
遼寧省 リヤオニン	E3
広西壮族自治区 コワンシーチョワンツー	B6
寧夏回族自治区 ニンシアホイツー	B3
内モンゴル（内蒙古）自治区 ネイモンクー	C2

世界遺産

中華人民共和国
❶ 万里の長城	D2
❷ 承徳の避暑山荘と外八廟	D2
❸ 明・清代の皇帝陵墓群	D3
❹ 周口店の北京原人遺跡	C4
❺ 雲崗石窟	C2
❻ 泰山	D3
❼ 曲阜の孔廟、孔林、孔府	D3
❽ 平遥古城	C3
❾ 龍門石窟	C4
❿ 武当山の古代建築物群	C4
⓫ 秦の始皇帝陵	B4
⓬ 九寨溝渓谷	A4
⓭ 黄龍	A4
⓮ 青城山、都江堰水利施設	B5
⓯ 大足石刻	C5
⓰ 武陵源	C4
⓱ 蘇州の古典園林	E4
⓲ 黄山	D5
⓳ 安徽南部の古村落	D5
⓴ 廬山国立公園	D5
㉑ 武夷山	D5
㉒ 開平の望楼群と村落	C6
㉓ マカオの歴史地区	C6
㉔ 殷墟（インシュー遺跡）	C3
㉕ 三清山国立公園	D5
㉖ 福建の土楼	D6
㉗ 五台山	C3
㉘ 天地之中　登封の歴史建造物群	C4
㉙ 中国の丹霞	B5
㉚ 杭州西湖の文化的景観	D4
㉛ 京杭大運河	D2
㉜ 元の上都	B5
㉝ 土司の遺跡群	B6
㉞ 左江花山の岩絵の文化的景観	C4
㉟ 湖北省の神農架	B6
㊱ 歴史的共同相界、鼓浪嶼（コロンス島）	D6
㊲ 梵浄山（ファンチン）山	B5
㊳ 中国の黄海・渤海沿岸の渡り鳥保護区	E4
㊴ 良渚の考古遺跡群	D4
㊵ 泉州（チュアンチョウ）： 中国宋・元時代の世界交易の中心地	D6

朝鮮民主主義人民共和国（北朝鮮）
Democratic People's Republic of Korea

中華人民共和国
China

モンゴル
Mongolia

モンゴル高原
Mongol

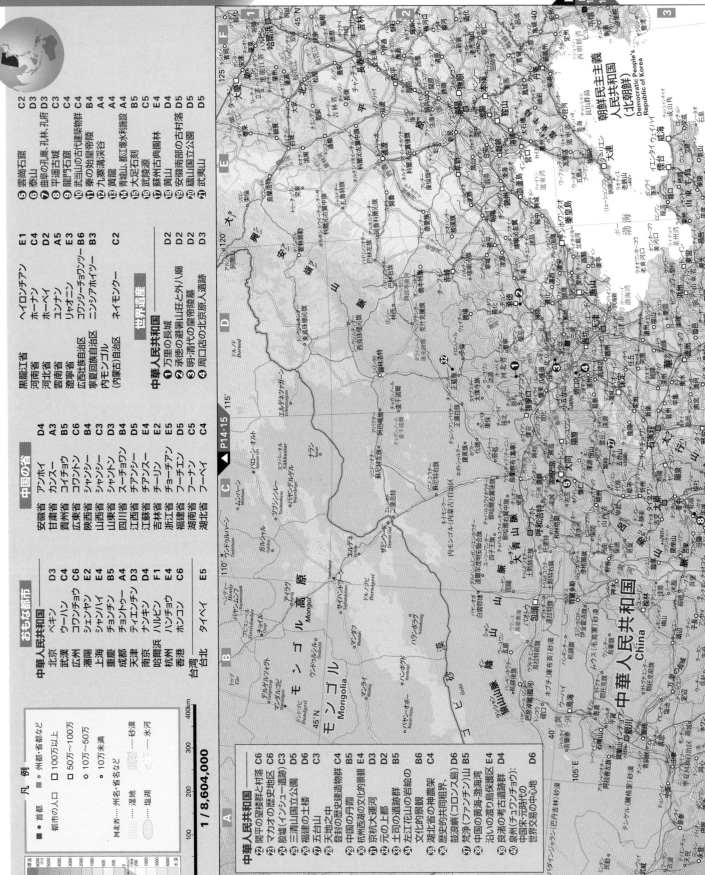

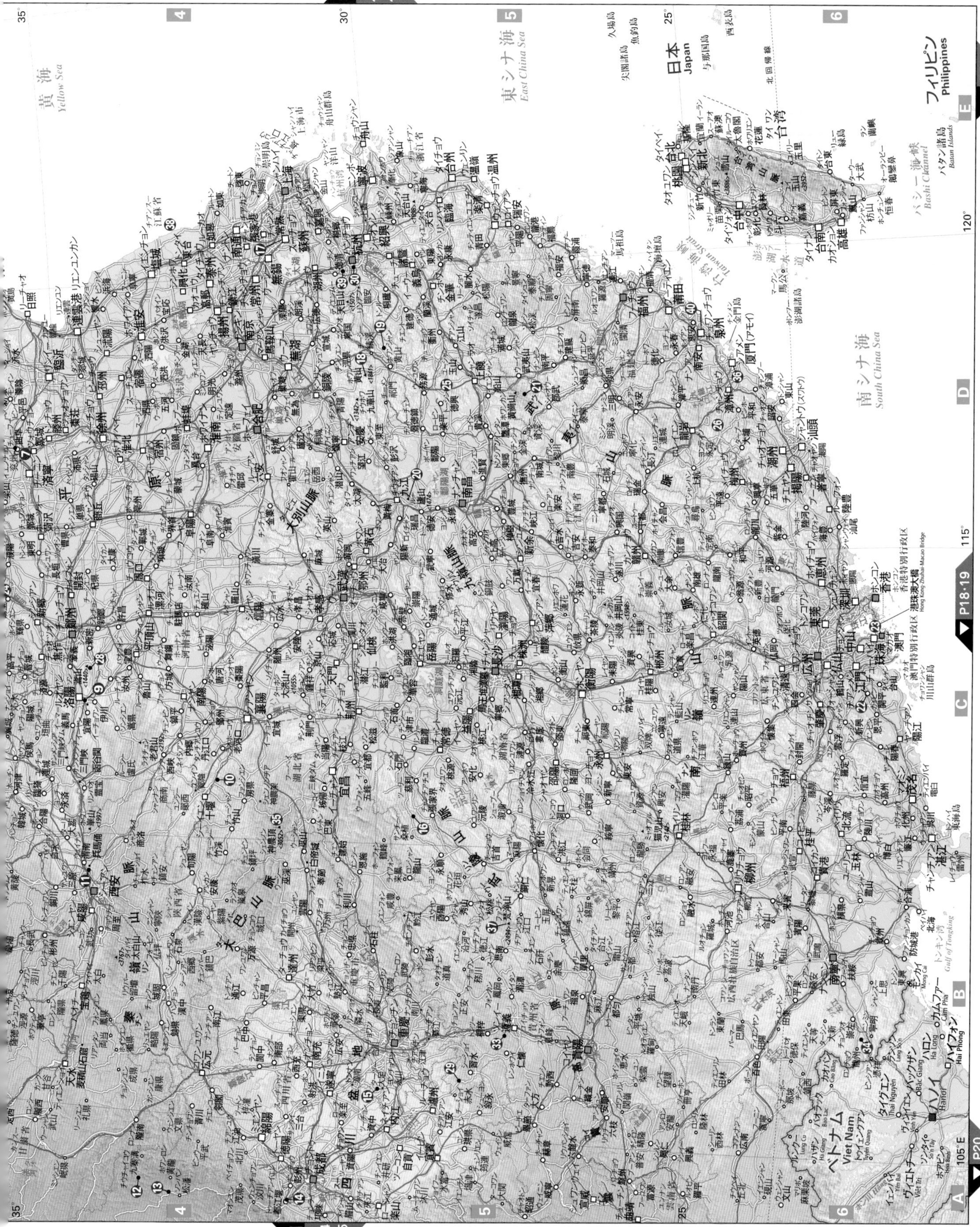
P10·11
P21
P18·19
P20
P14·15
黄海
Yellow Sea
東シナ海
East China Sea
日本
Japan
フィリピン
Philippines
南シナ海
South China Sea
台湾海峡
Taiwan Strait
バシー海峡
Bashi Channel
トンキン湾
Gulf of Tonking
ベトナム
Viet Nam
ハノイ
Hanoi
ハイフォン
Hai Phong
上海
南京
杭州
合肥
武漢
長沙
南昌
福州
厦門(アモイ)
広州
香港
香港特別行政区
港珠澳大橋
Hong Kong-Zhuhai-Macao Bridge
澳門特別行政区
台北
台中
高雄
台湾
西安
鄭州
成都
重慶
貴陽
南寧
大別山脈
秦嶺山脈
南嶺山脈

おもな都市

ベトナム		**ブルネイ**	
ハノイ	A3	バンダル・スリ・ブガワン	C4
ホーチミン	B3	**フィリピン**	
カンボジア		マニラ	B5
プノンペン	B3	ダバオ	C5
ラオス		**東ティモール**	
ビエンチャン	B3	ディリ	D5
タイ		**パプアニューギニア**	
バンコク	B3	ポートモレスビー	D7
チェンマイ	B2	**パラオ**	
ミャンマー		マルキョク	C6
ネーピードー	B2	**アメリカ領グアム島**	
マンダレー	A2	グアム島	B7
ヤンゴン	B2		
マレーシア			
クアラルンプール	C3		
シンガポール			
シンガポール	C3		
インドネシア			
ジャカルタ	D3		
スラバヤ	D4		
デンパサル	D4		
パレンバン	D3		
バンドン	D3		
マカッサル	D4		
メダン	C2		

世界遺産

ベトナム
❶ フォンニャ - ケバン国立公園　B3

インドネシア
❷ ロレンツ国立公園　D6
❸ スマトラの熱帯雨林遺産　D3
❹ サワルントのオンビリン炭鉱遺産　D3

インド
❺ カジランガ国立公園　A2

ミャンマー
❻ ピュー族の都市　A2
❼ バガン　A2

カンボジア
❽ 古代イシャナプラの考古遺跡、
　サンボー・プレイ・クックの寺院地帯　B3

凡　例

■● 首都　　■● 州都・省都など
都市の人口　□100万以上　　□10万～50万
　　　　　　□50万～100万　　●10万未満
西ジャワ　州名・省都など　　[オーストラリア]　所属国
ミクロネシア　地域名
　　湿地　　　　砂漠
　　塩湖　　　　氷河

0　200　400　600　800　1000km

1 / 20,930,000

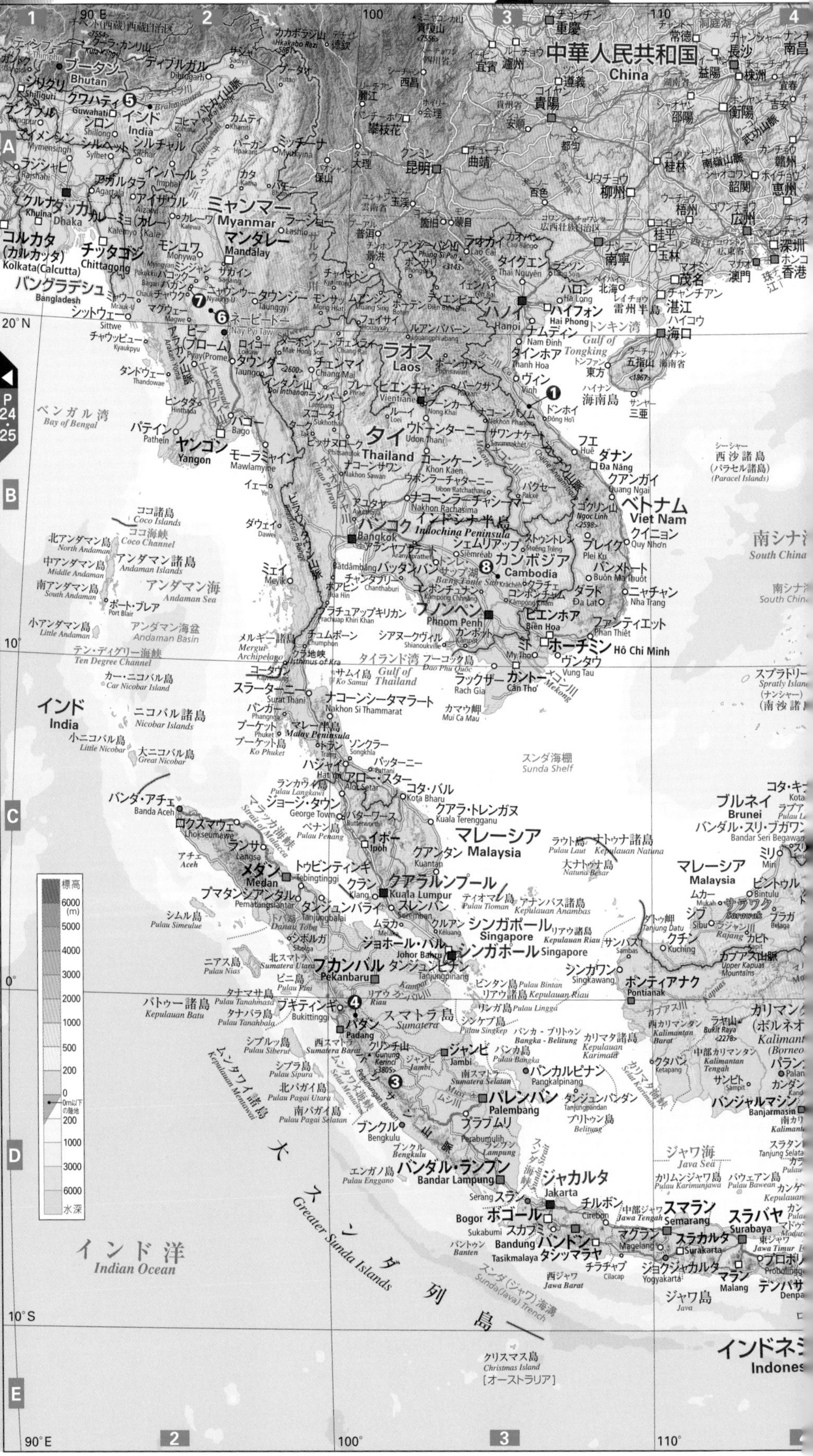

P10·11

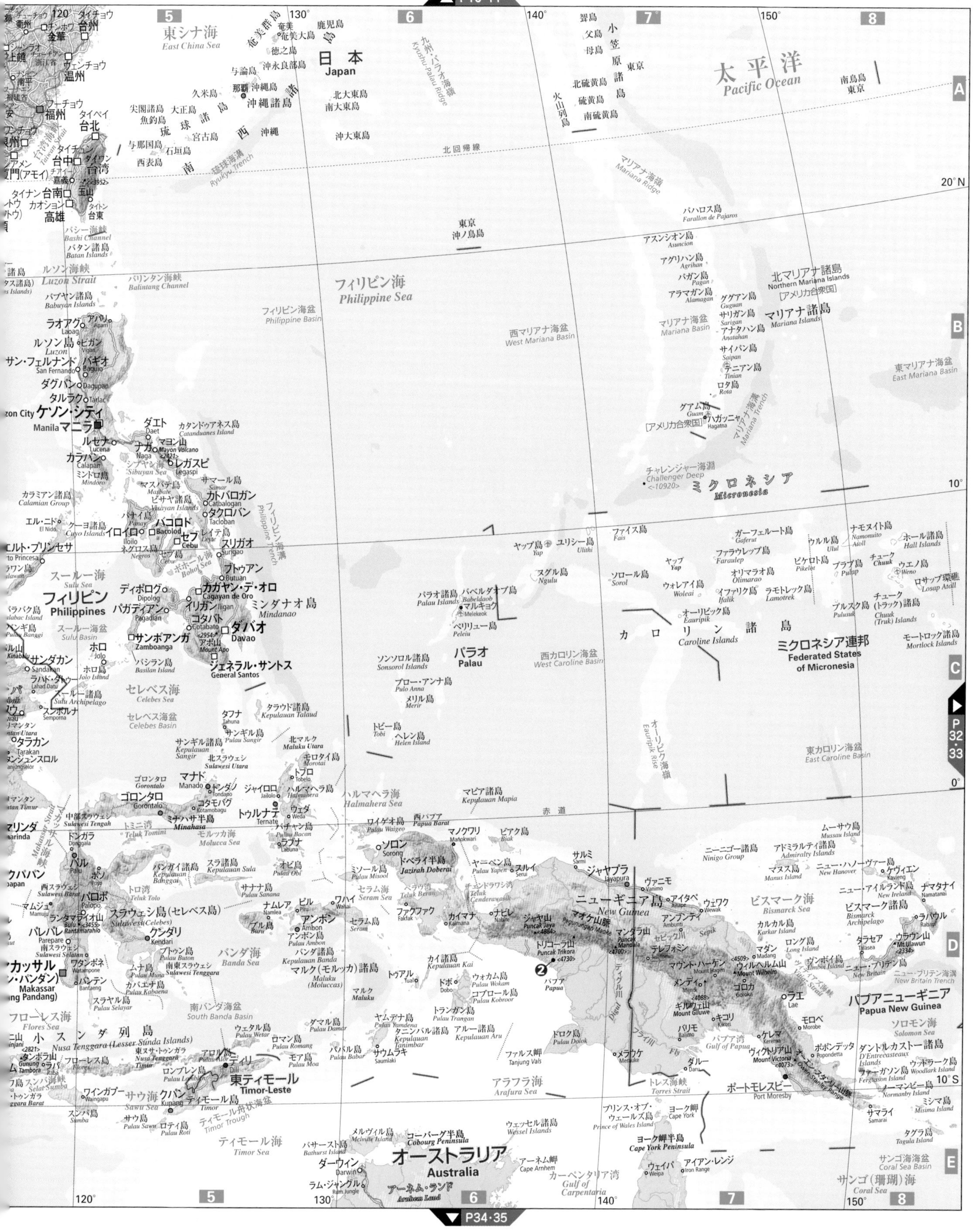

P32·33

P34·35

アジア
インドシナ半島

おもな都市

ベトナム
- ハノイ A3
- ホーチミン C3

ラオス
- ビエンチャン B2
- ルアンパバーン B2

カンボジア
- プノンペン C2

タイ
- バンコク C2
- チェンマイ B1
- プーケット D1

ミャンマー
- ネーピードー B1
- マンダレー A1
- ヤンゴン B1

世界遺産

ベトナム
- ❶ハロン湾 A3
- ❷フエの建造物群 B3
- ❸古都ホイアン B3
- ❹ミーソン聖域 B3
- ❺ハノイのタンロン王宮中心部 A3
- ❻ホー(胡)王朝の城塞 A3
- ❼チャンアンの複合景観 A3

ラオス
- ❽ルアンパバーンの町 B2
- ❾ワット・プー寺院と関連古代遺産群 C3
- ❿シエンクワンの巨石壺遺跡群-ジャール平原 B2

カンボジア
- ⓫アンコール C2
- ⓬プレア・ヴィヒア寺院 C2

タイ
- ⓭バン・チェン遺跡 B2
- ⓮古都スコータイ B1
- ⓯トゥンヤイ・ファイ・カ・ケン野生生物保護区 B1
- ⓰古都アユタヤ C2
- ⓱ドンパヤーイェン-カオヤイ森林地帯 C2
- ⓲ケーンクラチャン森林地帯 C1

凡例
- ■ ● 首都　■ ● 州都・省都など
- 都市の人口
  - □100万以上　○10万～50万
  - □50万～100万　○10万未満
- シャン …… 州名・省名など
- トンキン …… 地域名
- …… 湿地

0　100　200km

1 / 8,721,000

P14·15

P24·25

P22·23

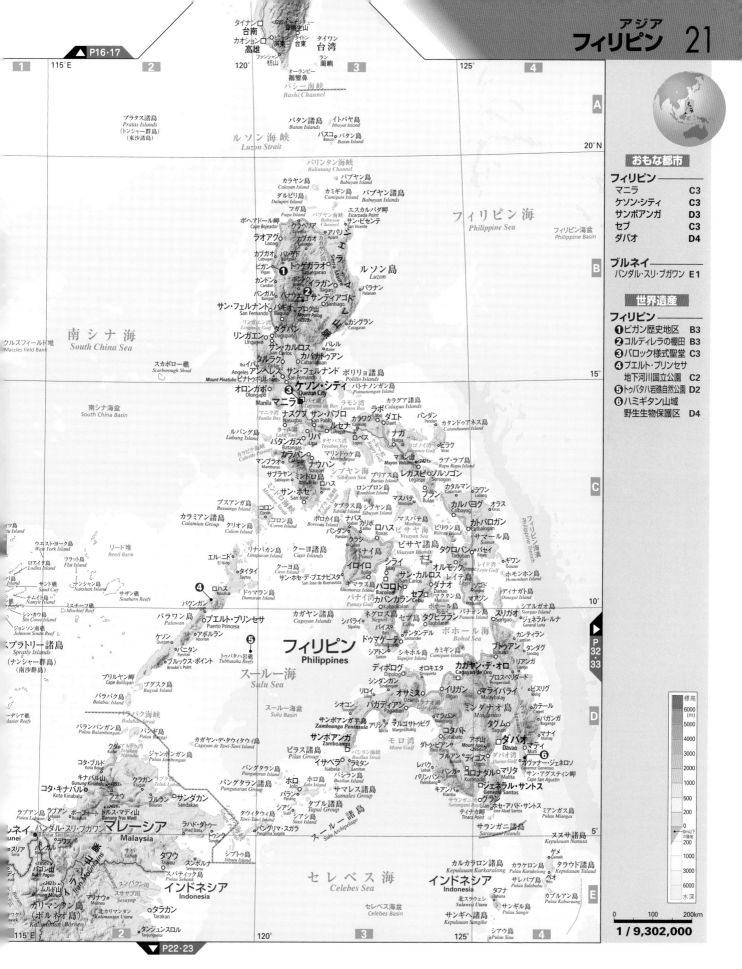

1 / 9,302,000

おもな都市

フィリピン

マニラ	C3
ケソン・シティ	C3
サンボアンガ	D3
セブ	C3
ダバオ	D4

ブルネイ

バンダル・スリ・ブガワン	E1

世界遺産

フィリピン

❶ビガン歴史地区	B3
❷コルディレラの棚田	B3
❸バロック様式聖堂	C3
❹プエルト・プリンセサ地下河川国立公園	C2
❺トゥバタハ岩礁自然公園	D2
❻ハミギタン山域野生生物保護区	D4

マレーシア・インドネシア主要部

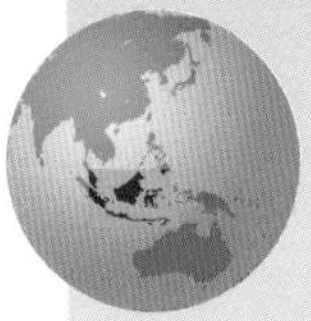

おもな都市

マレーシア

クアラルンプール	B1
ジョージ・タウン	A1
ペナン島	A1

シンガポール

シンガポール	B1

ブルネイ

バンダル・スリ・ブガワン	B3

インドネシア

ジャカルタ	D2
スラバヤ	D3
バリ島	D4
パレンバン	C1
バンジャルマシン	C3
バンドン	D2
マカッサル	D4

東ティモール

ディリ	D6

世界遺産

マレーシア

❶キナバル公園	A4
❷グヌンムル国立公園	B3
❸マラッカとジョージタウン、マラッカ海峡の古都群	A1・B1
❹レンゴン渓谷の考古遺跡	A1

インドネシア

❺ウジュン・クロン国立公園	D2
❻ボロブドゥル寺院遺跡群	D3
❼プランバナン寺院遺跡群	D3
❽サンギラン初期人類遺跡	D3
❾コモド国立公園	D4
❿バリ州の文化的景観	D4

シンガポール

⓫シンガポール植物園	B1

凡例

■● 首都　■● 州都・省都など

都市の人口　□ 100万以上　○ 10万～50万

□ 50万～100万　◦ 10万未満

サラワク …… 州名・省名など

[オーストラリア] …… 所属国

…… 湿地

0　100　200　300　400km

1 / 8,953,000

P21

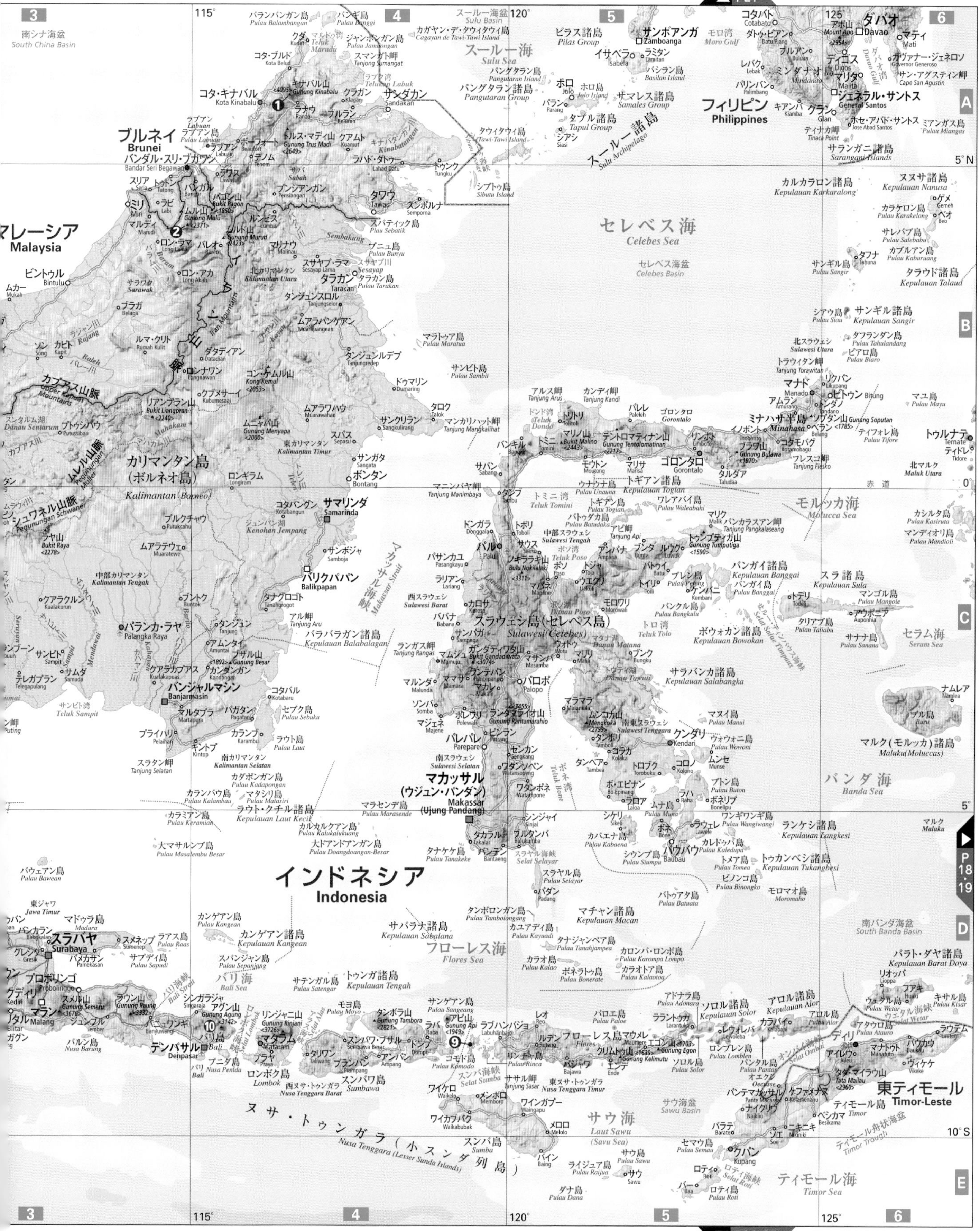

P18·19

P34·35

おもな都市

パキスタン
イスラマバード　B2
ハイデラバード　A3
ペシャワル　B2
ラホール　B2

ブータン
ティンプー　E3

ネパール
カトマンズ　E3
エヴェレスト山　E3

インド
デリー　C3
ニューデリー　C3
アハマダーバード　B4
ヴァラナシ　D3
コルカタ（カルカッタ）　E4
チェンナイ（マドラス）　D6
ナーグプル　C4
ハイデラバード　C5
パトナ　E3
ベンガルール（バンガロール）　C6
ボパール　C4
ムンバイ（ボンベイ）　B5
ラクナウ　D3

バングラデシュ
ダッカ　F4
チッタゴン　F4

世界遺産

インド
①マナス野生生物保護区　F3
②インドの山岳鉄道　C2・C6・E3
③スンダルバンス国立公園　E4
④マハーボーディー（大菩提寺院）　D4
⑤ナンダ・デヴィ国立公園　C2
⑥タージ・マハル　C3
⑦アグラ城塞　C3
⑧ファテープル・シークリー　C3
⑨ケオラデオ国立公園　C3
⑩カジュラーホの建造物群　C4
⑪サーンチーの仏教建造物　C4
⑫コナーラクの太陽神寺院　E5
⑬アジャンタ石窟群　C4
⑭エローラ石窟群　C4
⑮エレファンタ石窟群　B5
⑯ゴアの聖堂と修道院　B5
⑰パッタダカルの建造物群　C5
⑱ハンピの建造物群　C5
⑲マハーバリプラムの建造物群　D6
⑳現存するチョーラ朝寺院群　C6
㉑ビンベトカの岩陰遺跡群　C4
㉒チャンパネル・パバガドゥの遺跡公園　B4
㉓チャトラパティ・シヴァージー・ターミナス駅
《旧ヴィクトリア・ターミナス駅》　B5

スリランカ
スリジャヤワルダナプラコッテ　C7
コロンボ　C7

モルディブ
マレ　B8

凡例

首都　●
州都・省都など　■
都市の人口
　100万以上　□
　50万～100万　□
　10万～50万　○
　10万未満　○

パンジャブ　州名・省名など
アラヴァリ　地域名
鉄道線　　湿地　　砂漠
　　　　　塩湖　　氷河

1／11,628,000

0　100　200　300　400　500km

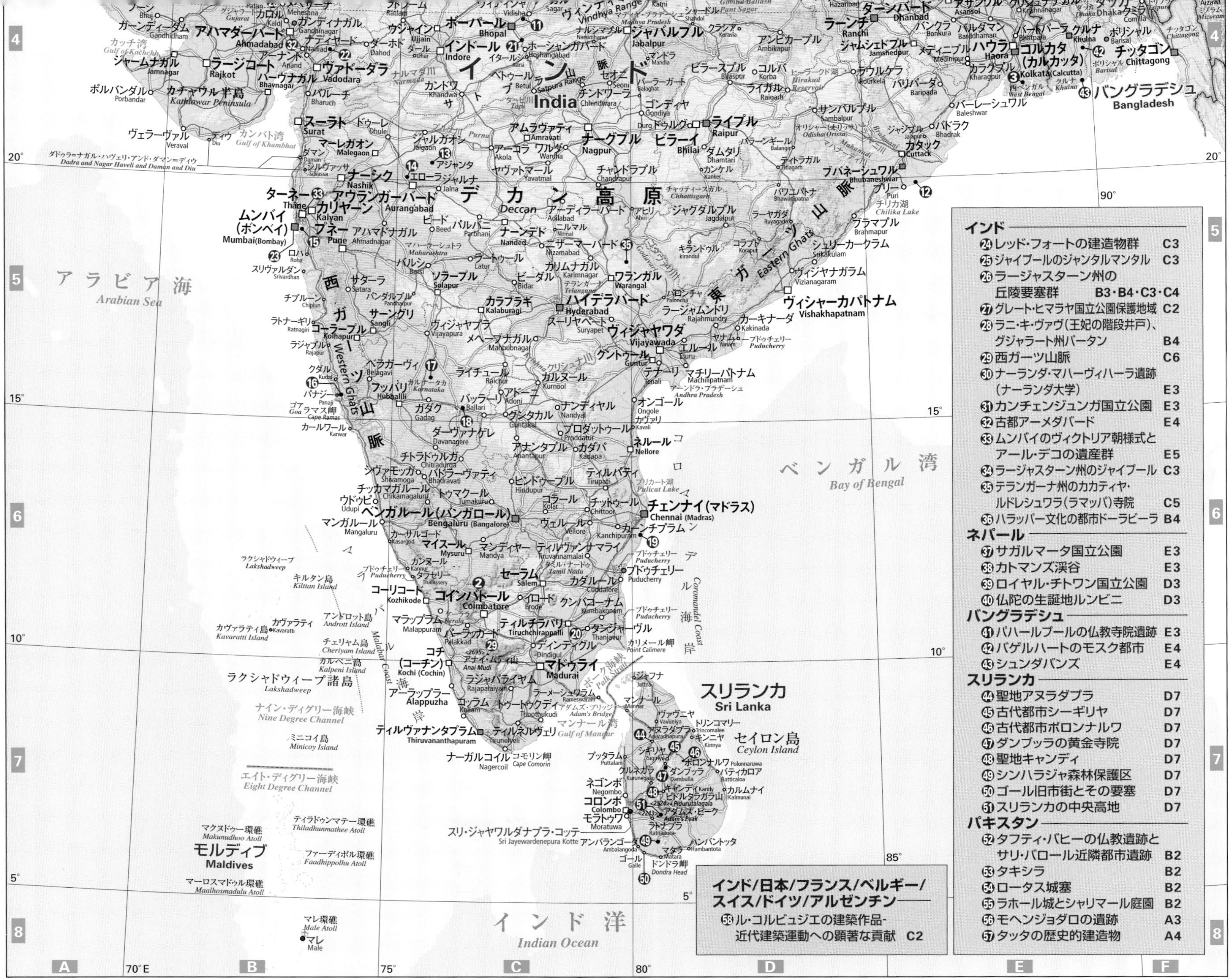

インド

- ㉔レッド・フォートの建造物群　C3
- ㉕ジャイプールのジャンタルマンタル　C3
- ㉖ラージャスターン州の丘陵要塞群　B3・B4・C3・C4
- ㉗グレート・ヒマラヤ国立公園保護地域　C2
- ㉘ラニ・キ・ヴァヴ（王妃の階段井戸）、グジャラート州パータン　B4
- ㉙西ガーツ山脈　C6
- ㉚ナーランダ・マハーヴィハーラ遺跡（ナーランダ大学）　E3
- ㉛カンチェンジュンガ国立公園　E3
- ㉜古都アーメダバード　E4
- ㉝ムンバイのヴィクトリア朝様式とアール・デコの遺産群　E5
- ㉞ラージャスターン州のジャイプール　C3
- ㉟テランガーナ州のカカティヤ・ルドレシュワラ（ラマッパ）寺院　C5
- ㊱ハラッパー文化の都市ドーラビーラ　B4

ネパール

- ㊲サガルマータ国立公園　E3
- ㊳カトマンズ渓谷　E3
- ㊴ロイヤル・チトワン国立公園　D3
- ㊵仏陀の生誕地ルンビニ　D3

バングラデシュ

- ㊶パハールプールの仏教寺院遺跡　E3
- ㊷バゲルハートのモスク都市　E4
- ㊸シュンダバンズ　E4

スリランカ

- ㊹聖地アヌラダプラ　D7
- ㊺古代都市シーギリヤ　D7
- ㊻古代都市ポロンナルワ　D7
- ㊼ダンブッラの黄金寺院　D7
- ㊽聖地キャンディ　D7
- ㊾シンハラジャ森林保護区　D7
- ㊿ゴール旧市街とその要塞　D7
- 51 スリランカの中央高地　D7

パキスタン

- 52 タフティ・バヒーの仏教遺跡とサリ・バロール近隣都市遺跡　B2
- 53 タキシラ　B2
- 54 ロータス城塞　B2
- 55 ラホール城とシャリマール庭園　B2
- 56 モヘンジョダロの遺跡　A3
- 57 タッタの歴史的建造物　A4

インド/日本/フランス/ベルギー/スイス/ドイツ/アルゼンチン

- 58 ル・コルビュジエの建築作品-近代建築運動への顕著な貢献　C2

おもな都市

世界遺産

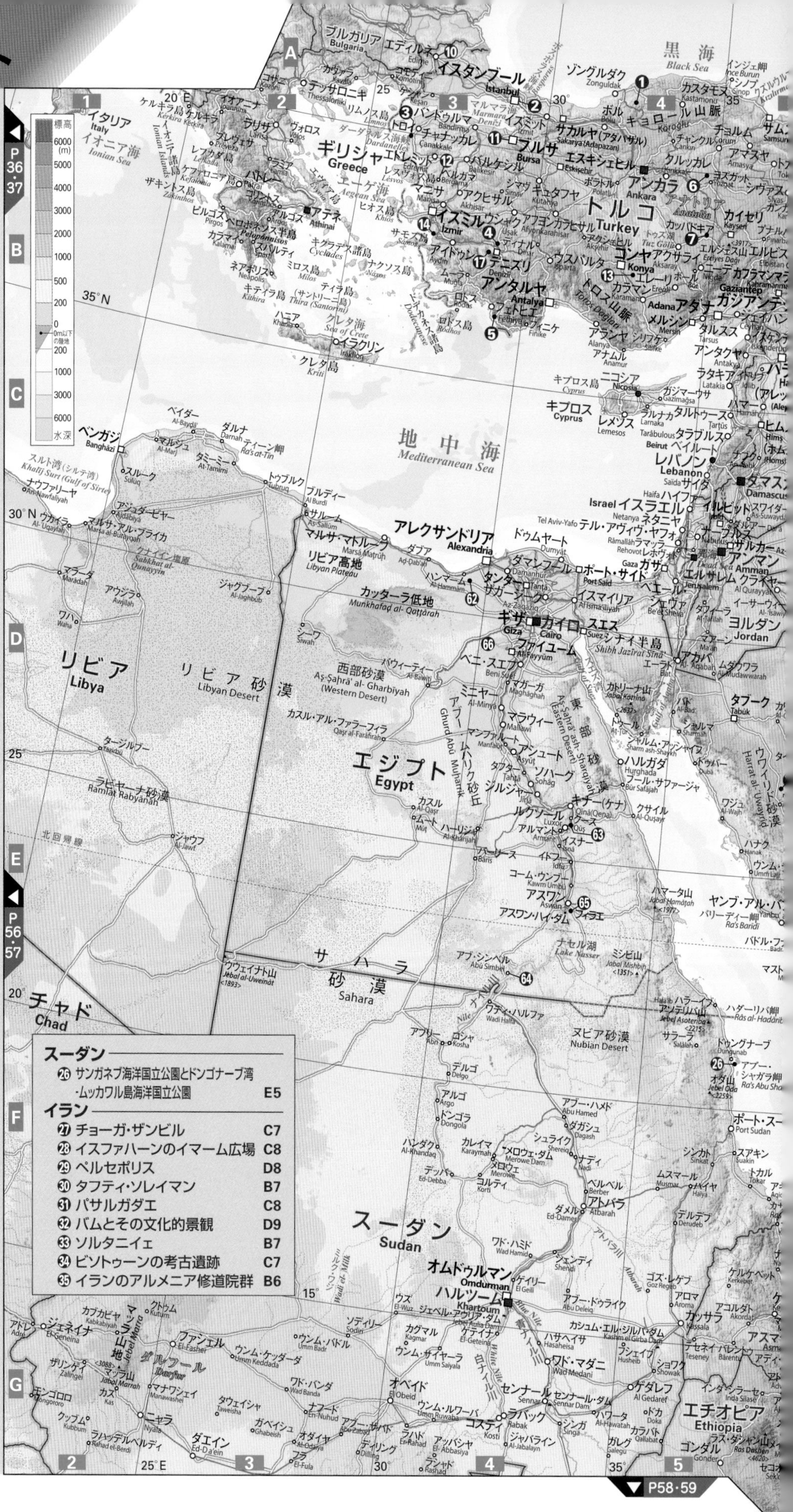

凡例

● 首都
都市の人口　□ 100万以上　● 10万～50万
　　　　　　□ 50万～100万　● 10万未満
ヒジャーズ …… 地域名
　　　…… 湿地　　　　…… 砂漠
　　　…… 塩湖

0　100　200　300　400　500km
1 / 13,953,000

P 36・37
P 56・57
P 58・59

P30·31

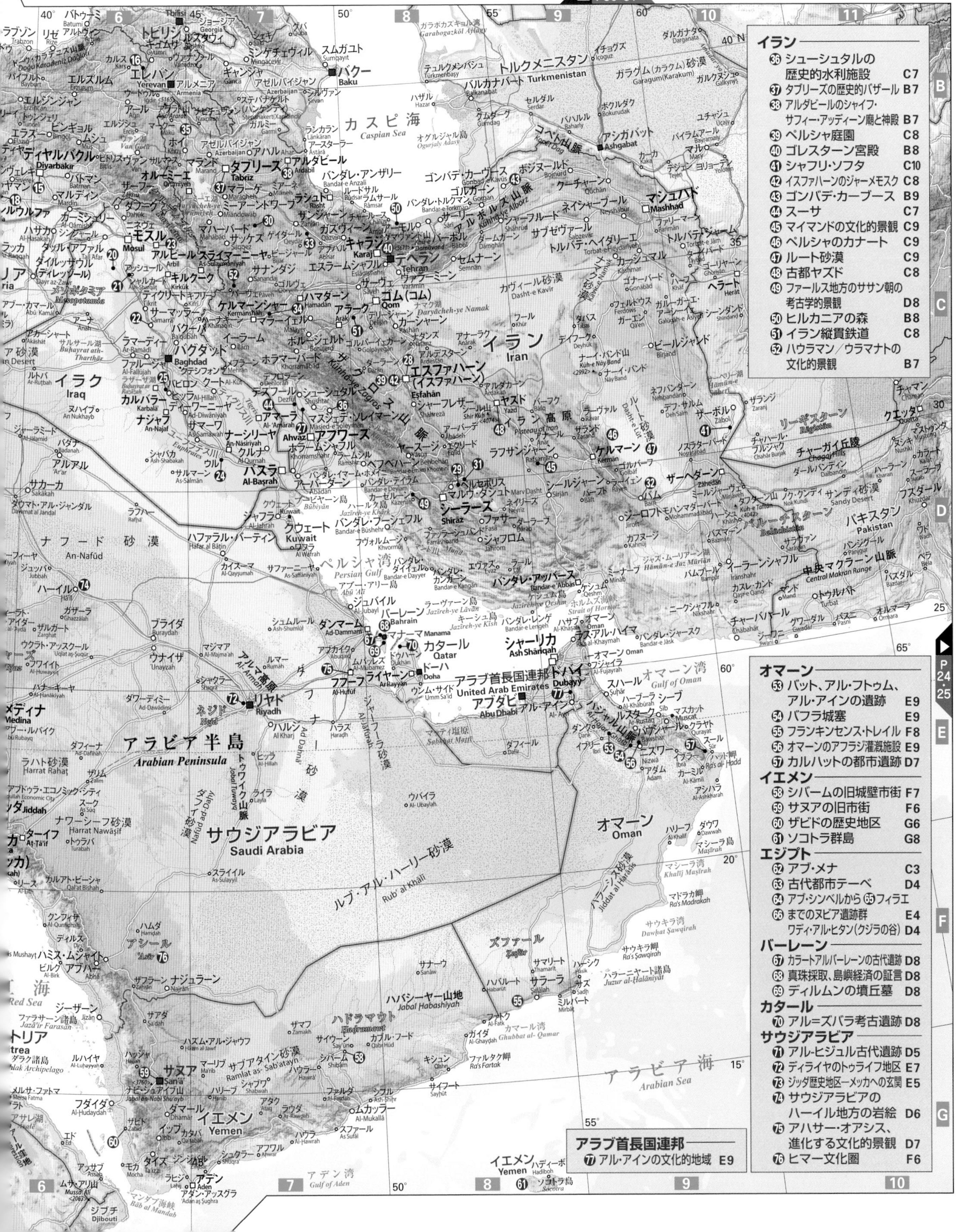
イラン
36 シューシュタルの歴史的水利施設 C7
37 タブリーズの歴史的バザール B7
38 アルダビールのシャイフ・サフィー・アッディーン廟と神殿 B7
39 ペルシャ庭園 C8
40 ゴレスターン宮殿 B8
41 シャフリ・ソフタ C10
42 イスファハーンのジャーメモスク C8
43 ゴンバデ・カーブース B9
44 スーサ C7
45 マイマンドの文化的景観 C9
46 ペルシャのカナート C9
47 ルート砂漠 C9
48 古都ヤズド C8
49 ファールス地方のササン朝の考古学的景観 D8
50 ヒルカニアの森 B8
51 イラン縦貫鉄道 C8
52 ハウラマン／ウラマナトの文化的景観 B7
オマーン
53 バット、アル・フトゥム、アル・アインの遺跡 E9
54 バフラ城塞 E9
55 フランキンセンス・トレイル F8
56 オマーンのアフラジ灌漑施設 E9
57 カルハットの都市遺跡 D7
イエメン
58 シバームの旧城壁市街 F7
59 サヌアの旧市街 F6
60 ザビドの歴史地区 G6
61 ソコトラ群島 G8
エジプト
62 アブ・メナ C3
63 古代都市テーベ D4
64 アブ・シンベルから 65 フィラエまでのヌビア遺跡群 E4
66 ワディ・アル・ヒタン(クジラの谷) D4
バーレーン
67 カラートアルバーレーンの古代遺跡 D8
68 真珠採取、島嶼経済の証言 D8
69 ディルムンの墳丘墓 D8
カタール
70 アル=ズバラ考古遺跡 D8
サウジアラビア
71 アル-ヒジュル古代遺跡 D5
72 ディライヤのトゥライフ地区 E7
73 ジッダ歴史地区―メッカへの玄関 E5
74 サウジアラビアのハーイル地方の岩絵 D6
75 アハサー・オアシス、進化する文化的景観 D7
76 ヒマー文化圏 F6
アラブ首長国連邦
77 アル・アインの文化的地域 E9

P24·25

P26·27

おもな都市

キプロス
ニコシア B2

シリア
ダマスカス C4
ハラブ(アレッポ) A4

レバノン
ベイルート C3

ヨルダン
アンマン D3

イスラエル
エルサレム D3

エジプト
カイロ D1

世界遺産

キプロス
❶ パフォス B2
❷ トロードス地方の壁画教会群 B2
❸ ヒロキティア B2

レバノン
❹ カディーシャ渓谷と神の杉の森 B4
❺ ビブロス(ジュバイル) B3
❻ バールベック B4
❼ アンジャル C4
❽ ティール(スール) C3

シリア
❾ 古代都市アレッポ A4
❿ パルミラの遺跡 B5
⓫ 古代都市ダマスカス C4
⓬ 古代都市ボスラ C4
⓭ クラック・デ・シュヴァリエとカラット・サラーフ・アッディーン B4
⓮ シリア北部の古代村落 A4

ヨルダン
⓯ アムラ城 D4
⓰ ペトラ D3
⓱ ウム・エル・ラサス〈カストロン・メファー〉D3
⓲ ワディ・ラム保護区 E3
⓳ 洗礼の地「ヨルダン川対岸のベタニア」(アル・マグタス) D3
⓴ サルト－寛容ともてなしの都市 C3

イスラエル
㉑ アッコ旧市街 C3
㉒ ハイファと西ガリラヤのバハイ教聖地群 C3
㉓ マサダ国立公園 D3
㉔ エルサレム旧市街 D3
㉕ テル・アヴィヴの「白亜の町」C3
㉖ 聖書の丘…メギド、ハゾル、ベール・シェヴァ C3
㉗ 香料の交易路…ネゲヴの砂漠都市群 D3
㉘ 洞窟世界の縮図－ユダの低地におけるマレシャおよびベト・グヴリンの洞窟群 D3
㉙ カルメル山の人類進化遺跡 C3
㉚ ベイト・シェアリムの古代墓地－ユダヤ再興の象徴 C3

パレスチナ
㉛ パレスチナ：オリーブとブドウの地…エルサレムの南部バティールの文化的景観 D3
㉜ キリスト生誕の地…ベツレヘムの聖誕教会と巡礼路 D3
㉝ ヘブロン／アル・ハリル旧市街 D3

エジプト
㉞ 聖女カタリナの歴史地区 E2
㉟ イスラム都市カイロ D1
㊱ メンフィス周辺のピラミッド地帯 E1

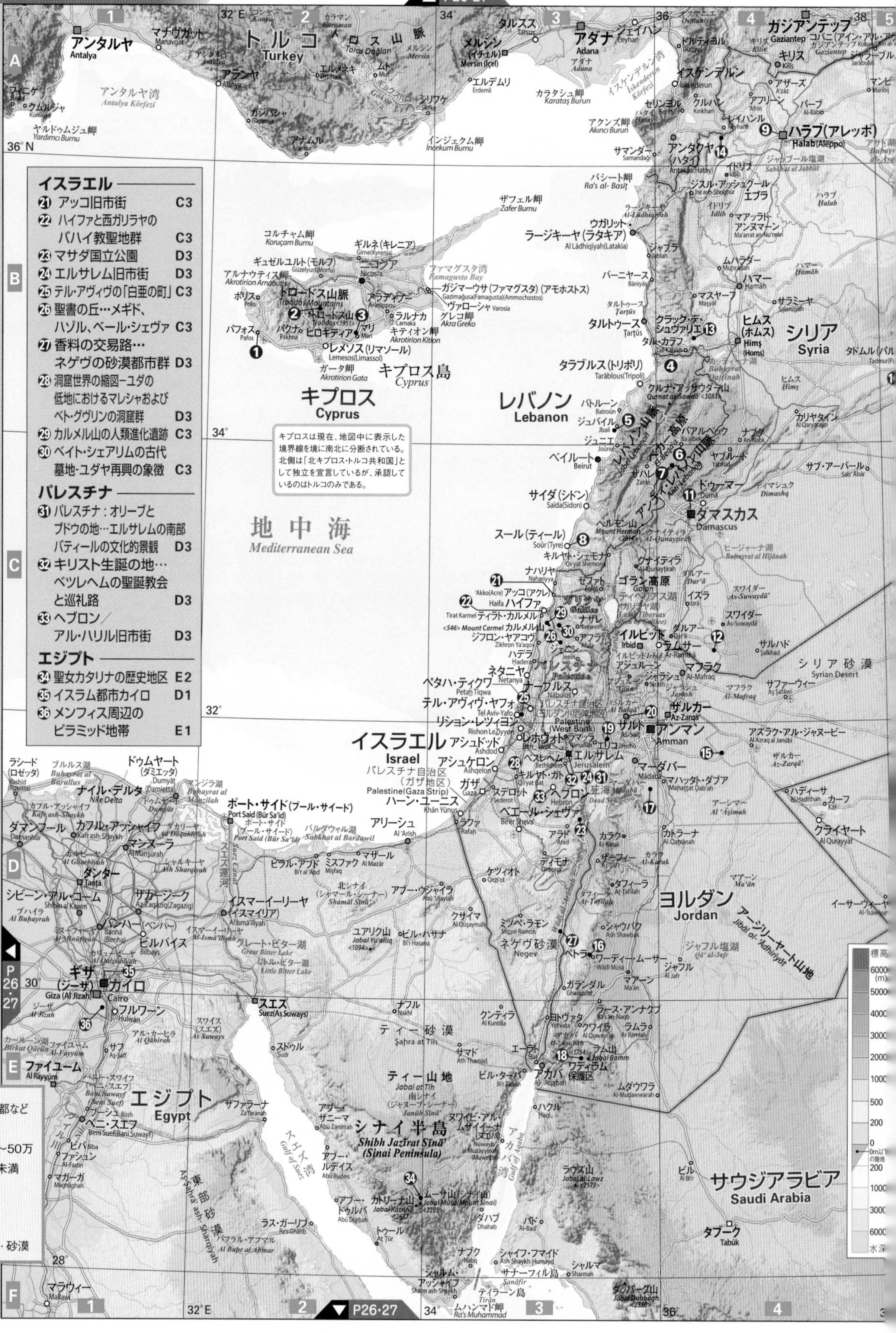

凡例
■● 首都　■● 州都・省都など
都市の人口
□100万以上　○10万～50万
□50万～100万　•10万未満
アンマン …… 州名・省名など
パレスチナ …… 地域名
…… 湿地
…… 塩湖　…… 砂漠

0 50 100km
1 / 4,477,000

▲ P30・31

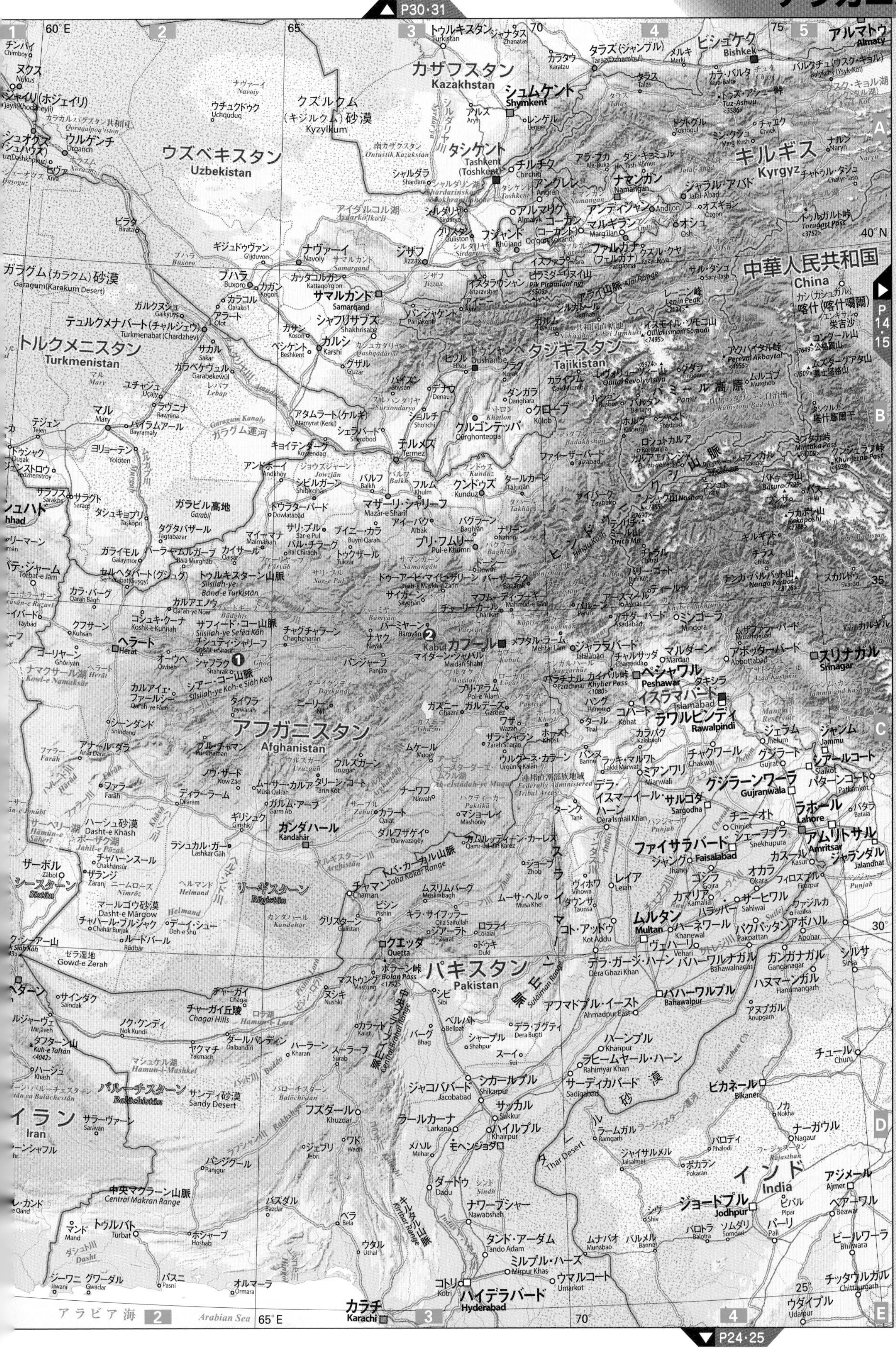

おもな都市

キルギス
ビシュケク　A4

タジキスタン
ドゥシャンベ　B3

ウズベキスタン
タシケント　A3
サマルカンド　B3
ファルガナ（フェルガナ）　A4

アフガニスタン
カブール　C3
カンダハール　C3
マザーリ・シャリーフ　B3

パキスタン
イスラマバード　C4
カラチ　E3
ファイサラバード　C4
ペシャワル　C4
ラホール　C4
ラワルピンディ　C4

世界遺産

アフガニスタン
❶ ジャムのミナレットと
　考古遺跡群　C2
❷ バーミヤーン渓谷の
　文化的景観と遺跡　C3

標高
6000 (m)
5000
4000
3000
2000
1000
500
200
0m以下の
窪地
200
1000
2000
3000
6000
水深

▼ P24・25

0　100　200km

1 / 9,070,000

おもな都市

ロシア		ウズベキスタン	
モスクワ	A1	タシケント	D7
アストラハン	C3	サマルカンド	E7
ヴォルゴグラート	C2	ファルガナ(フェルガナ)	D8
エカテリンブルク	A6	**タジキスタン**	
オムスク	B8	ドゥシャンベ	E7
カザン	A3	**トルクメニスタン**	
ノヴォシビールスク	A10	アシガバット	E5
ロストフ・ナ・ドヌー	C1	**ジョージア**	
カザフスタン		トビリシ	D2
アスタナ	B8	**アゼルバイジャン**	
アルマトゥ	D9	バクー	D3
キルギス		**アルメニア**	
ビシュケク	D8	エレバン	D2

世界遺産

ウズベキスタン
①サマルカンド=文化交差路 　E7
②シャハリサブズの歴史地区 　E7
③ブハラ歴史地区 　E6
④ヒヴァのイチャン・カラ 　D6

トルクメニスタン
⑤国立歴史文化公園「古代メルヴ」 　E6
⑥クニャウルゲンチ 　D5
⑦ニッサのパルティア要塞都市 　E5

アゼルバイジャン
⑧バクーの旧市街、シルヴァンシャー宮殿、
　乙女の塔 　D3
⑨ゴブスタンのロック・アートと文化的景観 　D3
⑩ハーン宮殿のあるシャキ歴史地区 　D3

アルメニア
⑪エチミアジンの大聖堂と教会、
　ズヴァルトゥノツ教会の遺跡 　D2
⑫ゲハルトの修道院とアザート川上流域 　D2
⑬ハフパットの修道院 　D2

ジョージア
⑭ムツヘタ 　D2
⑮アッパー・スヴァネティ 　D2
⑯バグラチ大聖堂とゲラチ修道院 　D2
⑰コルキスの多雨林と湿地群 　D2

カザフスタン
⑱ホジャ・アフマド・ヤサウィ廟 　D7
⑲タムガリの考古学的景観と岩絵彫刻群 　D9
⑳サルヤルカ-カザフスタン北部の
　ステップと湖沼群 　B6・B7

ロシア
㉑古都デルベントとその要塞 　D3

キルギス
㉒スライマン・トー聖山 　D8

タジキスタン
㉓サラズムの原始都市跡 　E7
㉔タジク国立公園 　E8

凡 例

■＝首都　　■＝州都・省都など
都市の人口　□100万以上　□10万～50万
　　　　　　□50万～100万　・10万未満
アクモラ …… 州名・省名など

…… 湿地　　　 …… 砂漠
…… 塩湖　　　 …… 氷河

0　100　200　300　400　500km

1/11,163,000

カフカスの連邦内共和国や自治共和国・州

ロシア
❶アドィゲ共和国　Respublika Adygeya
❷カラチャイ・チェルケス共和国　Karachayevo-Cherkesskaya Respublika
❸カバルダ・バルカル共和国　Kabardino-Balkarskaya Respublika
❹北オセチア・アラニヤ共和国　Respublika Severnaya Osetiya-Alaniya
❺イングシ共和国　Respublika Ingushetiya
❻チェチェン共和国　Chechenskaya Respublika

ジョージア
❼アブハジア自治共和国　Abkhazia
❽アジャリア自治共和国　Ajaria (Adjara)
❾南オセチア　South Ossetia

アゼルバイジャン
❿ナヒチェヴァン自治共和国　Naxçivan Muxtar Respublikası
⓫アルツァフ共和国
　(ナゴルノ・カラバフ)　Arts'akhi Hanrapetut'yun
　(Nagorno-Karabakh)

P54・55
P26・27

ウズベキスタン/
カザフスタン/キルギス――
㉕ 西天山　　　D8

▶
P
14
15

▼ P24・25

標高
6000 (m)
5000
4000
3000
2000
1000
500
200
0
0m以下
の地域
200
1000
3000
6000
水深

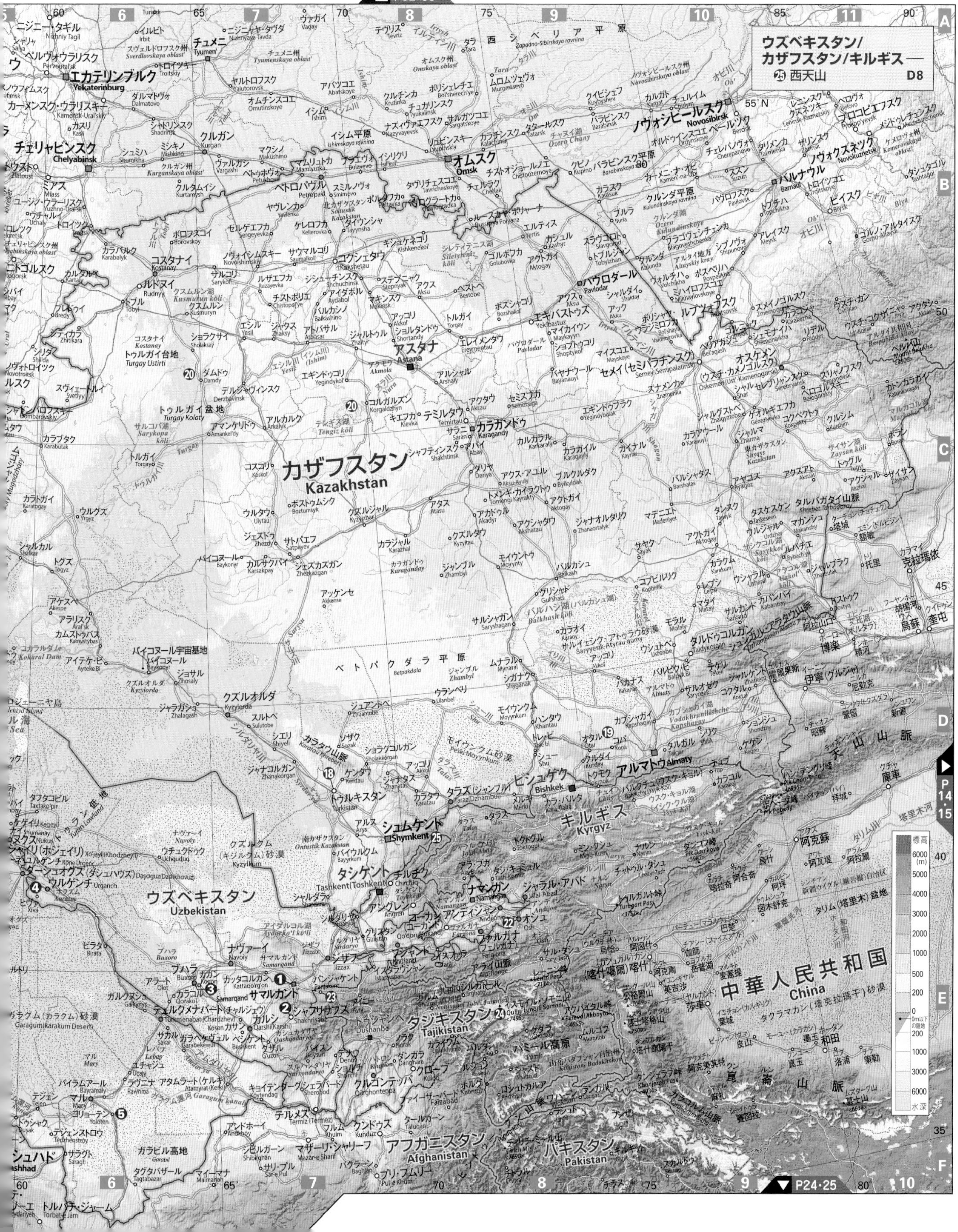

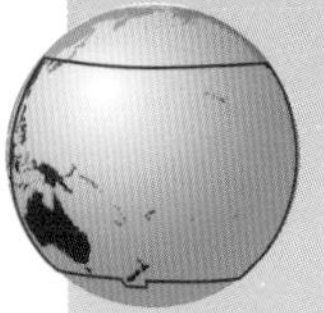

オセアニア

おもな都市

オーストラリア	
キャンベラ	H5
シドニー	H6
ブリスベン	G6
メルボルン	H5
ニュージーランド	
ウェリントン	I8
オークランド	H8
クライストチャーチ	I8
北マリアナ諸島	
サイパン島	C5
アメリカ領グアム島	
グアム島	C5
パラオ	
マルキョク	D4
ミクロネシア連邦	
パリキール	D6
マーシャル諸島	
マジュロ	D8
パプアニューギニア	
ポートモレスビー	E5
ナウル	
ヤレン	E7
キリバス	
タラワ	D8
ソロモン諸島	
ホニアラ	E6
ツバル	
フナフティ	E8
バヌアツ	
ポートビラ	F7
フィジー	
スバ	F8
フランス領	
ニュー・カレドニア島	G7
サモア	
アピア	F9
トンガ	
ヌクアロファ	G9
フランス領ポリネシア	
タヒチ島	F12
クック諸島	
アバルア	G11
ニウエ	
アロフィ	F10

世界遺産

オーストラリア	
❶ロード・ハウ諸島	H6
ソロモン諸島	
❷東レンネル	F7
イギリス領	
❸ヘンダーソン島	G14
チリ領	
❹ラパ・ヌイ国立公園	G16
ミクロネシア連邦	
❺ナン・マトール：東ミクロネシアの祭祀遺跡	D6
パプアニューギニア	
❻クックの初期農耕遺跡	E5
キリバス	
❼フェニックス諸島保護区	E9
マーシャル諸島	
❽ビキニ環礁の核実験場跡	C7
アメリカ合衆国	
❾パパハナウモクアケア	B10

凡例

■ ● 首都

都市の人口 □ 100万以上 ○ 10万～50万

□ 50万～100万 ○ 10万未満

[オーストラリア] …… 所属国

アーネム・ランド …… 地域名 …… 塩湖

0 500 1000 1500 2000km

1 / 41,860,000

注)海上に示される国と国との境界線は、はっきりと定まっていないことが多い。この地図帳では、とくにオセアニアの島国や自治領について、島々がどこに属するかをわかりやすくするために、便宜的に引いた境界線を使っています。

おもな都市

オーストラリア		ニュージーランド	
キャンベラ	D4	ウェリントン	H8
アデレード	D3	オークランド	G8
アリス・スプリングス	C3	クイーンズタウン	I7
ケアンズ	B4	クライストチャーチ	H8
ゴールド・コースト	C5	ダニーディン	I8
シドニー	D5		
ダーウィン	B3		
パース	D1		
ブリスベン	C5		
ホバート	E4		
メルボルン	D4		

世界遺産

オーストラリア

❶西オーストラリアのシャーク湾	C1
❷カカドゥ国立公園	B3
❸ウルル=カタ・ジュター国立公園	C3
❹クイーンズランドの湿潤熱帯地域	B4
❺グレート・バリア・リーフ	B4
❻フレーザー島	C5
❼❽オーストラリア中東部の多雨林保護区	C5・D5
❾ブルーマウンテンズ地域	D4
❿ウィランドラ湖群地域	D4
⓫オーストラリアの哺乳類化石地域	D4
⓬タスマニア原生地域（クレードル山／セント・クレア湖国立公園、サウスウェスト国立公園などから構成される）	E4
⓭パヌルル国立公園	B2
⓮王立展示館とカールトン庭園	D4
⓯シドニー・オペラハウス	D5
⓰オーストラリアの囚人施設跡	D5
⓱ニンガルー海岸	C1
⓲バジ・ビムの文化的景観	D4

ニュージーランド

⓳テ・ワヒポウナム（ウェストランド国立公園、マウント・クック国立公園、アスパイアリング山国立公園、フィヨルドランド国立公園）	I7
⓴トンガリロ国立公園	G9

バヌアツ

㉑首長ロイ・マタの地	B6

ニュー・カレドニア

㉒ニュー・カレドニアのラグーン	C6

凡例

■● 首都　■● 州都・省都など

都市の人口　□ 100万以上　○ 10万～50万　□ 50万～100万　∘ 10万未満

クイーンズランド…… 州名・省名など

アーネム・ランド …… 地域名　[フランス] …… 所属国

…… 湿地　…… 砂漠

…… 塩湖　…… 氷河

0　200　400　600　800km

1 / 17,442,000

ニューギニア島
New Guinea

パプア湾
Gulf of Papua

ダルー
Daru

バリモ
Balimo

ポートモレスビー
Port Moresby

ビクトリア山
Mount Victoria
△4073

ポポンデッタ
Popondetta

トロブリアンド諸島
Trobriand Islands

グッディナフ島
Goodenough Island

ウッドラーク島
Woodlark Island

ファーガソン島
Fergusson Island

ダントルカスト諸島
D'Entrecasteaux Islands

ノーマンビー島
Normanby Island

サマライ
Samarai

ルイジアード諸島
Louisiade Archipelago

タグラ島
Tagula Island

ロッセル島
Rossel Island

ミシマ島
Misima Island

ヴェラ・ラヴェラ島
Vella Lavella

チョイスル島
Choiseul

サンタ・イサベル島
Santa Isabel

コロンバンガラ島
Kolombangara Island

ニュー・ジョージア島
New Georgia

レンドヴァ島
Rendova Island

ヴァンガヌ島
Vangunu Island

ラッセル諸島
Russell Islands

トゥラギ
Tulagi

マライタ島
Malaita

ウラワ島
Ulawa Island

ソロモン諸島
Solomon Islands

ホニアラ
Honiara

ガダルカナル島
Guadalcanal

太平洋
Pacific Ocean

サン・クリストバル島
San Cristobal

サン・クリストバル海溝
San Cristobal Trench

レンネル島
Rennell Island

サンタ・クルーズ海盆
Santa Cruz Basin

ネンド島
Nendo

サンタ・クルーズ諸島
Santa Cruz Islands

ウトゥプア島
Utupua

ヴァニコロ島
Vanikolo

トレス諸島
Torres Islands

バンクス諸島
Banks Islands

ヴァヌア・ラヴァ島
Vanua Lava

サンタ・マリア島
Santa Maria

エスピリトゥ・サント島
Espíritu Santo

アオバ島
Aoba

マエウォ島
Maewo

バヌアツ
Vanuatu

マロ島
Malo

ペンテコスト島
Pentecost

マレクラ島
Malakula

エピ島
Epi

アンブリム島
Ambrym

ニュー・ヘブリディーズ諸島
New Hebrides

エフアテ島
Éfaté

ポートビラ
Port Vila

ニューギニア島
New Guinea

トレス海峡
Torres Strait

木曜島
Thursday Island

バマガ
Bamaga

ヨーク岬
Cape York

グレンビル岬
Cape Greville

ウェイパ
Weipa

ロックハート・リヴァー
Lockhart River

コーエン
Coen

メルビル岬
Cape Melville

リザード島
Lizard Island

クックタウン
Cooktown

マリーバ
Mareeba

ケアンズ
Cairns

イニスフェル
Innisfail

インガム
Ingham

ヒンチンブルック島
Hinchinbrook Island

ハリファックス湾
Halifax Bay

ウィリス諸島
Willis Group

リフー礁
Lihou Reef

トレゴス礁
Tregosse Islets

マリオン礁
Marion Reef

サンゴ海海盆
Coral Sea Basin

サンゴ（珊瑚）海
Coral Sea

コーラル・シー・アイランズ・テリトリー
Coral Sea Islands Territory
［オーストラリア］

クイーンズランド海台
Queensland Plateau

メリッシュ海膨
Mellish Rise

チェスターフィールド諸島
Îles Chesterfield

ベローナ海台
Bellona Plateau

サブル島
Île de Sable

ヴェレブ諸島
Îles Belep

ニュー・カレドニア島
New Caledonia
(Nouvelle-Calédonie)

エロマンガ島
Erromango

タンナ島
Tanna

アナトム島
Anatom

エロマンゴ島
Erromango

クーマック
Koumac

ウヴェア島
Ouvéa

ロワイヨテ諸島
Îles Loyauté

リフー島
Lifou

ティガ島
Île Tiga

ニューメア
Nouméa

ブーライユ
Bourail

ニュー・カレドニア
New Caledonia
(Nouvelle-Calédonie)
［フランス］

ケート島
Cato Island

カプリコーン諸島
Capricorn Group

ロード・ハウ海山群
Lord Howe Seamounts

ヨーク岬半島
Cape York Peninsula

カーペンタリア湾
Gulf of Carpentaria

エドワード・ベリュー諸島
Edward Pellew Group

ウェルズリー諸島
Wellesley Islands

モーニントン島
Mornington Island

バークタウン
Burketown

カランビン
Karumba

ノーマントン
Normanton

キャムーウィール
Camooweal

マウント・アイザ
Mount Isa

クロンカリー
Cloncurry

ダッチェス
Duchess

ブーリア
Boulia

リッチモンド
Richmond

ヒューエンデン
Hughenden

チャーターズ・タワーズ
Charters Towers

コリンズヴィル
Collinsville

マッカイ
Mackay

ノーサンバーランド諸島
Northumberland Isles

タウンズヴィル
Townsville

ホームヒル
Home Hill

ボウエン
Bowen

プロサパイン
Proserpine

ウィットサンデー島
Whitsunday Island

マリーン
Merinda

グレゴリー山脈
Gregory Range

クロイドン
Croydon

ジョージタウン
Georgetown

フォーセイス
Forsayth

グレート・バリア・リーフ
Great Barrier Reef

ラヴェンシュー
Ravenshoe

アサートン
Atherton

ギルバート川
Gilbert

ミッチェル川
Mitchell

クイーンズランド
Queensland

ウィントン
Winton

アラマク
Aramac

バーカルディン
Barcaldine

クレアモント
Clermont

エメラルド
Emerald

ロックハンプトン
Rockhampton

グラッドストン
Gladstone

ビロエラ
Biloela

イェップーン
Yeppoon

南回帰線
Tropic of Capricorn

グレート・アーテジアン
（大鑽井）盆地
Great Artesian Basin

ロングリーチ
Longreach

ブラッコール
Blackall

スプリングシュア
Springsure

ディヴィディング山脈
Great Dividing Range

ダイアマンティナ川
Diamantina

クーパー川
Cooper Creek

バーカー川
Barcoo

トムソン川
Thomson

キルビー
Quilpie

チャールヴィル
Charleville

タンバー
Tambo

オーガセラ
Augathella

ミッチェル
Mitchell

ローマ
Roma

シオドア
Theodore

バンダバーグ
Bundaberg

サンディ岬
Sandy Cape

フレーザー島
Fraser Island

ハーヴィー湾
Hervey Bay

マリバラ
Maryborough

ギンピー
Gympie

サンシャイン・コースト
Sunshine Coast

ブリスベン
Brisbane

サウスポート
Southport

ゴールド・コースト
Gold Coast

クナ湖
Lake Buchanan

バランナ湖
Lake Galilee

ワンダ・北エア湖
Thanda-Lake Eyre(North)

ワンダ・南エア湖
Thanda-Lake Eyre(South)

スタート砂漠
Sturt Stony Desert

フロ一ム湖
Lake Frome

ノース・フリンダーズ山脈
North Flinders Range

ブロークン・ヒル
Broken Hill

セント・ジョージ
Saint George

ディランバンディ
Dirranbandi

グーンディウィンディ
Goondiwindi

ワーウィック
Warwick

カナマラ
Cunnamulla

ボーク
Bourke

ウィルカニア
Wilcannia

ナイガン
Nyngan

ダボ
Dubbo

マッジー
Mudgee

シングルトン
Singleton

マイルズ
Miles

トゥーンバ
Toowoomba

ダルビー
Dalby

グラフトン
Grafton

ラウンド山
Round Mountain
△1615

コフス・ハーバー
Coffs Harbour

ミドルトン礁
Middleton Reef

エリザベス礁
Elizabeth Reef

ロード・ハウ島
Lord Howe Island

タムワース
Tamworth

ケンプシー
Kempsey

ポート・マックオーリー
Port Macquarie

ニュー・サウス・ウェールズ
New South Wales

コバー
Cobar

クーナンブル
Coonamble

ギルガンドラ
Gilgandra

ナラブライ
Narrabri

アーミデール
Armidale

マスウェルブルック
Muswellbrook

ニューカッスル
Newcastle

セントラル・コースト
Central Coast

アイヴァンホー
Ivanhoe

ラクランⅢ
Lachlan

ヒルストン
Hillston

コンドボリン
Condobolin

パークス
Parkes

オレンジ
Orange

バサースト
Bathurst

リスゴー
Lithgow

マレー川
Murray

ミルデューラ
Mildura

スワン・ヒル
Swan Hill

ヘイ
Hay

ウァガ・ワガ
Wagga Wagga

クータマンドラ
Cootamundra

ヤング
Young

カウラ
Cowra

ブルー・マウンテンズ国立公園
Blue Mountains

シドニー
Sydney

ウロンゴン
Wollongong

レンマーク
Renmark

ベリー
Berri

モーリー
Morgan

バロッサ
Barossa

アデレード
Adelaide

マレー・ブリッジ
Murray Bridge

ミルデューラ
Mildura

デニリクィン
Deniliquin

アルベリー
Albury

グールバーン
Goulburn

ジャーヴィス・ベイ・テリトリー
Jervis Bay Territory

キャンベラ
Canberra

オーストラリア首都特別地域
Australian Capital Territory

クーマ
Cooma

ポート・ピリー
Port Pirie

ジェームズタウン
Jamestown

バーラ
Burra

ボーダータウン
Bordertown

ケラン
Kerang

ベンディーゴ
Bendigo

エチューカ
Echuca

シェパートン
Shepparton

ウォドンガ
Wodonga

ウォンサガ
Wangaratta

マウント・ガンビア
Mount Gambier

ナラクート
Naracoorte

ホーシャム
Horsham

バララット
Ballarat

ヴィクトリア
Victoria

マウント・コジオスコ
Mount Kosciusko
△2228

ベアンズデール
Bairnsdale

オーバスト
Orbost

ハウ岬
Cape Howe

ポートランド
Portland

ウォーナンブール
Warrnambool

ジーロング
Geelong

メルボルン
Melbourne

バーンズデール
Bairnsdale

トララルゴン
Traralgon

ウィルソンズ岬
Wilsons Promontory

バス海峡
Bass Strait

タスマン海
Tasman Sea

キング島
King Island

スミストン
Smithton

バーニー
Burnie

デヴォンポート
Devonport

ジョージ・タウン
George Town

ローンセストン
Launceston

セント・メリーズ
Saint Marys

タスマン山
Mount Ossa
△1617

タスマニア
Tasmania

ホバート
Hobart

ニュー・ノーフォーク
New Norfolk

ダーウェント
Derwent

サウス・イースト岬
South East Cape

フリンダーズ島
Flinders Island

ファーノー諸島
Furneaux Group

タスマニア島
Tasmania

タスマン海盆
Tasman Basin

P 32·33

ニュージーランド

ノース岬
North Cape

90マイル・ビーチ
Ninety Mile Beach

ケリケリ
Kerikeri

カイタイア
Kaitaia

ラッセル
Russell

カワカワ
Kawakawa

ファンガレイ
Whangarei

ダーガビル
Dargaville

グレート・バリア島
Great Barrier Island

カイパラ湾
Kaipara Harbour

ハウラキ湾
Hauraki Gulf

ワイヘケ島
Waiheke Island

オークランド
Auckland

マヌカウ
Manukau

コロマンデル半島
Coromandel Peninsula

プレンティー湾
Bay of Plenty

北島
North Island

ハミルトン
Hamilton

タウランガ
Tauranga

ロトルア
Rotorua

イースト岬
East Cape

ギズボーン
Gisborne

テーブル岬
Table Cape

テ・クイティ
Te Kuiti

ワイカト
Waikato

ニュー・プリマス
New Plymouth

エグモント岬
Cape Egmont

タラナキ（エグモント）山
Mount Taranaki
(Mount Egmont)
△2518

タラナキ
Taranaki

トカアヌ
Tokaanu

タウポ湖
Lake Taupo

ルアペフ山
Mount Ruapehu

トンガリロ国立公園
Tongariro

ネーピア
Napier

ヘイスティングス
Hastings

ホークス・ベイ
Hawke's Bay

ワンガヌイ
Wanganui

ハウェラ
Hawera

パテア
Patea

タスマン海
Tasman Sea

フェアウェル岬
Cape Farewell

タカカ
Takaka

タスマン湾
Tasman Bay

モツエカ
Motueka

ネルソン
Nelson

ブレナム
Blenheim

マールボロ
Marlborough

ピクトン
Picton

ウェストポート
Westport

カラメア
Karamea

グレイマス
Greymouth

ホキティカ
Hokitika

ワイアウ
Waiau

カイコウラ
Kaikoura

フォックス・グレイシャー
Fox Glacier

ウエスト・コースト
West Coast

サザン・アルプス山脈
Southern Alps

アオラキ（クック山）
Aoraki (Mount Cook)
△3724

マウント・アスパイアリング国立公園
Mount Aspiring

ハースト
Haast

ワイマテ
Waimate

チェヴィオット
Cheviot

ワイパラ
Waipara

カンタベリー
Canterbury

クライストチャーチ
Christchurch

バンクス半島
Banks Peninsula

アシュバートン
Ashburton

ティマル
Timaru

テカポ
Tekapo

テマカ
Temuka

カンタベリー湾
Canterbury Bight

ミルフォード・サウンド
Milford Sound

ワナカ
Wanaka

クイーンズタウン
Queenstown

クロムウェル
Cromwell

オタゴ
Otago

オアマル
Oamaru

パーマストン
Palmerston

南島
South Island

ダニーデン
Dunedin

テ・アナウ
Te Anau

フィヨルドランド国立公園
Fiordland

ラムステン
Lumsden

ゴア
Gore

ミルトン
Milton

バルクルーサ
Balclutha

インヴァーカーギル
Invercargill

サウスランド
Southland

スチュアート島
Stewart Island

フォーヴォー海峡
Foveaux Strait

太平洋
Pacific Ocean

チャタム海膨
Chatham Rise

ニュージーランド
New Zealand

パーマストン・ノース
Palmerston North

ワンガヌイ・マナガイ
Wanganui-Manawatu

マスタートン
Masterton

ワイララパ
Wairarapa

ウェリントン
Wellington

ロワー・ハット
Lower Hutt

パリサー岬
Cape Palliser

P 32·33

0 100 200 300 400km

1 / 11,628,000

おもな都市

イギリス		**ギリシャ**	
ロンドン	C5	アテネ	E8
フランス		**イタリア**	
パリ	D6	ローマ	D7
オランダ		ミラノ	D6
アムステルダム	C6	**スペイン**	
ドイツ		マドリード	D5
ベルリン	C7	バルセロナ	D6
ミュンヘン	D7		
オーストリア			
ウィーン	D7		

世界遺産

フランス
①パリのセーヌ河岸 D6
②アミアン大聖堂 D6
③ストラスブールの旧市街 D6
④シュリー・シュル・ロワールとシャロン間のロワール渓谷 D6
⑤ブールジュ大聖堂 D6
⑥リヨンの歴史地区 D6

フランス／スペイン
⑦ピレネーのペルデュ山（ペルディド山） D6
⑧サンティアゴ・デ・コンポステラの巡礼路 D5

バチカン
⑨バチカン市国 D7

バチカン／イタリア
⑩ローマ歴史地区 D7

イタリア
⑪サヴォイア王家の王宮 D6
⑫ミラノの修道院と教会 D6
⑬ヴェローナ市街 D7
⑭ヴェネツィアとその潟 D7
⑮ラヴェンナの初期キリスト教建築物群 D7
⑯フィレンツェ歴史地区 D7
⑰ナポリ歴史地区 D7

マルタ
⑱バレッタ市街 E7

スロベニア／スペイン
⑲水銀の遺産アルマデンとイドリア D7・E5

クロアチア
⑳スプリト史跡群とディオクレティアヌス宮殿 D7

ベルギー
㉑ブリュッセルのグラン・プラス、ほか1件 C6

ベルギー／フランス
㉒ベルギーとフランスの鐘楼 C6

ルクセンブルク
㉓ルクセンブルク市 D6

オランダ
㉔アムステルダムのディフェンス・ライン C6
㉕リートフェルト＝シュレーダー邸 C6

凡例

■ 首都
都市の人口　□ 100万以上　　○ 10万～50万
　　　　　　　□ 50万～100万　○ 10万未満
[スペイン] ……所属国

　　　……湿地　　　　　……砂漠
　　　……塩湖　　　　　……氷河

0　　200　　400　　600　　800km
1 / 19,767,000

スイス
㉖ベルン旧市街 D6

ドイツ
㉗ツォルフェライン炭坑業遺産群 C6
㉘ケルン大聖堂 C6
㉙アウクスブルクの水管理システム D7

ドイツ／ポーランド
㉚ドイツとポーランドの国境公園
　〈ムスカウ公園とムザコフスキー公園〉C7

ドイツ／チェコ
㉛エルツ山地の鉱業地帯 C7

ドイツ／イギリス
㉜ローマ帝国最前線の要塞 D6

オーストリア
㉝ウィーン歴史地区など、ほか1件 D7
㉞ザルツブルク市街の歴史地区 D7

オーストリア／ハンガリー
㉟フェルテー湖／ノイジードラ湖の文化的景観 D7

ハンガリー／スロバキア
㊱アグテレックとスロバキア・カルストの洞窟群 D8

チェコ
㊲プラハ歴史地区 C7
㊳ブルノのトゥーゲンハット邸 D7

ポーランド
㊴クラクフ歴史地区 C7
㊵タルノフスキェ・グルィの鉛・銀
　・亜鉛鉱山と地下水利システム C7

ポーランド／ウクライナ
㊶カルパティア地方の木造教会 D8

オランダ／ドイツ
㊷ローマ帝国の国境線 -
　下ゲルマニアの城壁 C6・D6

オランダ／ドイツ／デンマーク
㊸ワッデン海 C6

スイス／イタリア／ドイツ／
フランス／オーストリア／スロベニア
㊹アルプス山脈周辺の
　先史時代の杭上住居群 D6

標高
6000
5000
4000
3000
2000
1000
500
200
0m以下の陸地
0
200
1000
2000
3000
4000
6000
水深

フランス／ベルギー／スイス／ドイツ／
インド／日本／アルゼンチン
㊺ル・コルビュジエの建築作品-近代
　建築運動への顕著な貢献 C6・D6

イタリア／クロアチア／モンテネグロ
㊻16～17世紀のヴェネツィア共和国の
　防衛施設群:内陸から西沿海州 D6

オーストリア／ドイツ／スロバキア
㊼ローマ帝国の国境線 -
　ドナウ城壁（西地区） D7

オーストリア／ベルギー／チェコ／
フランス／ドイツ／イタリア／イギリス
㊽ヨーロッパの大温泉都市群 C5・C7・D6

P
60

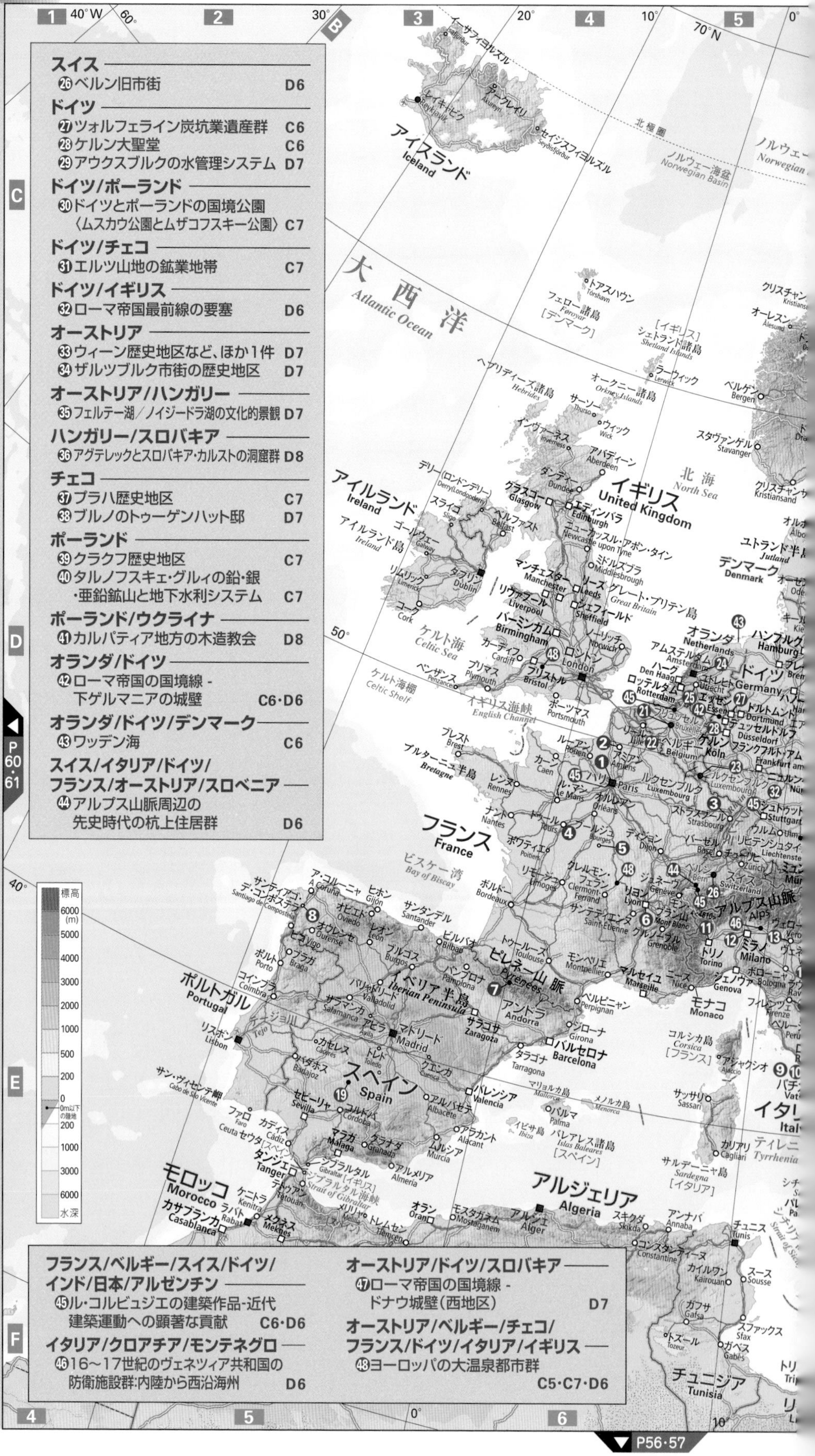

▶ P8·9

10° | 7 | 20° | 8 | 30° | 9 | 40° | 10 | 70°N 50° | 11 | 60° | 12 | 70° | B | 13 | 80°E | 14

A

ノールカップ Nordkapp
バレンツ海 Barents Sea
ナリヤン・マル Nar'yan-Mar
ペチョラ川 Pechora
西シベリア平原 Zapadno-Sibirskaya Ravnina
カニン半島 Poluostrov Kanin

ハンメルフェスト Hammerfest
ヴァドソ Vadsø
キルケネス Kirkenes
ペチェンガ Pechenga
セヴェロモルスク Severomorsk
ムルマンスク Murmansk
ハンティ・マンシースク Khanty-Mansiysk
スルグート Surgut
オビ川 Ob'
イルティシ川 Irtysh

ナルヴィク Narvik
トロムス Tromsø
イナリ Inari
イヴァロ Ivalo
モンチェゴルスク Monchegorsk
アパチティ Apatity
コラ半島 Kol'skiy poluostrov
ウクタ Ukhta
セロフ Serov
ニジニ・タギル Nizhniy Tagil
チュメニ Tyumen'

ボーデ Bodø
キルナ Kiruna
ムオニオ Muonio
カンダラクシャ Kandalaksha
ベレズニキ Berezniki
オムスク Omsk

モ・イ・ラナ Mo i Rana
エリヴァレ Gällivare
ロヴァニエミ Rovaniemi
ケミ Kemi
ティマン丘陵 Timanskiy kryazh
ソリカムスク Solikamsk
ペトロパヴロフスク Petropavl
コクシェタウ Kokshetau

Norway ノルウェー
スカンディナヴィア山脈 Scandinavian Mountains

スウェーデン Sweden
ボーデン Boden
ルーレオ Luleå
オウル Oulu
アルハンゲリスク Arkhangel'sk
コトラス Kotlas
シクティフカル Syktyvkar
ペルミ Perm'
エカテリンブルク Yekaterinburg

トロンハイム Trondheim
エステルスンド Östersund
スンツヴァル Sundsvall
ボスニア湾 Gulf of Bothnia
コッコラ Kokkola
ヴァーサ Vaasa
クオピオ Kuopio
白海 White Sea
ベロモルスク Belomorsk
メドヴェジエゴルスク Medvezh'yegorsk
プレセツク Plesetsk
チェリャビンスク Chelyabinsk

フィンランド Finland
ユヴァスキュラ Jyväskylä
ミッケリ Mikkeli
オネガ湖 Onezhskoye ozero
ロシア Russia
コストロマ Kostroma
ヴャトカ Vyatka
イジェフスク Izhevsk
ナーベレジヌイエ・チェルヌイ Naberezhnyye Chelny
ウファ Ufa
スラトウスト Zlatoust
マグニトゴルスク Magnitogorsk

モーラ Mora
イェーヴレ Gävle
タンペレ Tampere
ラハティ Lahti
ペトロザヴォーツク Petrozavodsk
チェレポヴェツ Cherepovets
ヴォログダ Vologda
シャリヤ Shar'ya
キーロフ Kirov
ヨシカル・オラ Yoshkar-Ola
チェボクサル Cheboksary
カザン Kazan'
アクチャ・ブリスキー Oktyabr'skiy
ステルリタマク Sterlitamak

ウプサラ Uppsala
トゥルク Turku
ヘルシンキ Helsinki
サンクト・ペテルブルク Sankt-Peterburg
ヴェリーキ・ノヴゴロド Velikiy Novgorod
ルビンスク貯水池 Rybinskoye vodokhranilishche
ルビンスク Rybinsk
イヴァノヴォ Ivanovo
ニジニー・ノヴゴロド Nizhniy Novgorod
アルザマス Arzamas
サランスク Saransk
ウリヤノフスク Ul'yanovsk
サマーラ Samara
オレンブルク Orenburg
アクトベ（アクチュビンスク）Aktobe (Aktyubinsk)
トゥルガイ低地 Turgay kotlyy

ストックホルム Stockholm
ノルチェピング Norrköping
タリン Tallinn
タルトゥ Tartu
プスコフ Pskov
トヴェリ Tver'
モスクワ Moskva
ウラジーミル Vladimir
ムーロム Murom
ペンザ Penza
シズラニ Syzran'
サラトフ Saratov
バラコヴォ Balakovo
ウラル川 Ural'

イェンチェピング Jönköping
ヴィスビー Visby
エストニア Estonia
ヴォルガ川 Volga
カザフスタン Kazakhstan

Scandinavian Peninsula スカンディナヴィア半島

ゴットランド島 Gotland
ヴェンツピルス Ventspils
リエパーヤ Liepāja
ラトビア Latvia
リガ Riga
ヴェリーキエ・ルーキ Velikiye Luki
スモレンスク Smolensk
カルーガ Kaluga
リャザン Ryazan'
コロムナ Kolomna
タンボフ Tambov
ヴォルガ・ドン運河
プリヴォルガ丘陵 Privolzhskaya Vozvyshennost'

マルメ Malmö
カールスクローナ Karlskrona
バルト海 Baltic Sea
クライペダ Klaipėda
リトアニア Lithuania
ヴィリニュス Vilnius
ミンスク Minsk
オルシャ Orsha
モギリョウ Mahilyow
中央ロシア丘陵 Sredne-Russkaya Vozvyshennost'
リペツク Lipetsk
ヴォロネジ Voronezh
カミイシン Kamyshin
アトゥイラウ Atyrau
アラル海 Aral Sea
ウズベキスタン Uzbekistan
ウスチュルト台地 Ustyurt Plateau

シュチェチン Szczecin
グダンスク Gdańsk
カリーニングラード Kaliningrad
カウナス Kaunas
ロシア Russia
ビャウィストク Białystok
ホメリ Homel'
ブリャンスク Bryansk
オリョール Orel
クルスク Kursk
ベルゴロド Belgorod
ドン川 Don
エリスタ Elista
アクタウ Aktau
ダーシノグズ Dashoguz
ヌクス Nukus

ポーランド Poland
ポズナニ Poznań
ワルシャワ Warszawa
ブレスト Brest
マズィル Mazyr
ベラルーシ Belarus
チェルニヒウ Chernihiv
キウ Kyiv
ストロフ Astrakhan'
カスピ海沿岸低地 Caspian Lowland

ドレスデン Dresden
ヴロツワフ Wrocław
ウッチ Łódź
ルブリン Lublin
ルーツク Luts'k
ジトーミル Zhytomyr
ボルタヴァ Poltava
ハルキウ Kharkiv
ヴォルゴグラード Volgograd

プラハ Praha
クラクフ Kraków
ジェシュフ Rzeszów
リヴィウ L'viv
フメリニツキー Khmel'nyts'kyy
ウクライナ Ukraine
クレメンチュク Kremenchuk
ドニプロ Dnipro
ルハンシク Luhans'k
ロストフ・ナ・ドヌー Rostov-na-Donu
アストラハン Astrakhan'

チェコ Czechia
チェコ共和国 Czech Republic
スロバキア Slovakia
チェルニウツィ Chernivtsi
ヴィンニツャ Vinnyts'ya
クリヴィー・リフ Kryvyy Rih
ザポリージャ Zaporizhzhya
ドネツク Donets'k
マハチカラ Makhachkala
カスピ海 Caspian Sea

ウィーン Wien
ブラティスラヴァ Bratislava
ミシュコルツ Miskolc
オラデア Oradea
バルツィ Bălți
モイカ Mykolaiv
マリウポリ Mariupol'
クラスノダール Krasnodar
スタヴロポリ Stavropol'
アクタウ Aktau
トルクメニスタン Turkmenistan
バルカナバト Balkanabat

グラーツ Graz
ブダペスト Budapest
クルージュ・ナポカ Cluj-Napoca
キシナウ Chişinău
モルドバ Moldova
オデーサ Odesa
クリミア半島 Krym's'kyy Pivostriv
ケルチ Kerch
エリスタ Elista
ガルボガズ湾 Garabogazköl Aýlagy
エシェンギュリ

スロベニア Slovenia
ハンガリー Hungary
ティミショアラ Timişoara
セゲド Szeged
アラド Arad
ルーマニア Romania
ガラツィ Galaţi
シンフェロポリ Simferopol'
セヴァストポリ Sevastopol'
ソチ Sochi
スフミ Sukhumi
カフカス山脈 Kavkaz
スムガイト Sumqayıt
バクー Baku

ザグレブ Zagreb
クロアチア Croatia
ノヴィ・サド Novi Sad
ベオグラード Beograd
ブラショヴ Braşov
ブカレスト Bucharest
コンスタンツァ Constanţa
黒海 Black Sea
アゾフ海 Sea of Azov
バトゥーミ Bat'umi
ジョージア Georgia
トビリシ Tbilisi
ギャンジャ Gäncä
アゼルバイジャン Azerbaijan

ボスニア・ヘルツェゴビナ Bosnia and Herzegovina
リエカ Rijeka
セルビア Serbia
クラヨーヴァ Craiova
ルセ Ruse
ヴァルナ Varna
サムスン Samsun
トラブゾン Trabzon
ヴァン Van
タブリーズ Tabrīz
アルダビール Ardabīl
ラシュト Rasht

スプリト Split
モンテネグロ Montenegro
ポドゴリツァ Podgorica
コソボ Kosovo
プリシュティナ Prishtina
ソフィア Sofia
ブルガリア Bulgaria
プロヴディフ Plovdiv
ブルガス Burgas
ゾングルダク Zonguldak
ギュムリ Gyumri
アルメニア Armenia
エレバン Yerevan
カスピ海 Caspian Sea

アドリア海 Adriatic Sea
フォッジャ Foggia
バーリ Bari
ターラント Taranto
北マケドニア North Macedonia
スコピエ Skopje
ティラナ Tirana
アルバニア Albania
テッサロニキ Thessaloniki
エディルネ Edirne
イスタンブール Istanbul
ブルサ Bursa
アンカラ Ankara
スィヴァス Sivas
エルズルム Erzurum
マラティヤ Malatya
ディヤルバクル Diyarbakır
モスル Mosul
サナンダジ Sanandaj
テヘラン Tehrān
イラン Iran

レッジョ・ディ・カラブリア Reggio di Calabria
カターニア Catania
シラクーザ Siracusa
イオニア海 Ionian Sea
ギリシャ Greece
アテネ Athina
エスキシェヒル Eskişehir
バルケスィル Balıkesir
マニサ Manisa
イズミル İzmir
コンヤ Konya
アダナ Adana
ガジアンテプ Gaziantep
ハラブ（アレッポ）Halab (Aleppo)
ケルマーンシャー Kermānshāh
コム Qom
エスファハーン Eşfahān
ヤズド Yazd
ザグロス山脈 Kühhā-ye Zagros

マルタ Malta
パトラ Patra
ペロポネソス半島 Peloponnisos
スパルティ Sparti
アンタルヤ Antalya
メルスィン Mersin
ラタキア Latakia
ハマ Hamah
ヒムス（ホムス）Hims (Homs)
シリア Syria
ユーフラテス川 Euphrates
バグダッド Baghdad
アフワーズ Ahvāz

地中海 Mediterranean Sea
イラクリオン Iraklion
クレタ島 Kriti
キプロス Cyprus
キプロス Cyprus
トラーブルス（トリポリ）Tarābulus (Tripoli)
ベイルート Beirut
レバノン Lebanon
ダマスカス Damascus
ニコシア Nicosia
カルバラー Karbalā'
ナジャフ An-Najaf
シーラーズ Shīrāz

リビア Libya
ベンガジ Banghāzī
ハイファ Haifa
イスラエル Israel
テル・アヴィヴ・ヤフォ Tel Aviv-Yafo
エルサレム Jerusalem
アンマン Amman
ヨルダン Jordan
イラク Iraq
バスラ Al-Başrah
クウェート Kuwait
ペルシャ湾 Persian Gulf
サウジアラビア Saudi Arabia

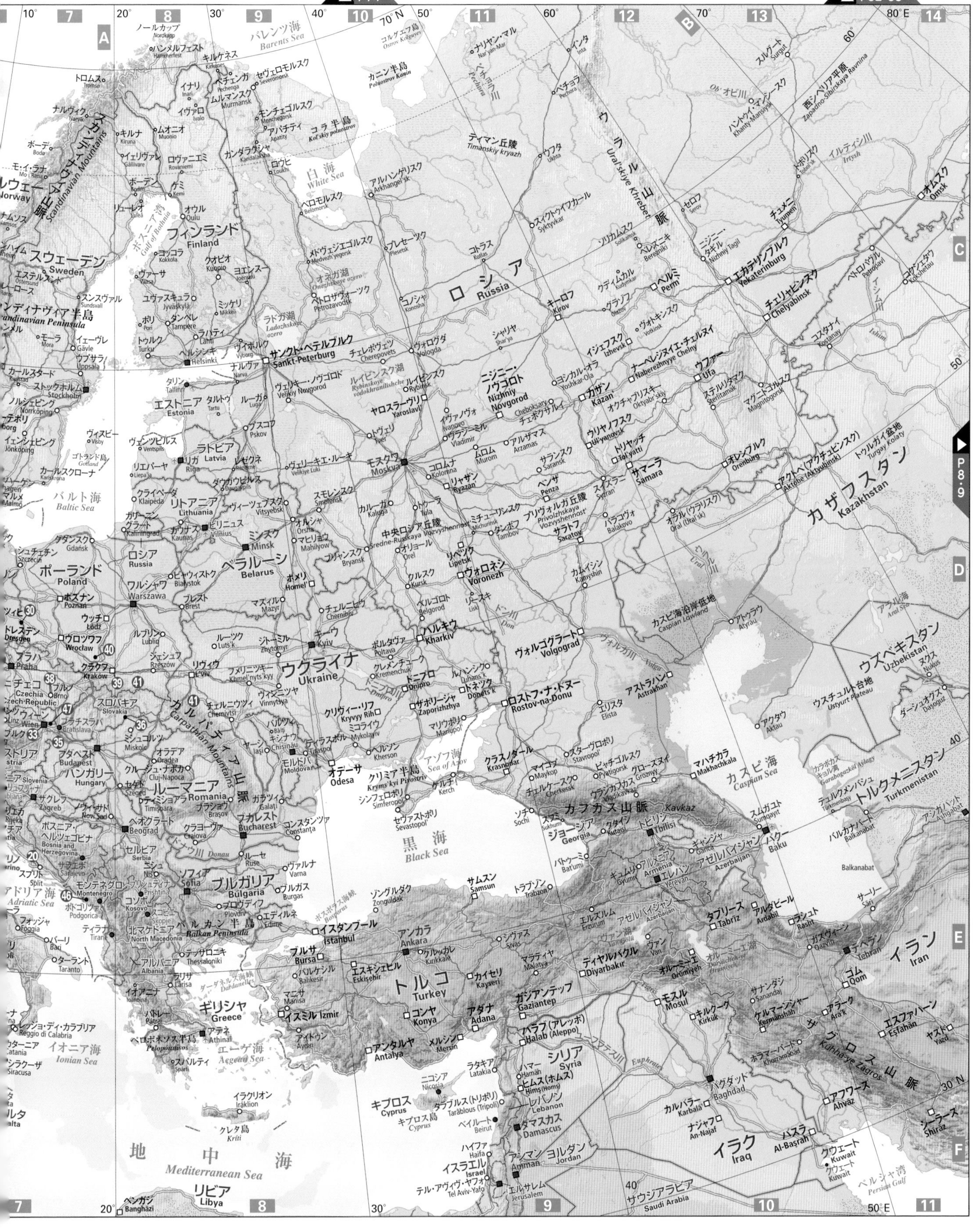

おもな都市

イギリス
ロンドン	F6
エディンバラ	E4
オックスフォード	F6
カーディフ	E6
グラスゴー	D4
ケンブリッジ	G5
バーミンガム	F5
ベルファスト	D6
マンチェスター	E5
リヴァプール	E5

アイルランド
ダブリン	C5
コーク	B6

世界遺産

イギリス
❶	オークニー諸島の新石器時代遺跡中心地	E2
❷	セント・キルダ	B3
❸	エディンバラの旧市街と新市街	E4
❹	ニュー・ラナーク	E4
❺	ローマ帝国最前線の要塞	F4
❻	ダラム城と大聖堂	D4
❼	ファウンティン修道院遺跡群を含むスタッドリー王立公園	F5
❽	ソルテア	D4
❾	ダーウェント峡谷の工場群	E5
❿	アイアンブリッジ峡谷	E5
⓫	ロンドン塔	F6
⓬	ウェストミンスター宮殿、大聖堂、セント・マーガレット聖堂	
⓭	海洋都市グリニッジ	
⓮	カンタベリー大聖堂、セント・オーガスティン修道院、セント・マーティン聖堂	G6
⓯	ブレナム宮殿	F6
⓰	ストーンヘンジ、エーヴベリーと関連遺跡群	F6
⓱	バス市街	E6
⓲	ドーセットおよび東デヴォン海岸	E6
⓴	グウィネズのエドワード1世の城郭と市壁	D5
㉑	ブレナヴォン産業用地	C4
㉒	ジャイアンツ・コーズウェーとコーズウェー海岸	D6
㉔	キュー王立植物園	F6
㉕	ポントカサステ水路橋と水路	E5
㉖	フォース鉄道橋	E3
㉗	イングランドの湖水地方	E4

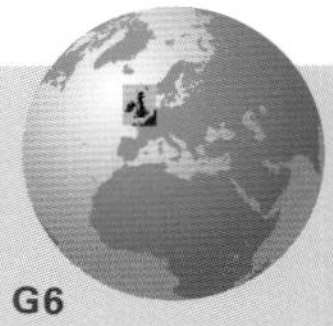

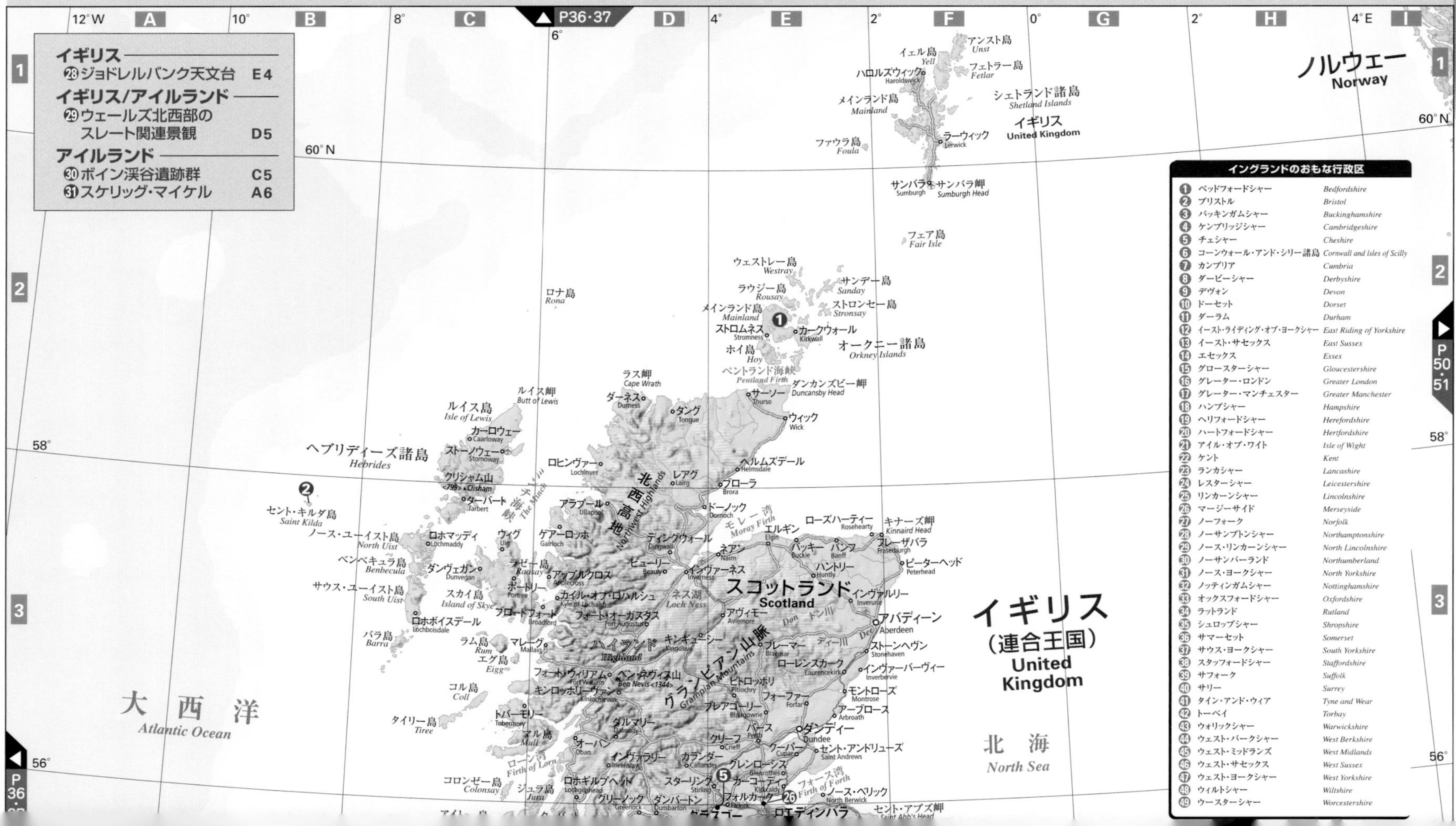

イギリス
㉘	ジョドレルバンク天文台	E4

イギリス/アイルランド
㉙	ウェールズ北西部のスレート関連景観	D5

アイルランド
㉚	ボイン渓谷遺跡群	C5
㉛	スケリッグ・マイケル	A6

凡例

■ ● 首都
■ ● 州都・省都など
スコットランド、ウェールズ、北アイルランドの主都

都市の人口
□ 100万以上
□ 50万～100万
○ 10万～50万
・ 10万未満

エイヴォン …… 州名・省名など
ハイランド …… 地域名

1/4,302,000

0　50　100　150　200km

インクランドのおもな行政区

❶	ベッドフォードシャー	Bedfordshire
❷	ブリストル	Bristol
❸	バッキンガムシャー	Buckinghamshire
❹	ケンブリッジシャー	Cambridgeshire
❺	チェシャー	Cheshire
❻	コーンウォール諸島	Cornwall and Isles of Scilly
❼	カンブリア	Cumbria
❽	ダービーシャー	Derbyshire
❾	デヴォン	Devon
❿	ドーセット	Dorset
⓫	ダラム	Durham
⓬	イースト・ライディング・オブ・ヨークシャー	East Riding of Yorkshire
⓭	イースト・サセックス	East Sussex
⓮	エセックス	Essex
⓯	グロスターシャー	Gloucestershire
⓰	グレーター・ロンドン	Greater London
⓱	グレーター・マンチェスター	Greater Manchester
⓲	ハンプシャー	Hampshire
⓳	ヘレフォードシャー	Herefordshire
⓴	ハートフォードシャー	Hertfordshire
㉑	アイル・オブ・ワイト	Isle of Wight
㉒	ケント	Kent
㉓	ランカシャー	Lancashire
㉔	レスターシャー	Leicestershire
㉕	リンカンシャー	Lincolnshire
㉖	マージーサイド	Merseyside
㉗	ノーフォーク	Norfolk
㉘	ノーサンプトンシャー	Northamptonshire
㉙	ノース・リンカンシャー	North Lincolnshire
㉚	ノーサンバーランド	Northumberland
㉛	ノース・ヨークシャー	North Yorkshire
㉜	ノッティンガムシャー	Nottinghamshire
㉝	オックスフォードシャー	Oxfordshire
㉞	ラトランド	Rutland
㉟	シュロップシャー	Shropshire
㊱	サマーセット	Somerset
㊲	サウス・ヨークシャー	South Yorkshire
㊳	スタッフォードシャー	Staffordshire
㊴	サフォーク	Suffolk
㊵	サリー	Surrey
㊶	タイン・アンド・ウィア	Tyne and Wear
㊷	トーベイ	Torbay
㊸	ウォリックシャー	Warwickshire
㊹	ウェスト・バークシャー	West Berkshire
㊺	ウェスト・ミッドランズ	West Midlands
㊻	ウェスト・サセックス	West Sussex
㊼	ウィルトシャー	Wiltshire
㊽	ウスターシャー	Worcestershire

P36・37

P 50 51

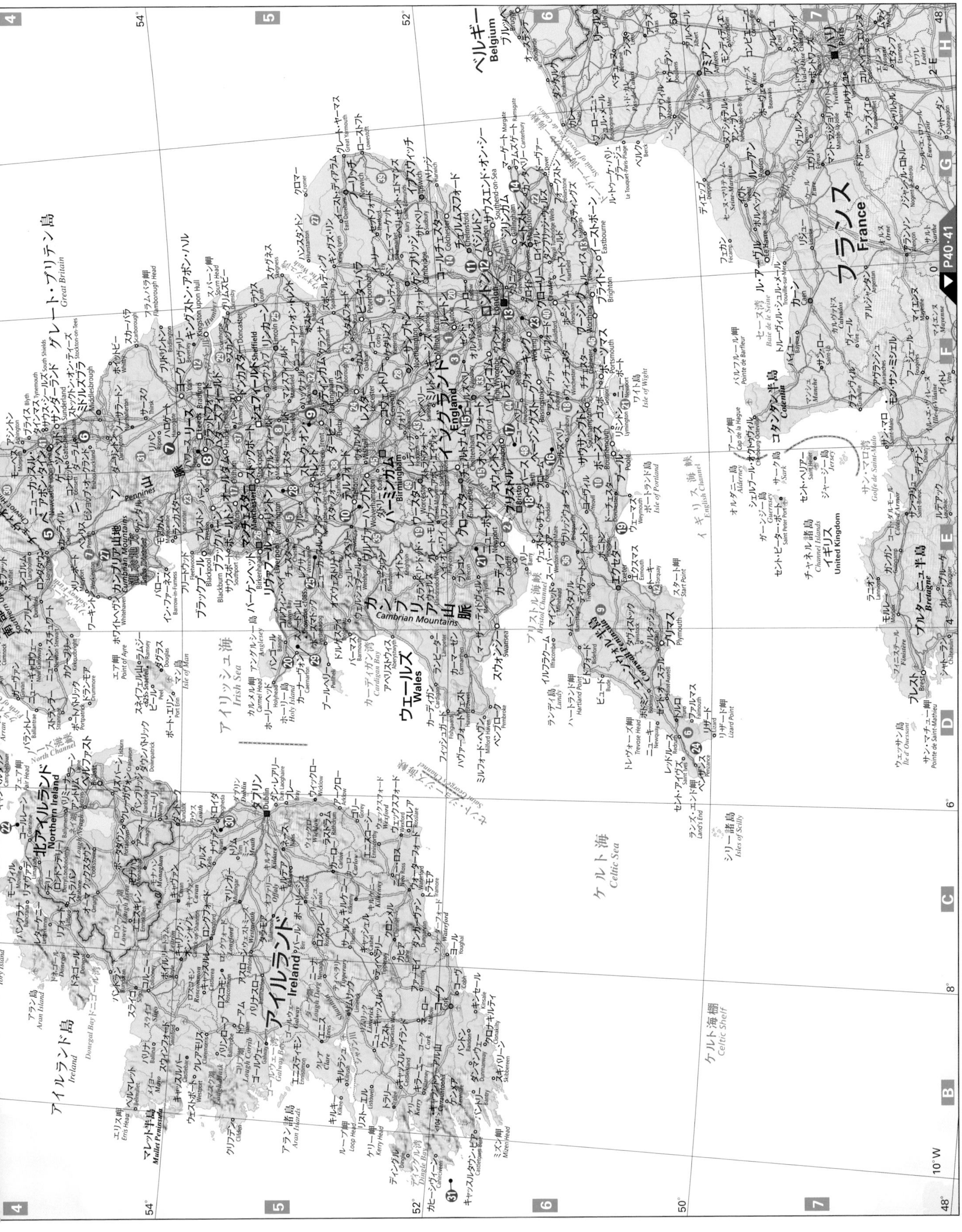
アイルランド Ireland
北アイルランド Northern Ireland
ダブリン Dublin
ベルファスト Belfast
コーク Cork
アイルランド島 Ireland
グレート・ブリテン島 Great Britain
イングランド England
ウェールズ Wales
ロンドン London
バーミンガム Birmingham
マンチェスター Manchester
リヴァプール Liverpool
ブリストル Bristol
リーズ Leeds
シェフィールド Sheffield
アイリッシュ海 Irish Sea
ケルト海 Celtic Sea
ケルト海棚 Celtic Shelf
イギリス海峡 English Channel
ブリストル海峡 Bristol Channel
カーディガン湾 Cardigan Bay
カンブリア山脈 Cambrian Mountains
ペナイン山脈 Pennines
湖水地方
イギリス United Kingdom
チャネル諸島 Channel Islands
フランス France
ベルギー Belgium
パリ Paris
ブルターニュ半島 Bretagne
コタンタン半島 Cotentin
ブレスト Brest
シェルブール＝オクトヴィル
ル・アーヴル Le Havre
ルーアン Rouen
カーン Caen
アミアン Amiens
リール Lille
カレー Calais
ドーヴァー海峡 Strait of Dover (Pas de Calais)
セーヌ湾 Baie de la Seine
サン・マロ湾 Golfe de Saint-Malo
シリー諸島 Isles of Scilly
ランズ・エンド岬 Land's End
マン島 Isle of Man
ワイト島 Isle of Wight
P40·41

フランス・ベネルクス3国・スイス

おもな都市

フランス
- パリ C6
- カンヌ F8
- ストラスブール C8
- ディジョン D7
- ナント D4
- ニース F8
- ボルドー E4
- マルセイユ F7
- リヨン E7

モナコ
- モナコ F8

ベルギー
- ブリュッセル B7
- アントウェルペン B7
- ブルッヘ B6

ルクセンブルク
- ルクセンブルク C8

スイス
- ベルン D8
- ジュネーヴ D8
- チューリヒ D9
- バーゼル D8

オランダ
- アムステルダム A7
- ハーグ A7
- ロッテルダム B7

世界遺産

フランス
- ❶モン・サン・ミシェルとその湾 C4
- ❷ヴェルサイユの宮殿と庭園 C6
- ❸シャルトル大聖堂 C5
- ❹フォンテーヌブローの宮殿と庭園 C6
- ❺中世都市プロヴァン C6
- ❻ランス大聖堂ほか、サン・レミ修道院、トー宮殿 C7
- ❼ナンシーの三つの広場 C8
- ❽天日製塩施設(サラン-レ-バン大製塩所からアルケ-スナン王立製塩所まで) D7
- ❾フォントネーのシトー会修道院 D7
- ❿ヴェズレーの聖堂と丘 D6
- ⓫サン・サヴァン・シュール・ガルタンプの教会 D5
- ⓬サンテミリオン地域 E4
- ⓭ラスコーの壁画のあるヴェゼール渓谷の装飾洞窟 E5
- ⓮ミディ運河 F6
- ⓯歴史的城壁都市カルカソンヌ F6
- ⓰オランジュのローマ劇場と凱旋門 E7
- ⓱アヴィニョン歴史地区 F7
- ⓲アルルのローマ遺跡とロマネスク建築 F7
- ⓳ポン・デュ・ガール F7
- ⓴ジロラッタ岬、ポルト岬、スカンドラ自然保護区 F9
- ㉑ル・アーヴル(オーギュスト・ペレによる再建都市) C5
- ㉒ボルドー、リューヌ港 E4
- ㉓ヴォーバンの要塞群(アラスなど12ヶ所) B6
- ㉔司教都市アルビ F6
- ㉕コースとセヴェンヌ地方の地中海農牧の文化的景観 E6
- ㉖ショーヴェ・ポン・ダルク洞窟として知られるポン・ダルクの装飾洞窟 E7
- ㉗ノール・パ・ド・カレーの鉱山地域 B6
- ㉘シャンパーニュの丘陵、家屋、地下貯蔵庫群 C7
- ㉙ブルゴーニュ地方のブドウ栽培区画、クリマ D7
- ㉚ピュイ山地とリマーニュ断層 E6
- ㉛コルドゥアン灯台 E4
- ㉜リビエラの冬の保養地ニース F8

ベルギー
- ㉝ブルッヘの歴史地区 B6
- ㉞フランドル地方のベギン会の建物 B6
- ㉟プランタン・モレトゥス印刷博物館 B7
- ㊱トゥルネーのノートルダム大聖堂 B6
- ㊲スピエンヌの火打石の鉱山発掘地 B6
- ㊳ルヴィエールとルルーの中央運河閘門 B7
- ㊴ストックレー邸 B7
- ㊵ワロン地方の鉱山 B7

オランダ
- ㊶D.F.ウォーダ蒸気水揚げポンプ場 A7
- ㊷スホクランドとその周辺 A7
- ㊸ベームスター干拓地 A7
- ㊹キンデルダイク=エルスハウトの風車群 B7
- ㊺アムステルダム 17世紀の運河地区 A7
- ㊻ファン・ネレ工場 B7

オランダ/ベルギー
- ㊼慈善の集団居住地群 A8・B7

スイス
- ㊽ザンクト・ガレン修道院 D9
- ㊾スイス・アルプス ユングフラウ=アレッチュ D8
- ㊿ベリンツォーナ旧市街にある三つの城など D9
- 51 ミュスタイルの聖ヨハネのベネディクト会修道院 D10
- 52 サン・ジョルジョ山 E9
- 53 ラヴォー地区の葡萄畑 D8
- 54 サルドーナ地殻変動地帯 D9
- 55 レーティッシュ鉄道アルブラ線・ベルニナ線 D9
- 56 ラ・ショー・ド・フォン、ル・ロクル、時計製造の町 D8

ドイツ
- 57 アーヘン大聖堂 B8
- 58 ブリュールのアウグストゥスブルク宮殿など B8
- 59 トリーアのローマ遺跡など C8
- 60 フェルクリンゲン製鉄所 C8
- 61 中部ライン渓谷 B8
- 62 メッセル・ピットの化石遺跡 C9
- 63 ロルシュの王立修道院 C9
- 64 マウルブロンの修道院群 C9
- 65 僧院の島ライヒェナウ D9
- 66 ヴィースの巡礼聖堂 D10

凡例

■● 首都　■● 州都・省都など

都市の人口　□ 100万以上　○ 10万〜50万　□ 50万〜100万　• 10万未満

イヴリーヌ …… 州名・省名など

シャンパーニュ …… 地域名

…… 湿地　…… 氷河

0 50 100 150 200km

1 / 4,302,000

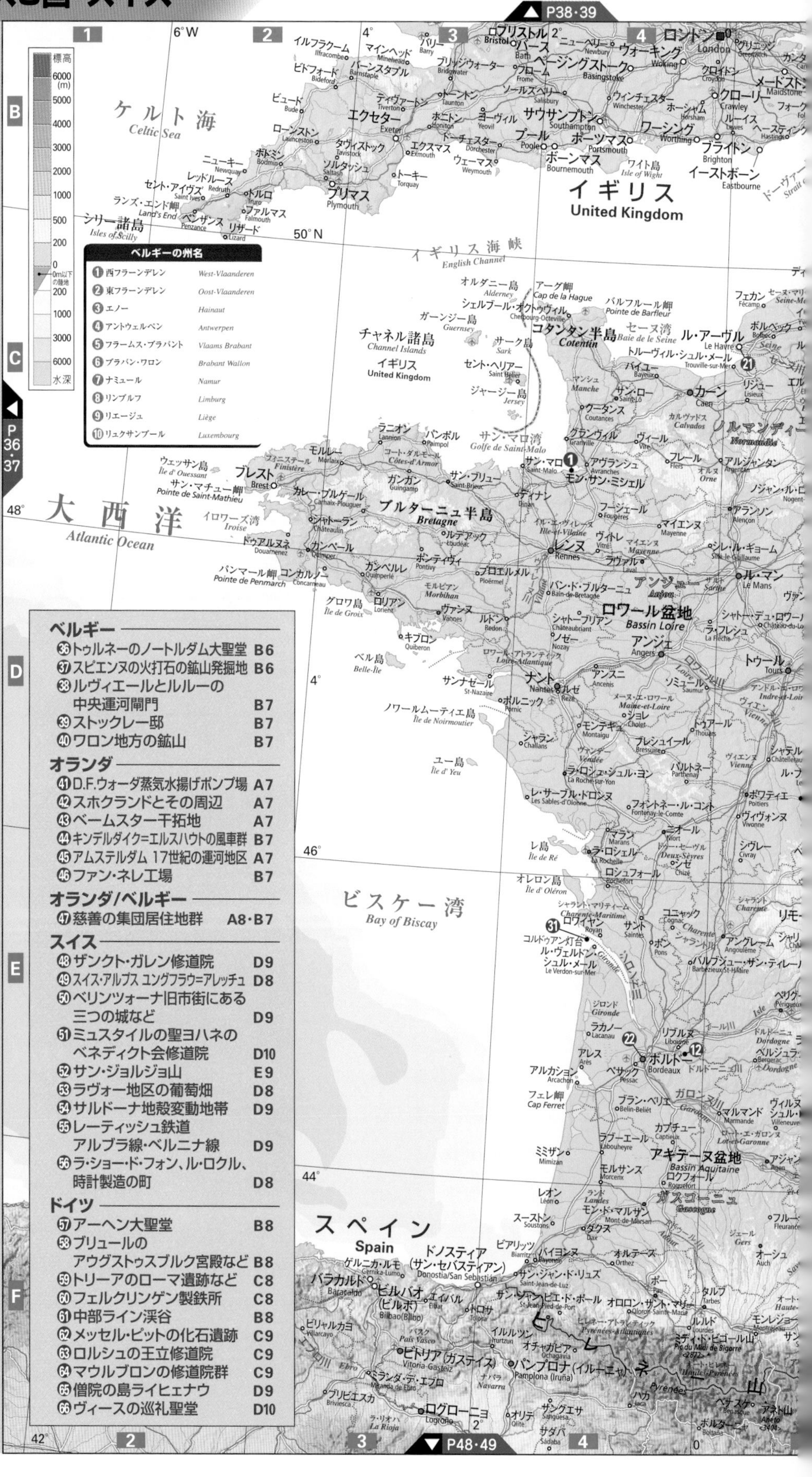

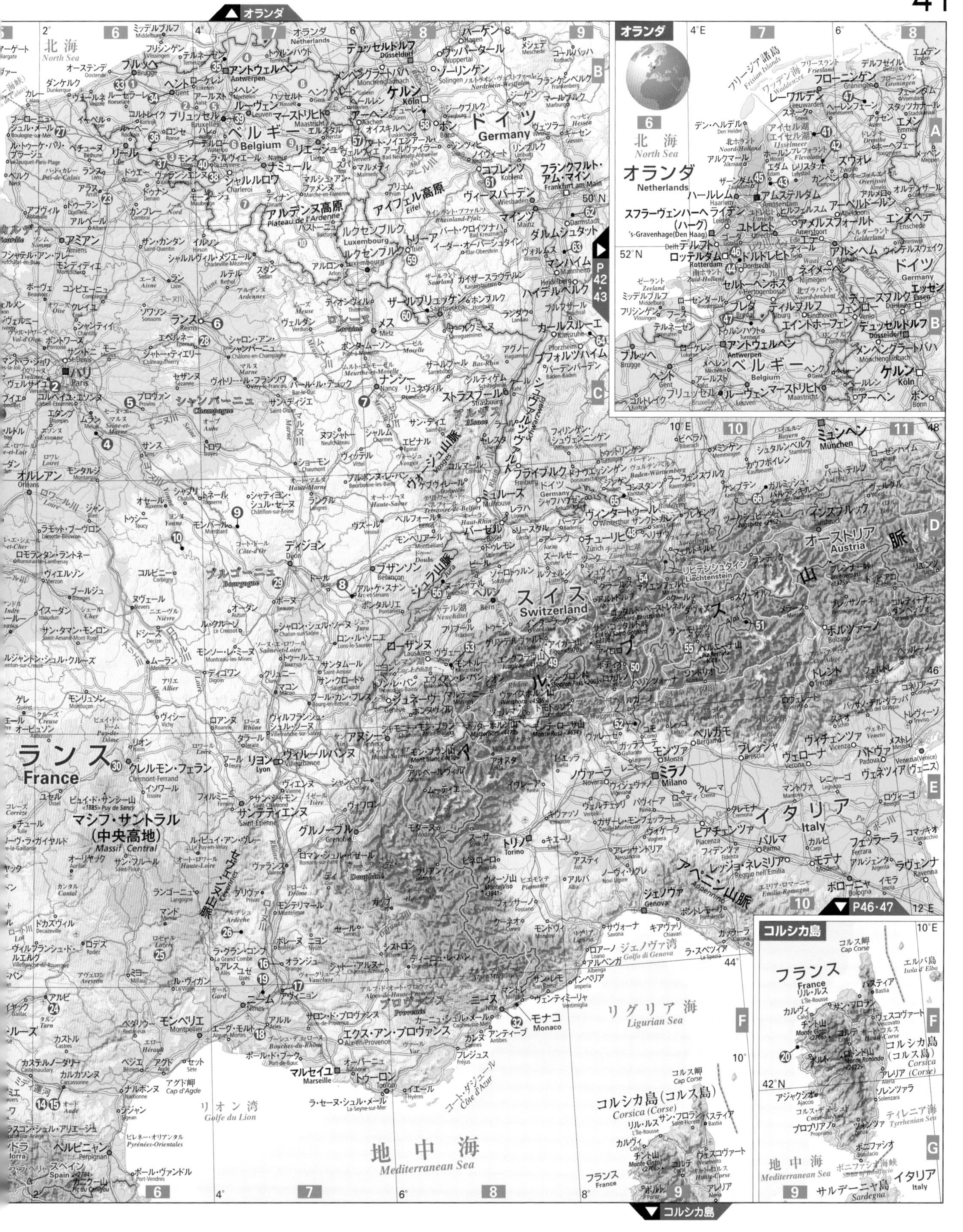
オランダ
P 42・43
P46・47
コルシカ島
北海
North Sea
オランダ
Netherlands
ドイツ
Germany
ベルギー
Belgium
ルクセンブルク
Luxembourg
フランス
France
スイス
Switzerland
オーストリア
Austria
イタリア
Italy
アルプス山脈
ジュラ山脈
ヴォージュ山脈
シュヴァルツヴァルト
アルデンヌ高原
Plateau de l'Ardenne
アイフェル高原
Eifel
マシフ・サントラル
(中央高地)
Massif Central
セヴェンヌ山脈
アペニン山脈
Appennino
パリ
Paris
ブリュッセル
Bruxelles
アムステルダム
ケルン
Köln
フランクフルト・アム・マイン
Frankfurt am Main
ストラスブール
Strasbourg
リヨン
Lyon
ジュネーヴ
Genève
ベルン
Bern
チューリヒ
Zürich
ミュンヘン
München
インスブルック
Innsbruck
ミラノ
Milano
トリノ
Torino
ジェノヴァ
Genova
マルセイユ
Marseille
ニース
Nice
モナコ
Monaco
リヨン湾
Golfe du Lion
地中海
Mediterranean Sea
リグリア海
Ligurian Sea
ジェノヴァ湾
Golfo di Genova
コルシカ島(コルス島)
Corsica (Corse)
ティレニア海
Tyrrhenian Sea
サルデーニャ島
Sardegna
コルシカ島

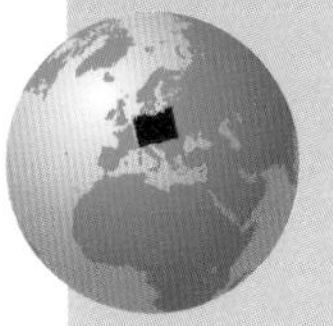

おもな都市

ドイツ
ベルリン ... B5
ケルン ... C2
デュッセルドルフ ... C2
ハンブルク ... B3
フランクフルト・
　アム・マイン ... C3
ミュンヘン ... D4

リヒテンシュタイン
ファドーツ ... E3

オーストリア
ウィーン ... D7

インスブルック ... E4
ザルツブルク ... E5

ハンガリー
ブダペスト ... E8

チェコ
プラハ ... C6

スロバキア
ブラチスラバ ... D7

ポーランド
ワルシャワ ... B9

世界遺産

ドイツ
① ヒルデスハイムのザンクト・マリア大聖堂など ... B3
② ランメルスベルク鉱山と古都ゴスラー ... C4
③ ザンクト・セルヴァティウス修道院聖堂など ... C4
④ ヴァイマルと⑤デッサウのバウハウス ... C4・C5
⑥ 古典主義の都ヴァイマル ... C4
⑦ デッサウ・ヴェルリッツの王宮庭園 ... C5
⑧ アイスレーベンと
　⑨ ヴィッテンベルクのルター記念建造物 ... C4・C5
⑩ ヴァルトブルク城 ... C4
⑪ シュパイアー大聖堂 ... D3
⑫ ヴュルツブルクの司教館、その庭園と広場 ... D3
⑬ バンベルクの町 ... D4
⑭ マルクト広場にある市庁舎とローラント像 ... B3
⑮ レーゲンスブルク旧市街 ... D5
⑯ アルフェルトのファグス工場 ... C3
⑰ ヴィルヘルムスヘーエ丘陵公園 ... C3
⑱ コルヴァイのカロリング朝時代の
　西構え及び都市遺構 ... C3
⑲ バイロイトのマルクグレーフリシェス・オペラハウス ... D4
⑳ チリハウスを含むシュパイヘルシュタットと
　コントールハウス地区 ... B3
㉑ シュヴァーベンジュラの洞窟群と
　氷河時代の芸術 ... D3
㉒ ナウムブルク大聖堂 ... C4
㉓ ダルムシュタットのマチルダの丘 ... D3
㉔ シュパイアー、㉕ヴォルムス、㉖マインツの
　ユダヤ人入植地 ... C3・D3

オーストリア
㉗ ヴァッハウ渓谷の文化的景観 ... D6

ハンガリー
㉘ ホローケー ... E8
㉙ トカイ・ワイン地域 ... D9

チェコ
㉚ ホラショヴィツェの歴史的集落保存地区 ... D6
㉛ チェスキー・クルムロフ歴史地区 ... D6
㉜ テルチ歴史地区 ... D6
㉝ クトナー・ホラ歴史都市 ... D6
㉞ リトミシュル城 ... D7
㉟ オロモウツの聖トリニティ碑 ... D7
㊱ クロムニェジーシュの庭園と城 ... D7

凡 例

■ ･･･ 首都　　● ･･･ 州都・省都など
都市の人口　□ 100万以上　○ 10万〜50万
　　　　　　▢ 50万〜100万　○ 10万未満
ヘッセン ･･････ 州名・省名など　　ボヘミア ･･････ 地域名
　　　　 ･･････ 湿地　　　　　　 ･･････ 氷河

0　50　100　150　200km

1 / 4,302,000

P40 41

P46・47

P50・51

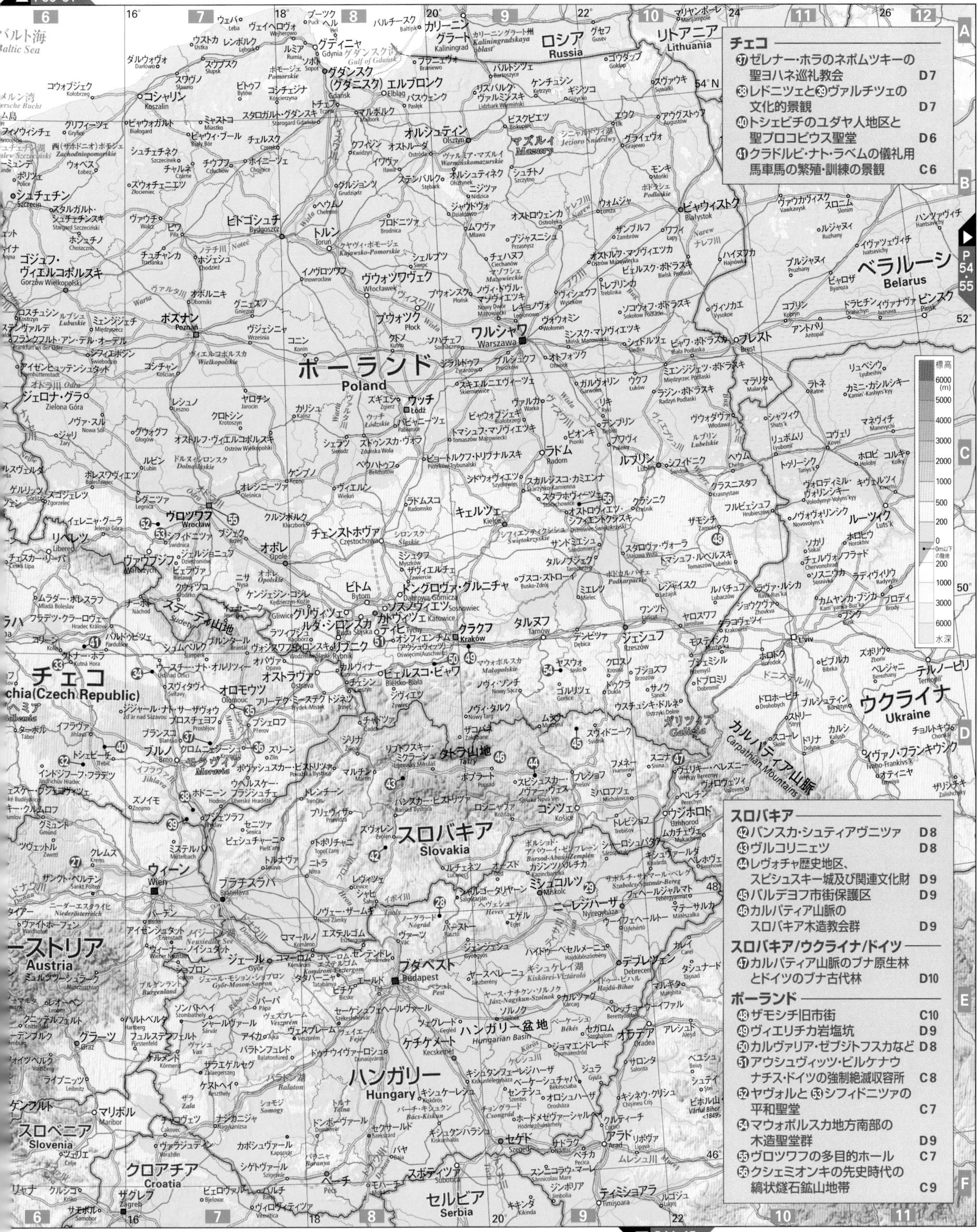

P54・55

P44・45

おもな都市

ギリシャ
アテネ D6
イラクリオン E7
クレタ島 E7
テッサロニキ D4
ミロス島 E6

アルバニア
ティラナ B4

北マケドニア
スコピエ C3

セルビア
ベオグラード C2

モンテネグロ
ポドゴリツァ B3

ブルガリア
ソフィア D3
プロヴディフ E3

ルーマニア
ブカレスト F2
ブラショウ E2

世界遺産

ギリシャ
①アテネのアクロポリス D6
②ダフニ、⑧オシオス・ルカス、④キオス D5・F5
　（ネア・モニの修道院など）
⑤デルフォイの遺跡 D5
⑥エピダウロスの遺跡 D6
⑦ミュケナイとティリュンスの古代遺跡 D6
⑧エストラ D6
⑨バッサイのアポロン・エピクリオス神殿 D6
⑩オリュンピアの遺跡 C6
⑪メテオラ C5
⑫ヴェルギナの遺跡 D4

⑬初期キリスト教の建築群など D4
⑭アトス山 E4
⑮ロードス島の中世都市 G6
⑯聖ヨハネ修道院など F6
⑰ピタゴリオンとヘラ神殿 F6
⑱デロス島 E6
⑲コルフ旧市街 B5
⑳フィリピ（ビリッポイ）遺跡 E4

アルバニア
㉑ブトリント C5
㉒ベラトとギロカストラ C5
　（ギロカストラの歴史地区 B4・C4）

凡例

- ■ 首都
- ● 州都・省都など
- □ 100万以上
- 都市の人口
- □ 50万〜100万
- ○ 10万〜50万
- ・ 10万未満

マケドニア …… 州名・省名など
ウクライナ …… 地域名
湿地

1 / 4,302,000
0 50 100 150km

主な地図ラベル

Ukraine ウクライナ
Moldova モルドバ
Romania ルーマニア
Bulgaria ブルガリア
Serbia セルビア
Kosovo コソボ
Montenegro モンテネグロ
Bosnia and Herzegovina ボスニア・ヘルツェゴビナ
Croatia クロアチア
Hungary ハンガリー
Balkan Peninsula バルカン半島
Carpathian Mountains カルパティア山脈
Transylvanian Alps トランシルヴァニア・アルプス
Romania Plain ルーマニア平原
Stara Planina スタラ・プラニナ（バルカン山脈）
Hungarian Basin ハンガリー盆地

ブダペスト
ブカレスト
ベオグラード
ソフィア
黒海

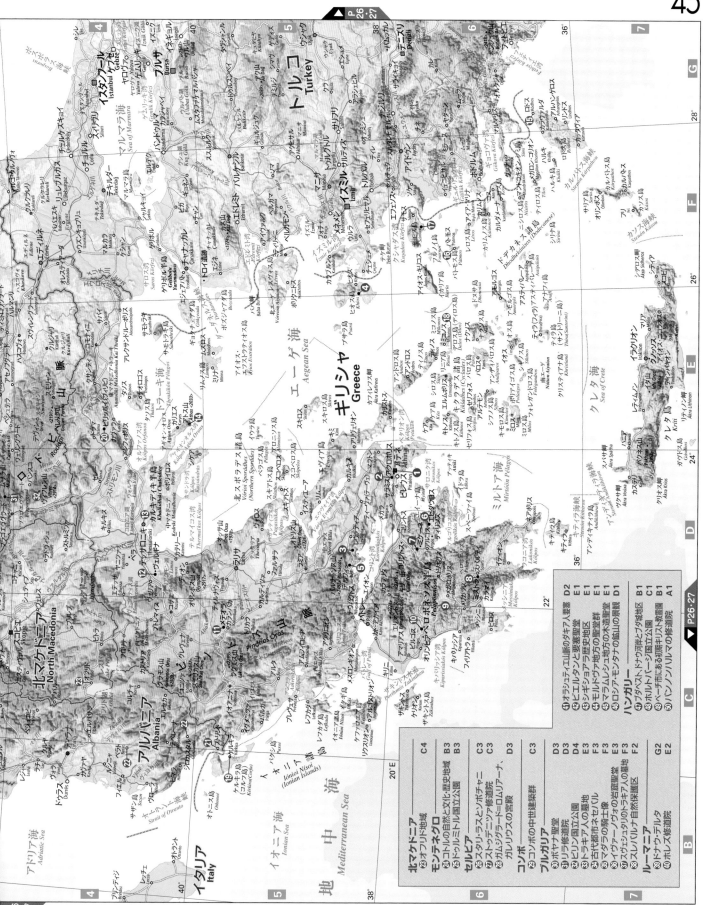

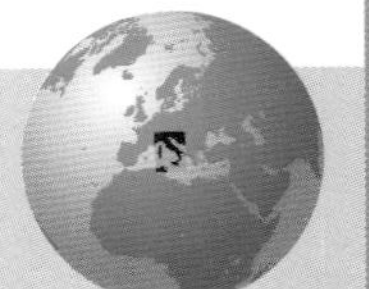

凡例

■ ● 首都
□ ● 州都・省都など

都市の人口
□ 100万以上
□ 50万～100万
○ 10万～50万
○ 10万未満

トスカナ …… 州名・省名など 地域名
スカジャニャー …… 地域名

湿地
塩湖
砂漠
氷河

1 / 4,302,000

0 50 100 150 200km

P.44 45
P.42-43
P.40 41

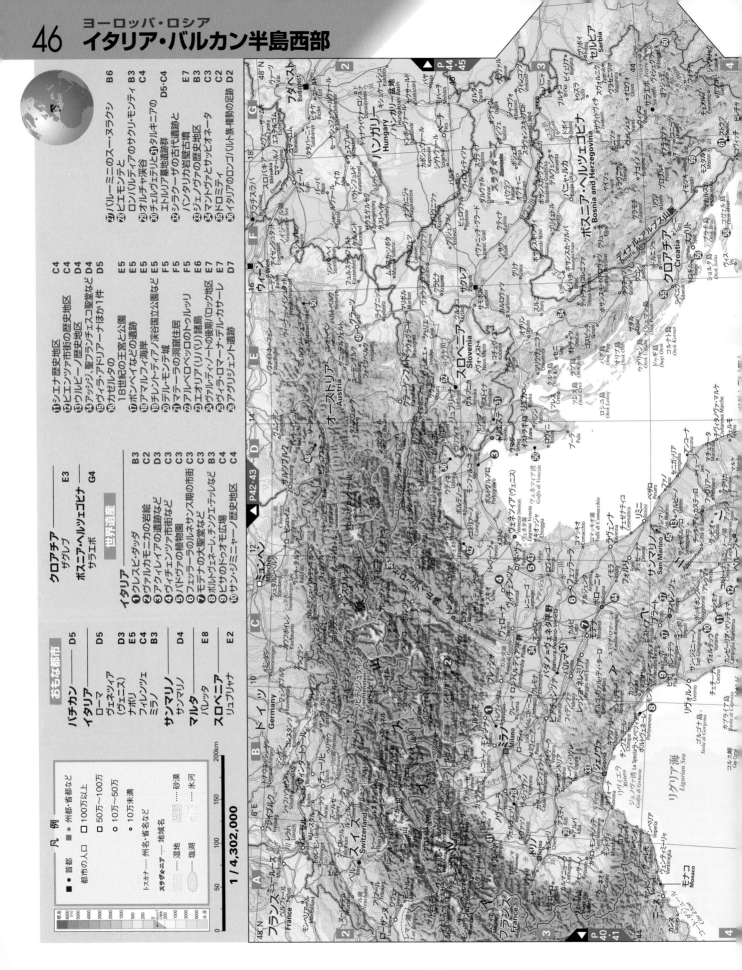

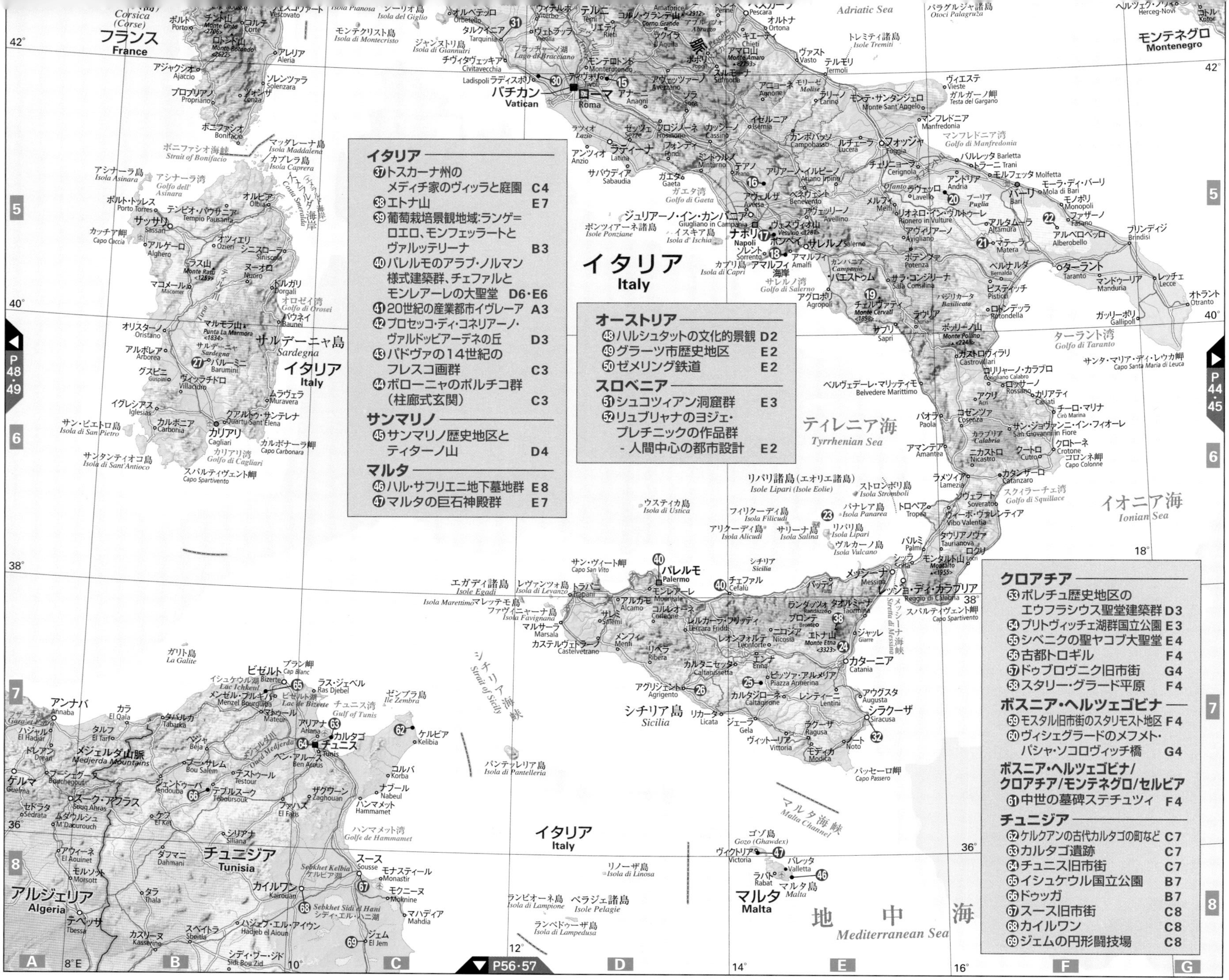

イタリア

- ㊲トスカーナ州のメディチ家のヴィッラと庭園 C4
- ㊳エトナ山 E7
- ㊴葡萄栽培景観地域：ランゲ=ロエロ、モンフェッラートとヴァルッテリーナ B3
- ㊵パレルモのアラブ・ノルマン様式建築群、チェファルとモンレアーレの大聖堂 D6・E6
- ㊶20世紀の産業都市イヴレーア A3
- ㊷プロセッコ・ディ・コネリアーノ・ヴァルドッビアーデネの丘 D3
- ㊸パドヴァの14世紀のフレスコ画群 C3
- ㊹ボローニャのポルチコ群（柱廊式玄関） C3

サンマリノ

- ㊺サンマリノ歴史地区とティターノ山 D4

マルタ

- ㊻ハル・サフリエニ地下墓地群 E8
- ㊼マルタの巨石神殿群 E7

オーストリア

- ㊽ハルシュタットの文化的景観 D2
- ㊾グラーツ市歴史地区 E2
- ㊿ゼメリング鉄道 E2

スロベニア

- 51 シュコツィアン洞窟群 E3
- 52 リュブリャナのヨジェ・プレチニックの作品群－人間中心の都市設計 E2

クロアチア

- 53 ポレチュ歴史地区のエウフラシウス聖堂建築群 D3
- 54 プリトヴィッチェ湖群国立公園 E3
- 55 シベニクの聖ヤコブ大聖堂 E4
- 56 古都トロギル F4
- 57 ドゥブロヴニク旧市街 G4
- 58 スタリー・グラード平原 F4

ボスニア・ヘルツェゴビナ

- 59 モスタル旧市街のスタリモスト地区 F4
- 60 ヴィシェグラードのメフメト・パシャ・ソコロヴィッチ橋 G4

ボスニア・ヘルツェゴビナ/クロアチア/モンテネグロ/セルビア

- 61 中世の墓碑ステチュツィ F4

チュニジア

- 62 ケルクアンの古代カルタゴの町など C7
- 63 カルタゴ遺跡 C7
- 64 チュニス旧市街 C7
- 65 イシュケウル国立公園 B7
- 66 ドゥッガ B7
- 67 スース旧市街 C8
- 68 カイルワン C8
- 69 ジェムの円形闘技場 C8

スペイン・ポルトガル

おもな都市

スペイン

マドリード	B4
グラナダ	D4
セビーリャ	D3
バルセロナ	B7
バレンシア	C5

ポルトガル

リスボン	C1
ポルト	B1

アンドラ

アンドラ・ラ・ベリャ	A6

世界遺産

スペイン

❶サンティアゴ・デ・コンポステラ(旧市街)	A1
❷ルーゴのローマの城壁	A2
❸ラス・メドゥラス	A2
❹アストゥリアス王国の教会とオビエド歴史地区	A3
❺アルタミラ洞窟と旧石器時代の洞窟画	A3
❻ブルゴス大聖堂	A4
❼アタプエルカの遺跡群	A4
❽サン・ミジャン・ジュソ修道院とスソ修道院	A4
❾ボイ渓谷のカタルーニャ風ロマネスク様式教会群	A6
❿バルセロナのカタルーニャ音楽堂とサンパウ病院 アントニオ・ガウディの建築群	B7
⓫タラゴナの遺跡群	B6
⓬ポブレー修道院	B6
⓭ムデハル様式建築物	B5
⓮ラ・ロンハ・デ・ラ・セダ	C5
⓯エルチェの椰子園	C5
⓰イベリア半島地中海沿岸の岩壁画	C5
⓱歴史的城塞都市クエンカ	B4
⓲アルカラ・デ・エナレスの大学と歴史地区	B4
⓳アランフエスの文化的景観	B4
⓴古都トレド	C3
㉑エル・エスコリアル修道院	B3
㉒セゴビア旧市街と水道橋	B3
㉓アビラ旧市街と塁壁の外の教会	B3
㉔サラマンカ旧市街	B3
㉕サンタ・マリア・デ・グアダルーペ王立修道院	C3
㉖カセレス旧市街	C2
㉗メリダの遺跡群	C2
㉘グラナダのアルハンブラなど	D4
㉙コルドバ歴史地区	D3
㉚セビーリャの大聖堂など	D3
㉛ドニャーナ国立公園	D2
㉜イビサ島、生物的多様性と文化	C6
㉝ウベダとバエサのルネサンス様式建造物	C4
㉞ビスカヤ橋	A4
㉟ヘラクレスの塔	A1
㊱トラムンタナ山地の文化的景観	C7
㊲アンテケラのドルメン遺跡	D3
㊳カリフ都市メディナ・アサーラ	D3
㊴プラド通りとブエン・レティーロ、芸術と科学の景観	B4

イギリス領ジブラルタル

㊵ゴーハムの洞窟群	D3

ポルトガル

㊶ポルト歴史地区	B1
㊷ギマランイス歴史地区	B1
㊸アルト・ドウロ・ワイン生産地域	B2
㊹コア渓谷の先史時代の岩壁画	B2
㊺アルコバッサの修道院	C1

凡例

■● 首都　■● 州都・省都など

都市の人口　□ 100万以上　o 10万～50万

□ 50万～100万　∘ 10万未満

カタルーニャ …… 州名・省名など

[イギリス] …… 所属国

…… 湿地　…… 砂漠

…… 塩湖

0　50　100　150　200km

1 / 4,302,000

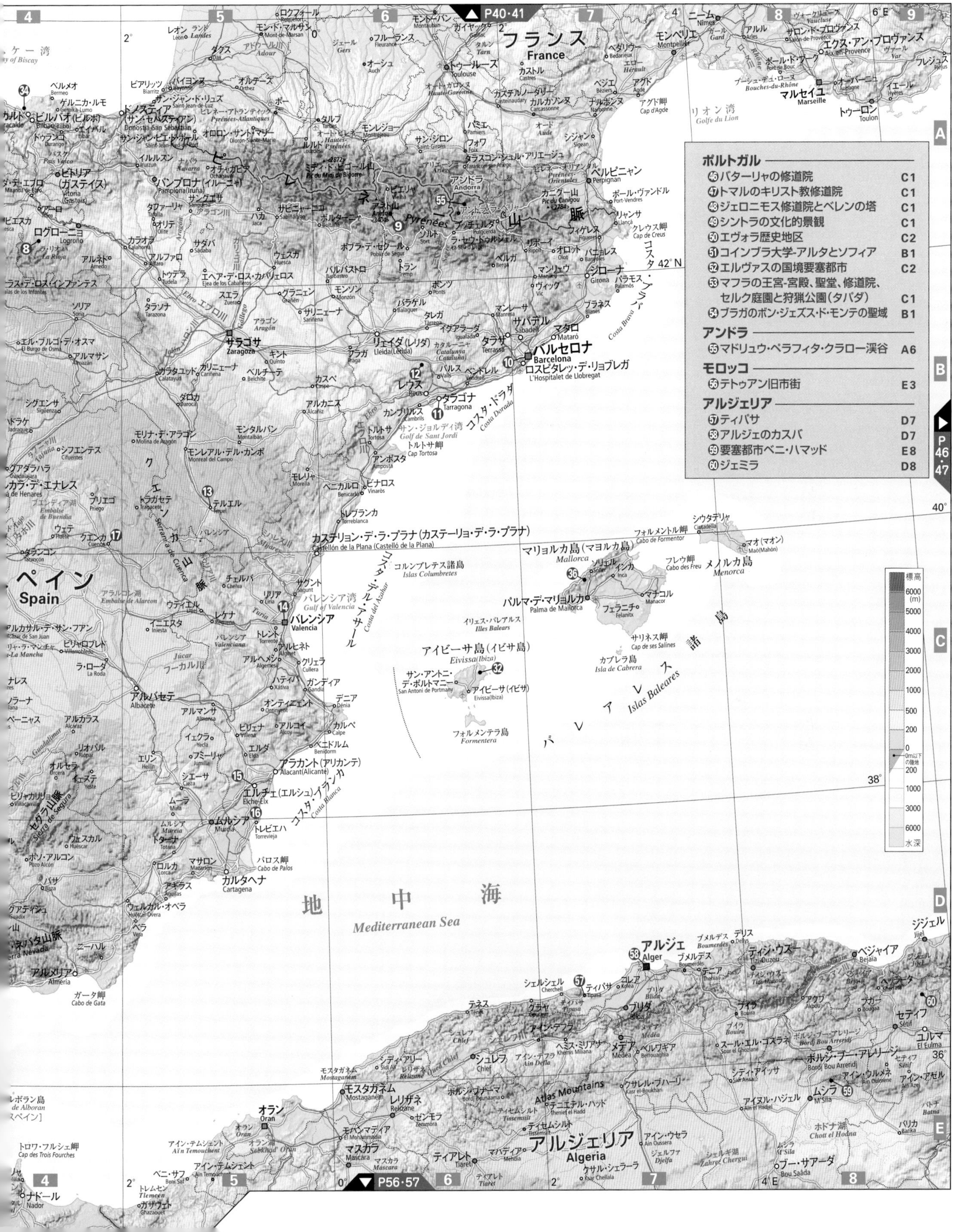
P40·41
P56·57
P46·47
ポルトガル
㊻バターリャの修道院 C1
㊼トマルのキリスト教修道院 C1
㊽ジェロニモス修道院とベレンの塔 C1
㊾シントラの文化的景観 C1
㊿エヴォラ歴史地区 C2
51コインブラ大学-アルタとソフィア B1
52エルヴァスの国境要塞都市 C2
53マフラの王宮-宮殿、聖堂、修道院、セルク庭園と狩猟公園（タパダ） C1
54ブラガのボン・ジェズス・ド・モンテの聖域 B1
アンドラ
55マドリュウ・ペラフィタ・クラロー渓谷 A6
モロッコ
56テトゥアン旧市街 E3
アルジェリア
57ティパサ D7
58アルジェのカスバ D7
59要塞都市ベニ・ハマッド E8
60ジェミラ D8
フランス
France
スペイン
Spain
アルジェリア
Algeria
地中海
Mediterranean Sea
ピレネー山脈
Pyrénées
バレアレス諸島
Islas Baleares
リオン湾
Golfe du Lion
バレンシア湾
Gulf of Valencia
マリョルカ島（マヨルカ島）
Mallorca
メノルカ島
Menorca
アイビーサ島（イビサ島）
Eivissa(Ibiza)
フォルメンテラ島
Formentera
バルセロナ
Barcelona
バレンシア
Valencia
サラゴサ
Zaragoza
マルセイユ
Marseille
アルジェ
Alger
オラン
Oran
Atlas Mountains
標高
水深

凡　例

- ● 首都
- ■● 州都・省都など
  - 都市の人口
  - □ 100万以上
  - ■ 50万～100万
  - ○ 10万～50万
  - ◦ 10万未満

ラッパ …… 州名・省名など
サウラック …… 地域名
　　　 …… 湿地
　　　 …… 氷河

1 / 6,628,000

標高(m): 6000 5000 4000 3000 2000 1000 500 200 / 200 1000 2000 4000 6000 水深

0　100　200　300km

おもな都市

デンマーク
- コペンハーゲン　C4
- オーゼンセ　C4

ノルウェー
- オスロ　C4
- ベルゲン(バルゲン)　B3

スウェーデン
- ストックホルム　D4
- イェーテボリ　C4

フィンランド
- ヘルシンキ　E3
- トゥルク　E3

エストニア
- タリン　E4

ラトビア
- リガ　E4

リトアニア
- ビリニュス　F5

アイスランド
- レイキャビク　H7

世界遺産

デンマーク
- ①イェリング墳墓ほか　B4
- ②ロスキレ大聖堂　C4
- ③クロンボン城　C4
- ④スティーブンス・クリント
- ⑤モラヴィア教会の入植地　B4
- クリスチャンスフェルド
- ⑥シェラン島北部のパルフォルス式　C4
  狩猟の景観

アイスランド
- ③シングヴェトリル国立公園　H7
- ④スルツェイ　H7
- ⑤ヴァトナヨークトル国立公園　I7
  ―炎と氷の躍動する自然

エストニア
- ③タリン　E4

ラトビア
- ③リガの旧市街　E4

リトアニア
- ③ビリニュスの旧市街　F5
- ③ケルナヴェ考古遺跡　E5

リトアニア/ロシア
- ③クルシュー砂州　E4

ポーランド/ベラルーシ
- ③ビャウォヴィエジャ国立原生林　E5
- ④マルボルクの城郭都市　D5

ポーランド
- ④ポーランド・ベラルーシ国境歴史的原生林　E5
- ④中世都市トルニ　D5

リトアニア/ロシア/ウクライナ/エストニア/スウェーデン/ノルウェー/フィンランド/ベラルーシ/モルドバ/ラトビア　F4
- ①シュトルーヴェの観測点群　

ドイツ
- ⑮ベルリンのムゼウムスインゼル(博物館島)　C5
- ⑰ポツダムと②ベルリンの宮殿と公園　C5
- ⑲ベルリンの近代集合住宅群　C5
- ⑳シュトラールズントと　C5
- ⑪ヴィスマールの歴史地区
- ㉟ハンザ同盟都市リューベック　B5
- ㉝ヘーゼビューとダーネヴィルケ　C5
  の考古学的景観

ノルウェー
- ⑦ブリッゲン(ベルゲン)　B3
- ⑧ウルネスの木造教会堂　B3
- ⑨レーロースの旧鉱山町　C3
- ⑩アルタの岩絵　E2
- ⑪ヴェガオヤン・ヴェガ群島　C2
- ⑫西ノルウェーのフィヨルド群　B3
- ⑬リューカンとノトデンの産業遺産　B4

スウェーデン
- ⑭スクーグスシュルコゴーデン　D4
- ⑮ドロットニングホルムの王領地　D4
- ⑯ビルカとホーヴゴーデンの遺跡　D4
- ⑰ハンザ同盟都市ヴィスビー　D4
- ⑱エーランド島南部の農業景観　D4
- ⑲カールスクローナの海軍港　D4
- ㉑ターヌムの岩絵　D4
- ㉒エンゲルスバーリの製鉄所　D4
- ㉓ファールンの大銅山地域

フィンランド
- ⑥スオメンリンナ要塞　F3
- ㉕ヴェルラ砕木・板紙工場　F3
- ㉖ラウマの旧市街　E3
- ㉗サンマッルラハデンマキ埋葬所　E3
- ㉘ヴァラーレの古い屋敷　F3

スウェーデン/フィンランド
- ㉜ハイコースト/クヴァルケン群島　D3 / E3

おもな見どころ
- ㉜ガンメルスターデの教会村　E2
- ㉛ラップ人(サーメ)地域　D2
- ㉝グリーンランドの無線通信所　C4
- ㉞ヴァーンルベリの表彰農場家屋　D3

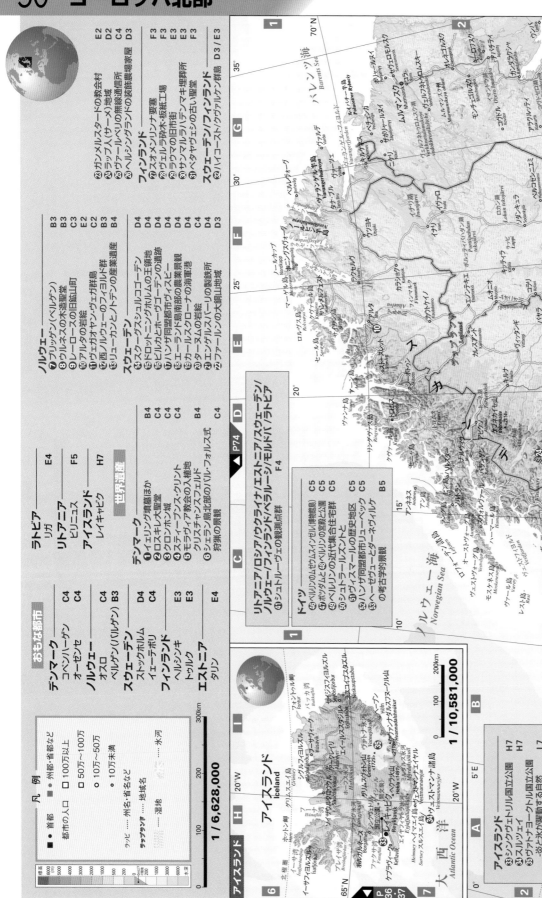

P 54 55

主要地名

ロシア
Russia

サンクト・ペテルブルク
Sankt-Peterburg

エストニア
Estonia

ラトビア
Latvia

リトアニア
Lithuania

ベラルーシ
Belarus

ロシア
Russia
カリーニングラード州
(Kaliningradskaja obl.)

ポーランド
Poland

ドイツ
Germany

ハンブルク
Hamburg

ベルリン
Berlin

オランダ
Netherlands

デンマーク
Denmark

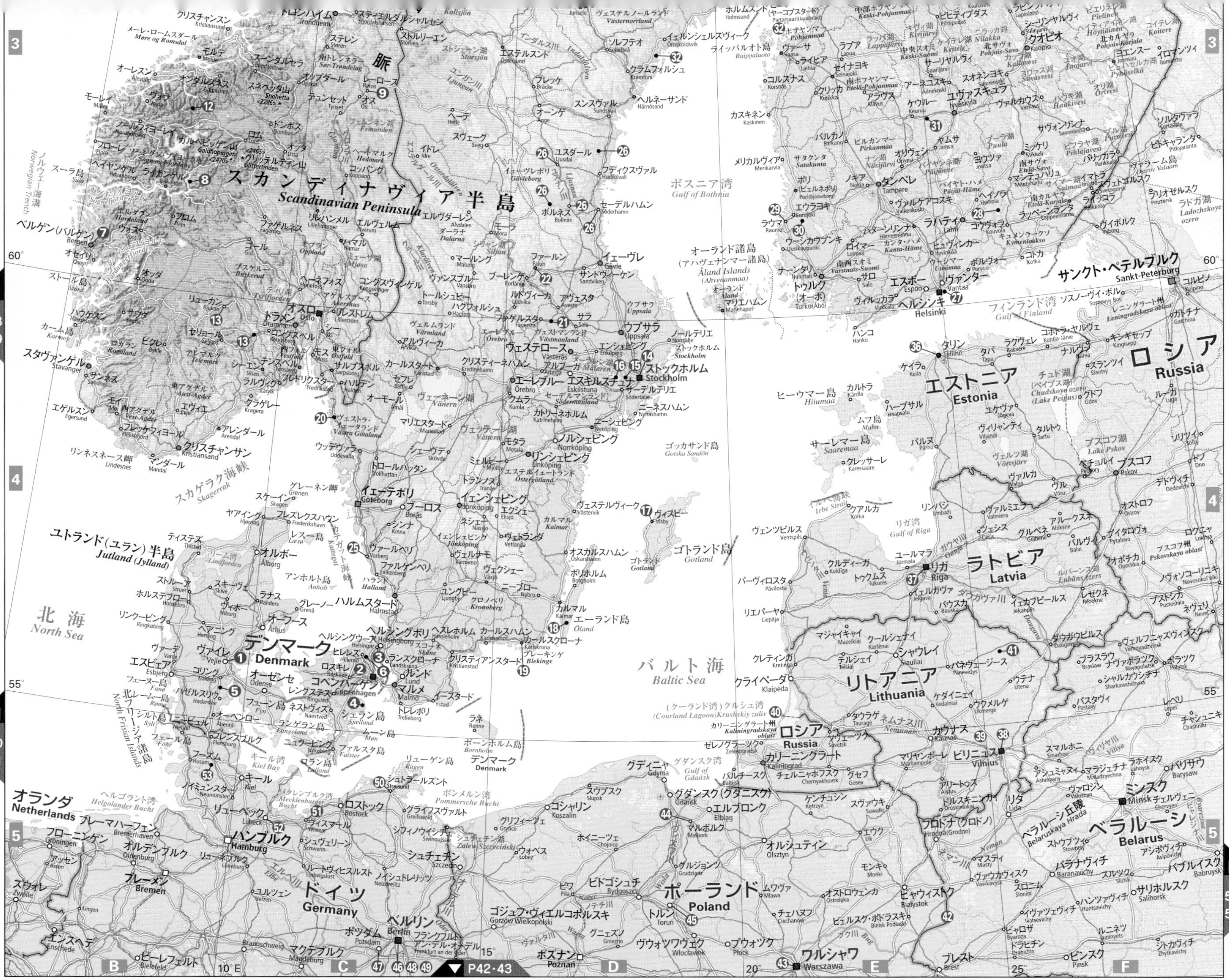

スカンディナヴィア半島
Scandinavian Peninsula

ノルウェー海溝
Norwegian Trench

北海
North Sea

バルト海
Baltic Sea

ゴトランド島
Gotland

エーランド島
Öland

ボルンホルム島
Bornholm

ストックホルム
Stockholm

ユトランド（ユラン）半島
Jutland (Jylland)

ボスニア湾
Gulf of Bothnia

オーランド諸島
Åland Islands (Ahvenanmaa)

フィンランド湾
Gulf of Finland

ヘルシンキ
Helsinki

リガ湾
Gulf of Riga

リガ
Riga

ヴィリニュス
Vilnius

ミンスク
Minsk

ワルシャワ
Warszawa

ポズナン
Poznań

ブレーメン
Bremen

カテガット海峡
Kattegat

スカゲラック海峡
Skagerrak

ノース・フリジア諸島
North Frisian Islands

ヘルゴラント湾
Helgolander Bucht

おもな都市

ロシア

モスクワ	D 6
アルハンゲリスク	C 7
イルクーツク	D13
ヴォルゴグラート	E 7
ウラジオストク	E16
ウラン・ウデ	D13
エカテリンブルク	D 9
オムスク	D10
カザン	D 7
クラスノヤルスク	D12
サマーラ	D 8
サンクト・ペテルブルク	D 6
チェリャビンスク	D 9
ニジニー・ノヴゴロト	D 7
ノヴォシビールスク	D11
ノリリスク	C11
ハバロフスク	E16
ペトロパヴロフスク・カムチャツキー	D18
ペルミ	D 8
マガダン	D18
ムルマンスク	C 6
ヤクーツク	C15
ユージノ・サハリンスク	E17
ロストフ・ナ・ドヌー	E 6

カザフスタン

アスタナ	D10

モンゴル

ウランバートル	E13

ジョージア

トビリシ	E7

アゼルバイジャン

バクー	E7

アルメニア

エレバン	E7

エストニア

タリン	D5

ラトビア

リガ	D5

リトアニア

ビリニュス	D5

ベラルーシ

ミンスク	D5

ウクライナ

キーウ	D6

フィンランド

ヘルシンキ	C5

世界遺産

ロシア

①サンクト・ペテルブルク歴史地区	D6
②ノヴゴロドの歴史的建造物群	D6
③キジ島木造教会	C6
④フェラポントフ修道院群	D6
⑤ソロヴェツキー諸島の文化・歴史的建造物	C6
⑥コミの原生林	C8
⑦アルタイ山脈	D11
⑧バイカル湖	D13
⑨シホテ・アリニ山脈中央部	E16
⑩カムチャツカ火山群	D19
⑪ウランゲリ島保護区の自然生態系	B21
⑫プトラナ高原	C12
⑬レナ・ピラーズ自然公園	C15
⑭プスコフ建築派の教会群	D5
⑮オネガ湖と⑯白海の岩面線刻	C6

凡例

■● 首都　■● 州都・省都など

都市の人口　□ 100万以上　○ 10万～50万
□ 50万～100万　◦ 10万未満

[ノルウェー]…… 所属国

…… 湿地　…… 砂漠

…… 塩湖　…… 氷河

0　200　400　600　800　1000km

1 / 23,256,000

▲ P60・61

◀ P 36・37

▼ P30・31

ロシア国内の共和国名

①カレリア共和国 *Kareliya*
②コミ共和国 *Komi*
③モルドヴィア共和国 *Mordoviya*
④チュヴァシ共和国 *Chuvashskaya*
⑤マリ・エル共和国 *Mariy El*
⑥タタールスタン共和国 *Tatarstan*
⑦ウドムルト共和国 *Udmurtskaya*
⑧バシコルトスタン共和国 *Bash*
⑨カルムイク共和国 *Kalmykiya*

ウイゲ共和国 *Adygeya*
チャイ・チェルケス共和国 *Karachayevo-Cherkesskaya*
⑫ カバルダ・バルカル共和国 *Kabardino-Balkarskaya*
⑬ 北オセチア・アラニヤ共和国 *Severnaya Osetiya-Alaniya*
⑭ イングーシ共和国 *Ingushetiya*
⑮ チェチェン共和国 *Chechnskaya*
⑯ ダゲスタン共和国 *Dagestan*
⑰ アルタイ共和国 *Altay*
⑱ ハカス共和国 *Khakasiya*
⑲ トゥヴァ共和国 *Tyva*
⑳ ブリャート共和国 *Buryatiya*
㉑ サハ(ヤクート)共和国 *Sakha (Yakutiya)*

おもな都市

ロシア		ベラルーシ	
モスクワ	A5	ミンスク	B3
アストラハン	C7	ヴィーツェブスク	A4
ヴォルゴグラート	C6	ブレスト	B2
ヴォロネシ	B5	ホメリ(ゴメリ)	B4
ウラジカフカス	D6		
ウリヤノフスク	B7	モルドバ	
カザン	A7	キシナウ	C3
カリーニングラート	B2		
クラスノダール	C5	リトアニア	
グローズヌイ	D7	ビリニュス	B3
サマーラ	B8		
サラトフ	B7	ポーランド	
ソチ	D5	ワルシャワ	B2
ニジニー・ノヴゴロト	A6		
ヤロスラーヴリ	A5	ルーマニア	
リャザン	B5	ブカレスト	D3
ロストフ・ナ・ドヌー	C5		
		ブルガリア	
ウクライナ		ソフィア	D2
キーウ	B4		
オデーサ	C4	ラトビア	
セヴァストポリ	D4	リガ	A2
ハルキウ	C5		
ドニプロ	C4		
ドネツク	C5		
リヴィウ	C2		

世界遺産

ベラルーシ
❶ミール城と関連建物　B3
❷ネスヴィシュのラヅィヴィル家の文化的複合建築群　B3

ウクライナ
❸リヴィウ歴史地区　C2
❹聖ソフィア大聖堂とペチェルスカヤ大修道院　B4
❺ブコヴィナとダルマチアの主教施設　C3
❻タウロイのケルソネソスの古都とそのコーラ　D4
❼オデーサの歴史地区　C4

ロシア
❽クレムリンと赤の広場　A5
❾ノヴォデヴィチ修道院の建築物群　A5
❿コローメンスコエのヴォズネセーニエ聖堂　A5
⓫トロイツェ・セルギエフ大修道院の建造物群　A5
⓬ウラジーミルと⓭スーズダリの白石の建造物　A6
⓮カザン・クレムリンの歴史遺産と建造物　A7
⓯西カフカス山脈　D6
⓰ヤロスラーヴリの歴史地区　A5
⓱ボルガルの史跡・考古遺産群　B7
⓲スヴィヤシュスク島の
　聖母被昇天大聖堂と修道院　A7

凡例

■…首都　　■…州都・省都など
都市の人口　□100万以上　　◦10万〜50万
　　　　　　□50万〜100万　・10万未満
タタールスタン共和国…ロシアとウクライナ国内の共和国
ベッサラビア…地域名
　　　…湿地　　　　…砂漠
　　　…塩湖　　　　氷…氷河

```
0      100      200      300km
```
1 / 6,977,000

▲ P50・51
◀ P42・43
▼ P44・45

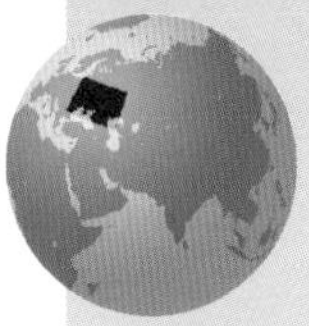

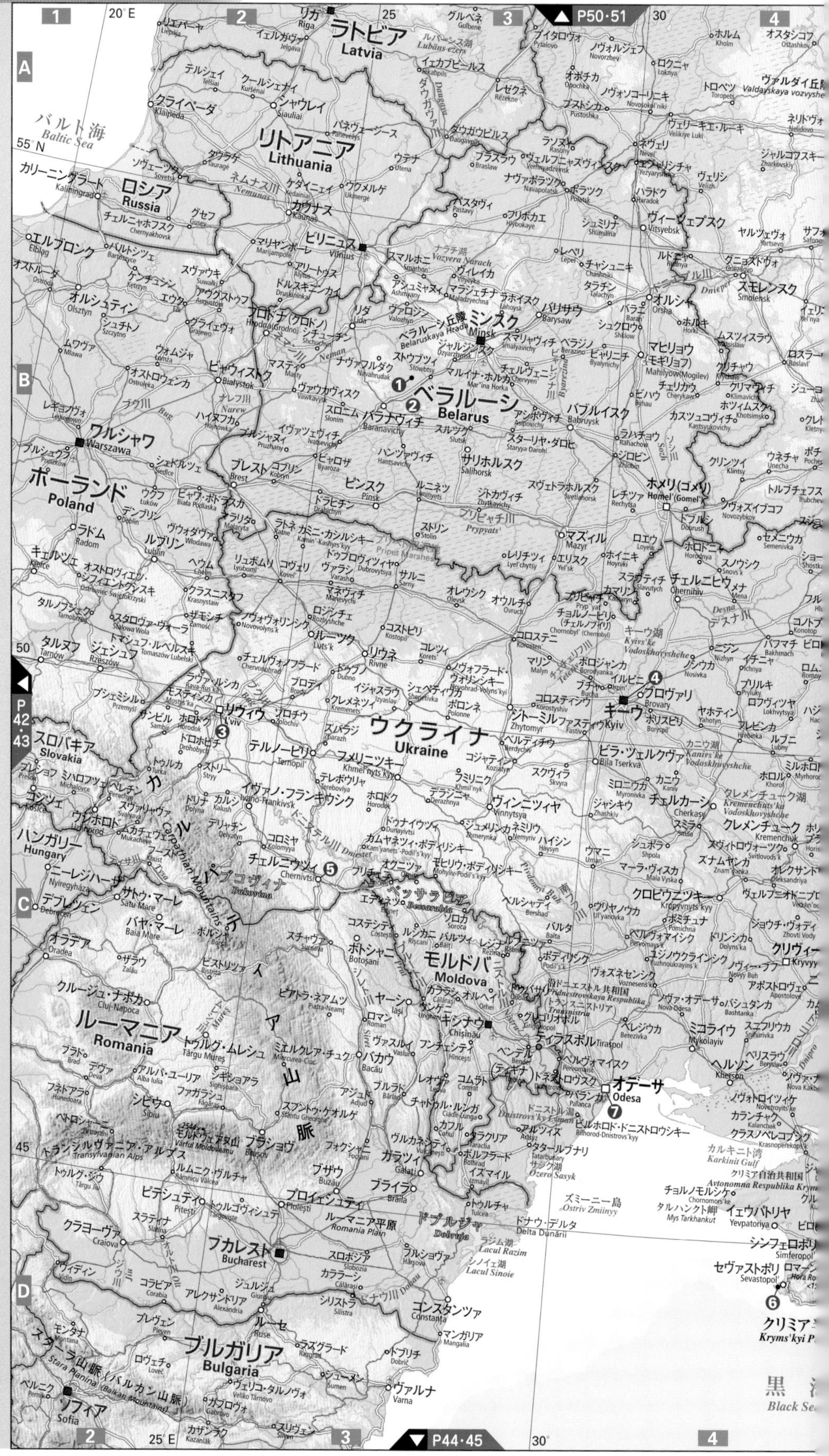

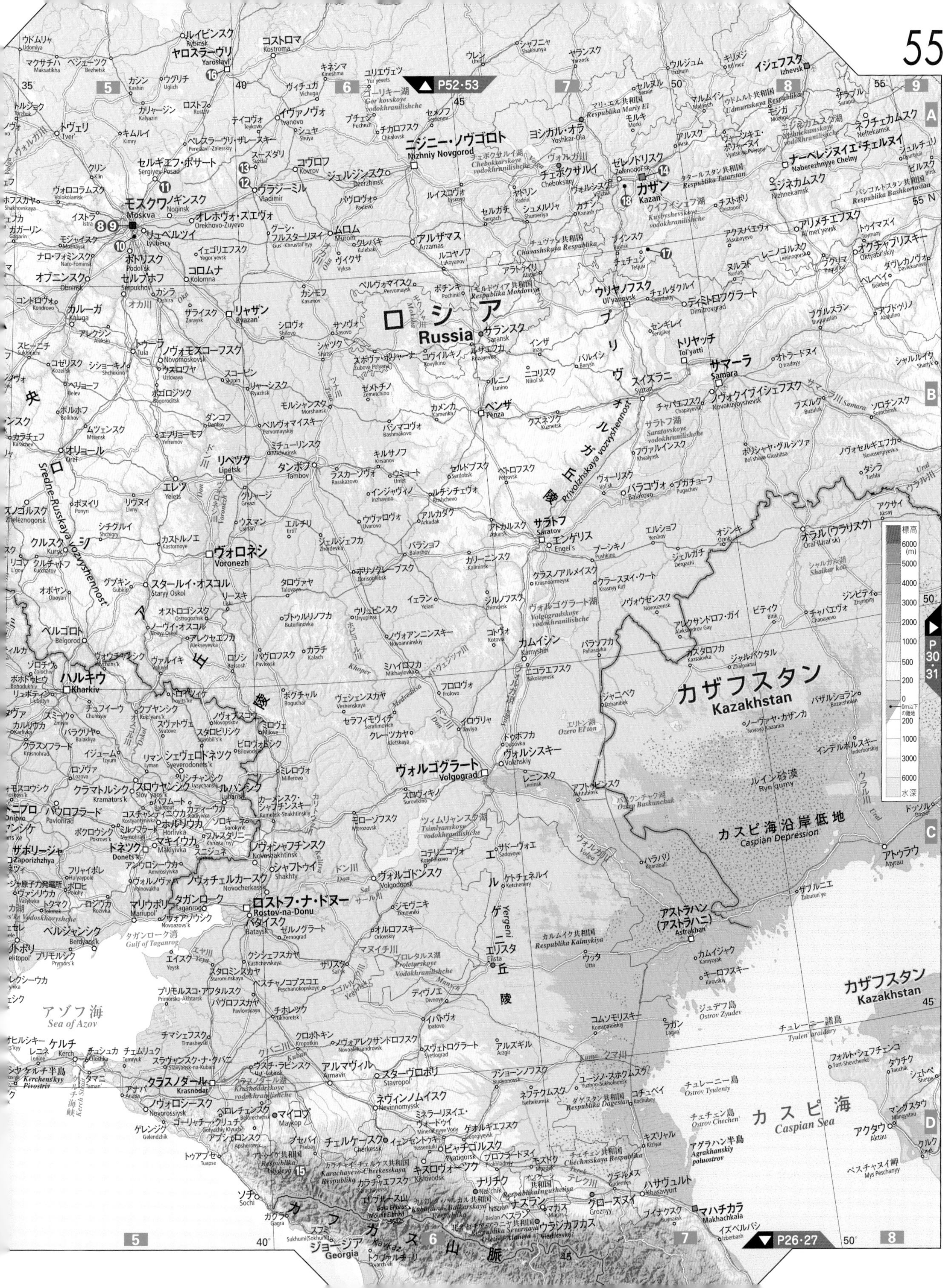
ロシア
Russia
カザフスタン
Kazakhstan
P52·53
P30·31
P26·27
モスクワ
Moskva
ニジニー・ノヴゴロト
Nizhniy Novgorod
カザン
Kazan'
サマーラ
Samara
サラトフ
Saratov
ヴォルゴグラート
Volgograd
ロストフ・ナ・ドヌー
Rostov-na-Donu
ヴォロネシ
Voronezh
リペツク
Lipetsk
タンボフ
Tambov
ペンザ
Penza
サランスク
Saransk
ウリヤノフスク
Ul'yanovsk
トリヤッチ
Tol'yatti
リャザン
Ryazan'
ヤロスラーヴリ
Yaroslavl'
イジェフスク
Izhevsk
ナーベレジヌイエ・チェルヌイ
Naberezhnyye Chelny
ハルキウ
Kharkiv
ベルゴロト
Belgorod
クルスク
Kursk
オリョール
Orel
トゥーラ
Tula
カルーガ
Kaluga
アストラハン
(アストラハニ)
Astrakhan
エリスタ
Elista
スタヴロポリ
Stavropol'
クラスノダール
Krasnodar
マイコプ
Maykop
ピャチゴルスク
Pyatigorsk
ナリチク
Nal'chik
ウラジカフカス
Vladikavkaz
グローズヌイ
Groznyy
マハチカラ
Makhachkala
ハサヴュルト
Khasavyurt
ソチ
Sochi
ジョージア
Georgia
アクタウ
Aktau
アトゥラウ
Atyrau
オラル(ウラリスク)
Oral (Ural'sk)
ドネツク
Donets'k
ザポリージャ
Zaporizhzhya
マリウポリ
Mariupol
ケルチ
Kerch
アゾフ海
Sea of Azov
タガンローク湾
Gulf of Taganrog
カスピ海
Caspian Sea
カスピ海沿岸低地
Caspian Depression
ルイン砂漠
Ryn qumy
プリヴォルガ丘陵
Privolzhskaya vozvyshennost'
中央ロシア丘陵
Sredne-Russkaya vozvyshennost'
エルゲニ丘陵
Yergeni
カフカス山脈
Kavkaz
ヴォルガ川
Volga
ドン川
Don
ウラル川
Ural
ツィムリャンスク湖
Tsimlyanskoye vodokhranilishche
ヴォルゴグラート湖
Volgogradskoye vodokhranilishche
サラトフ湖
Saratovskoye vodokhranilishche
クイブイシェフ湖
Kuybyshevskoye vodokhranilishche
チェチェン島
Ostrov Chechen'
チュレーニー島
Ostrov Tyuleniy
アグラハン半島
Agrakhanskiy poluostrov
ケルチ半島
Kerchenskyy Pivostriv
タタールスタン共和国
Respublika Tatarstan
カルムイク共和国
Respublika Kalmykiya
ダゲスタン共和国
Respublika Dagestan
チェチェン共和国
Chechnskaya Respublika
チュヴァシ共和国
Chuvashskaya Respublika
モルドヴィア共和国
Respublika Mordoviya
マリ・エル共和国
Respublika Mariy El
ウドムルト共和国
Udmurtskaya Respublika
バシコルトスタン共和国
Respublika Bashkortostan
エルブルース山
Gora El'brus
(Mount Elbrus)
5642
標高
6000
5000
4000
3000
2000
1000
500
200
0
0m以下の陸地
200
1000
3000
6000
水深
5
6
7
8
9
A
B
C
D
35°
40
45
50
55
55°N
50°
45°

おもな都市

エジプト	
カイロ	G2
アレクサンドリア	F2
アルジェリア	
アルジェ	D2
ケニア	
ナイロビ	D2
モロッコ	
ラバト	C2
カサブランカ	C2
セネガル	
ダカール	B4
コートジボワール	
ヤムスクロ	C5
アビジャン	C5
ガーナ	
アクラ	C5
ナイジェリア	
アブジャ	D5
ラゴス	D5
エチオピア	
アディスアベバ	G5
コンゴ民主共和国	
キンシャサ	E6
タンザニア	
ダルエスサラーム	G6
南アフリカ共和国	
プレトリア(ツワネ)	F8
ケープタウン	E9
ヨハネスブルグ	F8

世界遺産

ポルトガル	
❶アングラ・ド・エロイズモの町	A2
❷ヒロ島における修道院の文化的景観	A2
❸マデイラのラウリシルヴァ	B2
スペイン	
❹サンティアゴ・デ・コンポステラ	B3
❺ガラホナイ国立公園	B3
❻ティラ国立公園	B3
❼リスボア・ビ・グラン・カナリア島	B3
モロッコ	
❽フェズ旧市街	C2
❾ヴォルビリス遺跡	C2
❿古都メクネス	C2
⓫エッサウィラのメディナ	C2
⓬マラケシュ旧市街	C2
⓭アイトベンハッドゥの集落	C2
⓮マサガン(アルジャディーダの旧ポルトガル港街区	B2
⓯ラバト、現代の首都と歴史都市集落	C2
アルジェリア	
⓰ティムガッド	D2
⓱ムザブの谷	D2
⓲タッシリナジェールの岩絵	D3
リビア	
⓳サブラタの遺跡	E2
⓴レプティス・マグナの遺跡	E2
㉑ガダミス旧市街	E2
㉒タドラット・アカクスの岩絵	E3
㉓キュレーネの遺跡	F2
モーリタニア	
㉔アルガン礁国立公園	B3
㉕~モーリタニア帝国領の古代集落	B3・C4
セネガル	
㉖ジュッジ国立鳥類保護区	A10
㉗サンルイ島	A10
㉘ゴレ島	A10
㉙サルーム・デルタ	A10
㉚バッサリ地方、バサリ、フラ、ベディックの文化的景観	A10

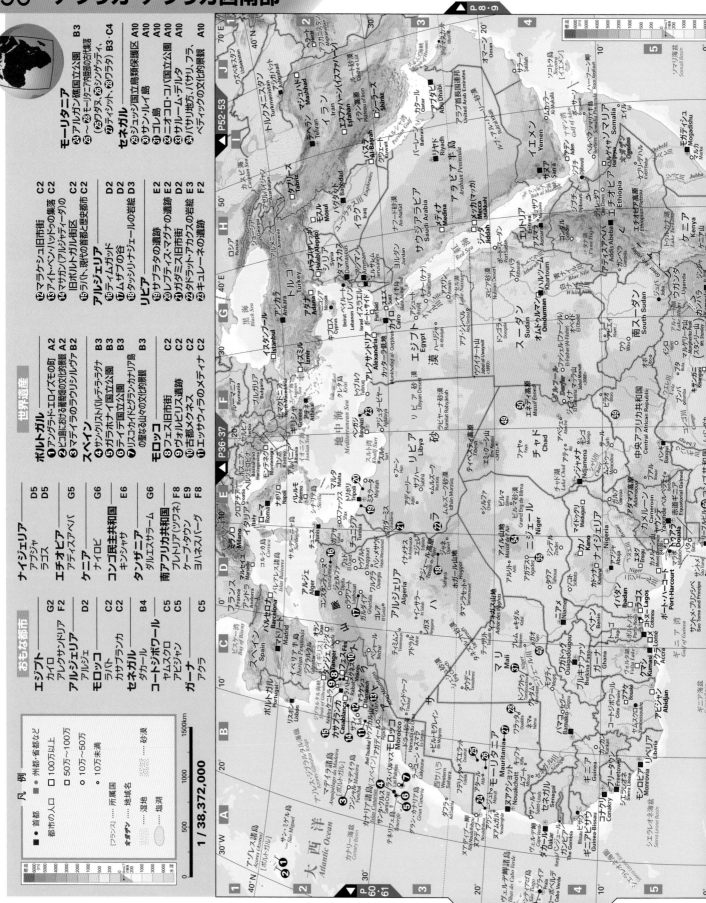

P70・71

㊶ニンバ山厳正自然保護区 B11

コートジボワール
㊷タイ国立公園 B11
㊸コモエ国立公園 B11
㊹グラン・バッサムの歴史都市 B11
㊺コートジボワール北部のスーダン式モスク群 B10

ガーナ
㊻アシャンティの伝統的建築物群 B11
㊼ガーナのギニア湾岸の要塞群 B11

トーゴ
㊽バタムマリバ族の地 コウタマコウ C11

チャド
㊾ウニアンガ湖 F4
㊿エネディ山塊：自然と文化的景観 F4

コンゴ／カメルーン／中央アフリカ
51 サンガ川 D11

ベナン
52 アボメイの王宮 C11

ニジェール
53 ニジェールのW国立公園 C10
54 アイルとテネレの自然保護区 D4
55 アガデス歴史地区 D4

ナイジェリア
56 スクルの文化的景観 D10
57 オシュン・オショグボの聖なる森 C11

カメルーン
58 ジャー野生動物保護区 D11

59 サン・フローリス国立公園 F5

ガボン
60 ロペ＝オカンダの生態系と残存する文化的景観 E6
61 イビンド国立公園 D11

コンゴ民主共和国
62 サロンガ国立公園 F6

ボツワナ
63 ツォディロ F7
64 オカヴァンゴ・デルタ F7

ジンバブエ
65 カミ遺跡 F8
66 グレート・ジンバブエ遺跡 G8
67 マトボ丘陵 F8

ナミビア
68 トゥウェイフルフォンテーン E8
69 ナミブ砂海 E8

南アフリカ共和国
70 スタークフォンテインなど F8
71 イシマンガリソ湿地公園 G8
72 ロベン島 E9
73 マプングブウェの文化的景観 F8
74 ケープ植物区保護地域 F9
75 フレデフォート・ドーム F8
76 リヒタスフェルトの文化的及び植生景観 E8
77 コマニの文化的景観 F8
78 バーバートン・マコンジュワ山脈 G8

南アフリカ共和国/レソト
79 マロティ＝ドラケンスバーグ公園 F8

モーリシャス
80 アプラバシ・ガート I8
81 ル・モーンの文化的景観 I8

カーボベルデ
82 シダーデ・ヴェリヤ、リベイラ・グランデの歴史都市 A4

ブルキナファソ
83 ロロペニの遺跡 B10
84 ブルキナファソの古代鉄冶金遺跡群 B10

レユニオン島
85 レユニオン島の火山地形 I8

アンゴラ
86 ンバンザ・コンゴ、旧コンゴ王国首都の痕跡 E6

P6・7

P74

アフリカ西南部

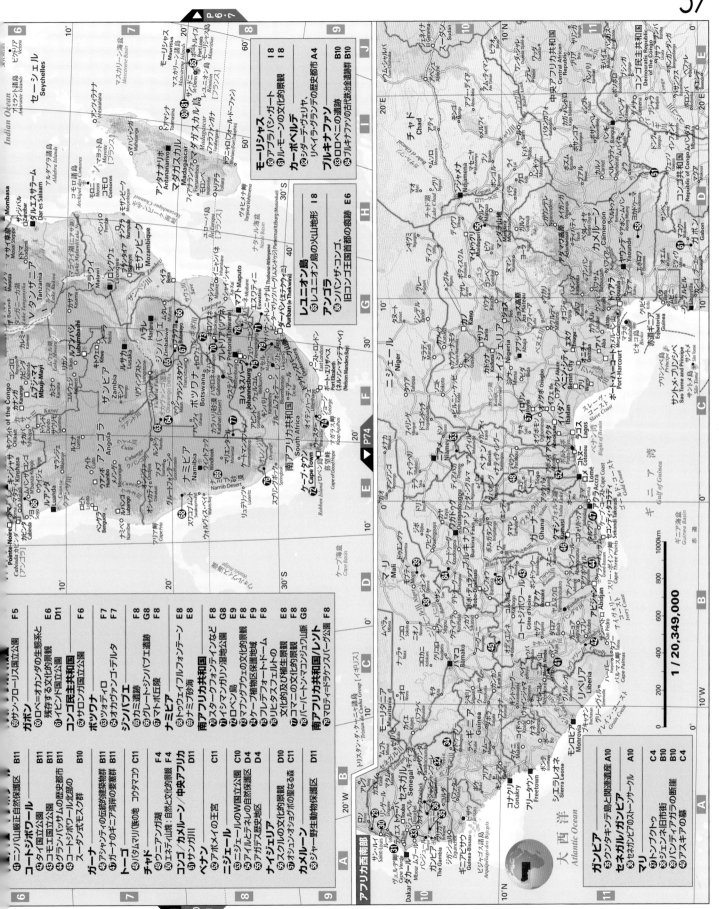

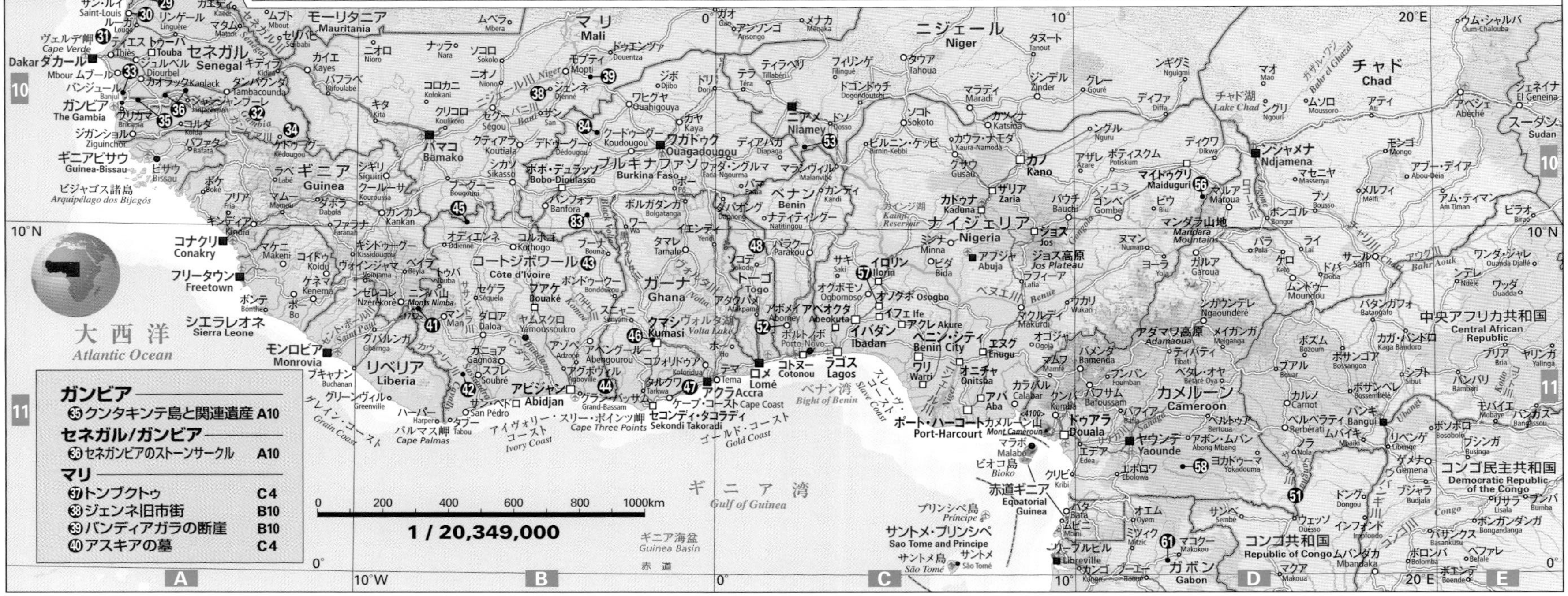

ガンビア
35 クンタキンテ島と関連遺産 A10

セネガル/ガンビア
36 セネガンビアのストーンサークル A10

マリ
37 トンブクトゥ C4
38 ジェンネ旧市街 B10
39 バンディアガラの断崖 B10
40 アスキアの墓 C4

アフリカ東部

凡例

- ■● 首都　■● 州都・省都など
- 都市の人口　□ 100万以上　□ 50万～100万　○ 10万～50万　◦ 10万未満
- [フランス] …… 所属国
- オガデン …… 地域名
- …… 湿地　…… 砂漠
- …… 塩湖

標高 6000 (m) 5000 4000 3000 2000 1000 500 200 0 0m以下の陸地 200 1000 3000 6000 水深

0 100 200 300 400 500km

1 / 12,791,000

おもな都市

スーダン		
	ハルツーム	C1
	オムドゥルマン	C1
エリトリア		
	アスマラ	D1
ジブチ		
	ジブチ	E2
エチオピア		
	アディスアベバ	D3
ソマリア		
	モガディシュ	F4
ケニア		
	ナイロビ	D5
	モンバサ	D5
ウガンダ		
	カンパラ	C4
タンザニア		
	ダルエスサラーム	D6
	タボラ	C5
ルワンダ		
	キガリ	C5
ブルンジ		
	ブジュンブラ	B5
ザンビア		
	ルサカ	B8
マラウイ		
	リロングウェ	C7
ジンバブエ		
	ハラレ	C8
マダガスカル		
	アンタナナリボ	F8

世界遺産

エチオピア	
❶アクスムの考古遺跡	D2
❷シミエン国立公園	D2
❸ゴンダルの王宮と聖堂群	D2
❹ラリベラの岩の教会群	D2
❺アワシュ川下流域	E2
❻ティヤの石碑群	D3
❼オモ川下流域	D3
❽要塞都市ハラル・ジュゴル	E3
❾コンソの文化的景観	D3
エリトリア	
⑩アスマラ:アフリカの近代都市	D1
ケニア	
⑪⑫トゥルカナ湖国立公園	D4
⑬ケニア山国立公園	D5
⑭ラム旧市街	E5
⑮ミジケンダの聖なるカヤの森林	D5
⑯ケニア大地溝帯の湖沼群の生態系	D4
⑰モンバサのジーザス城塞	D5
⑱ティムリカ・オヒンガ考古遺跡	C5
ウガンダ	
⑲ブガンダ王国歴代国王の墓	C4
⑳ルウェンゾリ山地国立公園	B4
㉑ブウィンディ原生国立公園	B5
コンゴ民主共和国	
㉒ガランバ国立公園	B4
㉓オカピ野生生物保護区	B4
㉔ヴィルンガ国立公園	B4
㉕カフジ・ビエガ国立公園	B5
タンザニア	
㉖セレンゲティ国立公園	C5
㉗ンゴロンゴロ保全地域	D5
㉘キリマンジャロ国立公園	D5
㉙ザンジバル島のストーン・タウン	D6
㉚セルース・ゲーム・リザーブ	D6
㉛キルワ・キシワニとソンゴ・ムナラ	D6
㉜コンドアの岩壁画	D5
モザンビーク	
㉝モザンビーク島	E8
マラウイ	
㉞マラウイ湖国立公園	C7
㉟チョンゴニの岩壁画	C7
ザンビア/ジンバブエ	
㊱ヴィクトリアの滝	B8
ジンバブエ	
㊲マナ・プールズ国立公園	B8
マダガスカル	
㊳ツィンギ・ド・ベマラハ自然保護区	E8
㊴アンブヒマンガの丘の王領地	F8
㊵アツィナナナの雨林	F7
セーシェル	
㊶アルダブラ環礁	F6
㊷メイ渓谷自然保護区	H5
スーダン	
㊸ゲベル・バルカルのヌビア遺跡とナパタ地区	C1
㊹メロエ島の考古遺跡群	C1

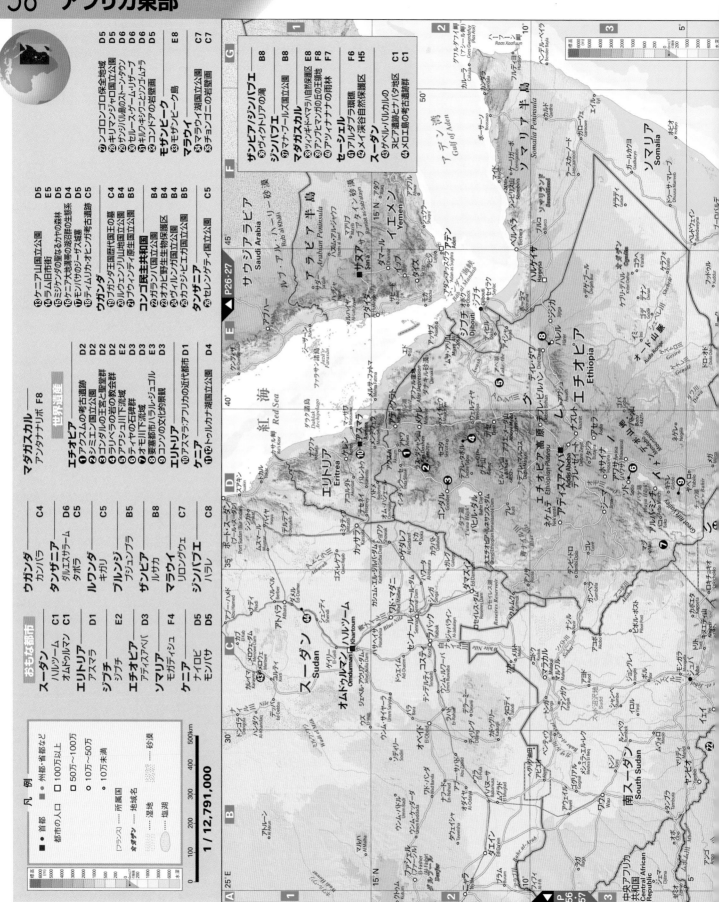

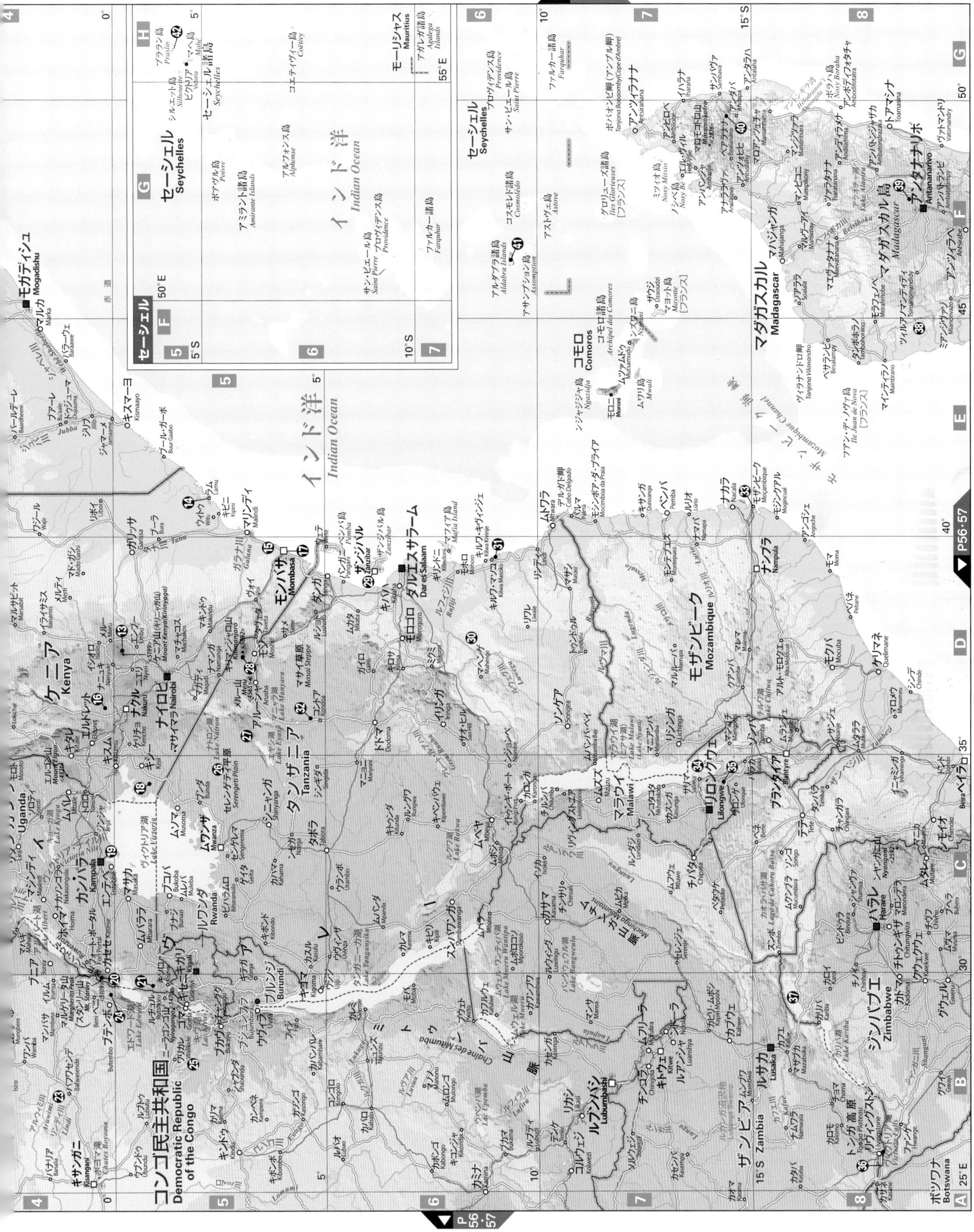
P 6·7
P56·57
P 56 57
コンゴ民主共和国
Democratic Republic of the Congo
ケニア
Kenya
タンザニア
Tanzania
ウガンダ
Uganda
ルワンダ
Rwanda
ブルンジ
Burundi
マラウイ
Malawi
モザンビーク
Mozambique
ザンビア
Zambia
ジンバブエ
Zimbabwe
マダガスカル
Madagascar
コモロ
Comoros
セーシェル
Seychelles
モーリシャス
Mauritius
ボツワナ
Botswana
インド洋
Indian Ocean
モザンビーク海峡
Mozambique Channel
ナイロビ
Nairobi
カンパラ
Kampala
キガリ
Kigali
ブジュンブラ
Bujumbura
ダルエスサラーム
Dar es Salaam
モンバサ
Mombasa
ザンジバル
Zanzibar
ドドマ
Dodoma
リロングウェ
Lilongwe
ルサカ
Lusaka
ハラレ
Harare
アンタナナリボ
Antananarivo
モガディシュ
Mogadishu
モロニ
Moroni
ルブンバシ
Lubumbashi
ヴィクトリア湖
Lake Victoria
タンガニーカ湖
Lake Tanganyika
マラウイ湖
Lake Malawi
キリマンジャロ山
Kilimanjaro
ケニア山
Mount Kenya
セーシェル諸島
Seychelles
アルダブラ諸島
Aldabra Islands
コモロ諸島
Archipel des Comores
赤道
0°
5°
10°
15°S
25°E
30°
35°
40°
45
50°
55°E

おもな都市

カナダ

オタワ	E14
ヴァンクーヴァー	E 9
ウィニペグ	E12
エドモントン	D10
カルガリー	D10
ケベック	E14
トロント	E14
モントリオール	E14

メキシコ

メキシコシティ	H12
グアダラハラ	G11
プエブラ	H12
モンテレイ	G11

キューバ

ハバナ	G13

アメリカ合衆国

ワシントンD.C.	F14
アンカレジ	C 7
サン・ディエゴ	F10
サンフランシスコ	F 9
シアトル	E 9
シカゴ	E13
ダラス	F12
ニューヨーク	E14
ヒューストン	G12
フィラデルフィア	F14
ボストン	E14
ホノルル	G 6
ロサンゼルス	F10

アメリカ合衆国の州

アラスカ州	C 6
ハワイ州	H 6

世界遺産

アメリカ合衆国

❶ハワイ火山国立公園	H6

アメリカ合衆国/カナダ

❷❸❹アラスカ・カナダ国境地帯の山岳公園群	C7·C8·D8

カナダ

❺ナハニ国立公園	C9
❻ウッド・バッファロー国立公園	D10
❼アンソニー島	D8
❽グロス・モーン国立公園	E16
❾ランス・オ・メドウ国立歴史公園	D16
❿レッド・ベイのバスク人捕鯨基地	D16
⓫ミステイクン・ポイント	E16
⓬ピマチオウィン・アキ	D12

デンマーク領グリーンランド

⓭イルリサット・フィヨルド	C16
⓮クヤータ・グリーンランド:氷帽周縁部のノース人とイヌイットの農業景観	C17
⓯アーシヴィスイト・ニピサット	C16

凡例

■● 首都　■● 州都・省都など

都市の人口　□ 100万以上　○ 10万～50万　□ 50万～100万　○ 10万未満

ケベック …… 州名・省名など　［フランス］…… 所属国

…… 塩湖　…… 氷河

0　500　1000　1500km

1 / 34,884,000

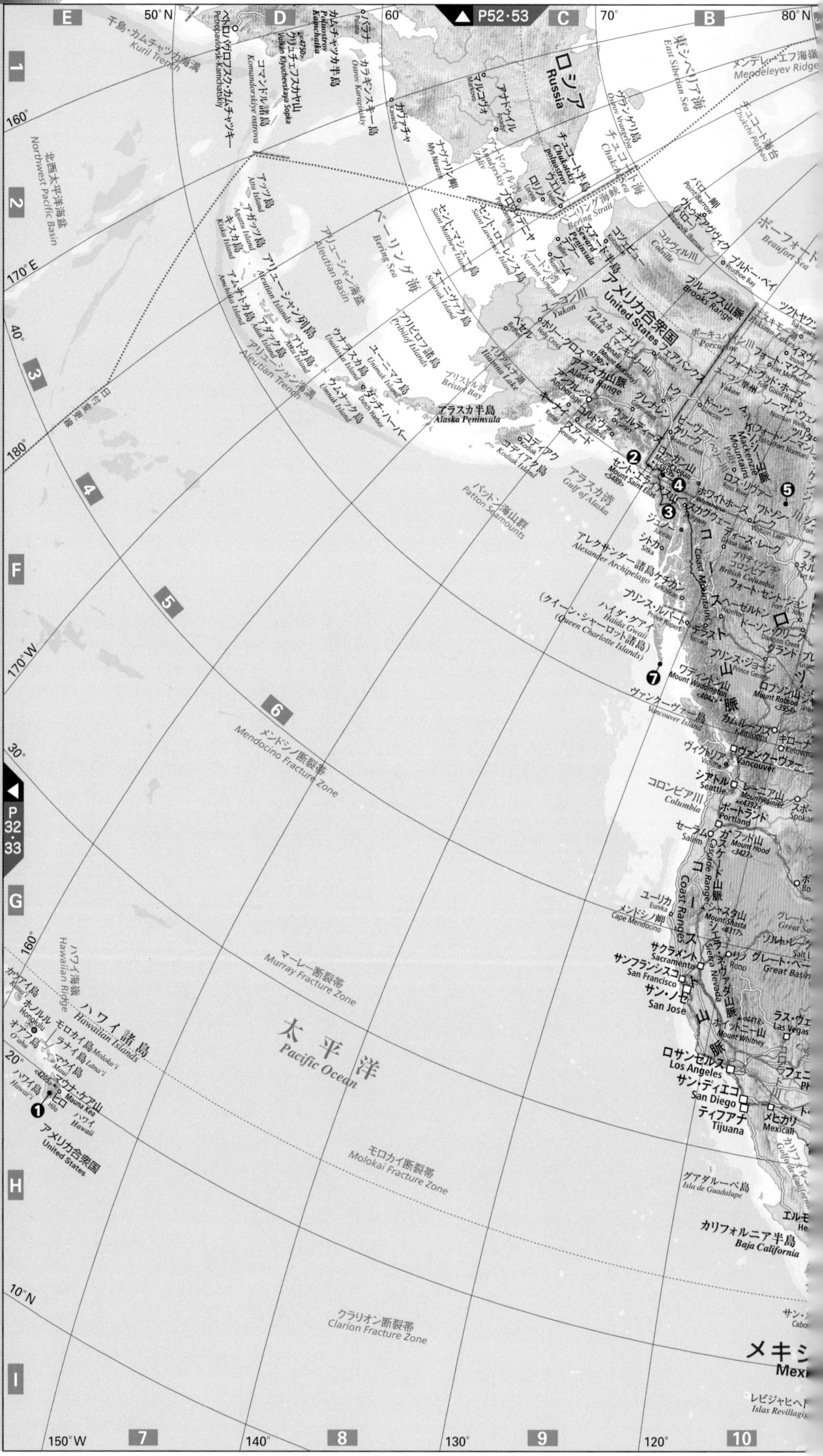

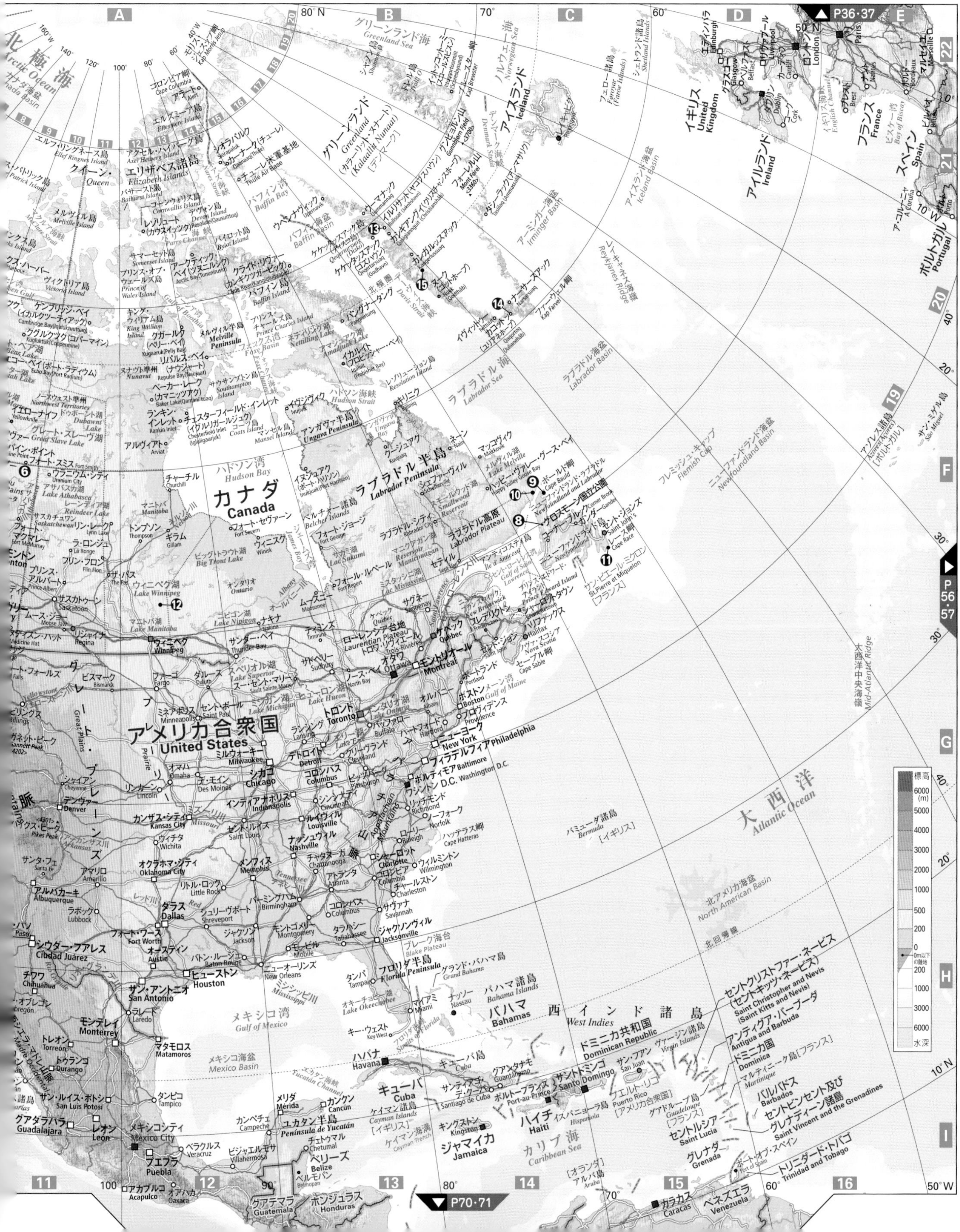

P36·37
P56·57
P70·71
北極海
Arctic Ocean
グリーンランド海
Greenland Sea
ノルウェー海
Norwegian Sea
グリーンランド
Greenland
(カラーリット・ヌナート)
(Kalaallit Nunaat)
[デンマーク]
アイスランド
Iceland
レイキャビク
Reykjavík
フェロー諸島
Faroyar (Faroe Islands)
シェトランド諸島
Shetland Islands
イギリス
United Kingdom
アイルランド
Ireland
エディンバラ
Edinburgh
グラスゴー
Glasgow
ベルファスト
Belfast
リヴァプール
Liverpool
ダブリン
Dublin
カーディフ
Cardiff
コーク
Cork
ロンドン
London
パリ
Paris
フランス
France
ナント
Nantes
ブレスト
Brest
ボルドー
Bordeaux
マルセイユ
Marseille
イギリス海峡
English Channel
ビスケー湾
Bay of Biscay
スペイン
Spain
ア・コルーニャ
A Coruña
ポルト
Porto
ポルトガル
Portugal
アゾレス諸島
Azores (Açores)
[ポルトガル]
サン・ミゲル島
São Miguel
デンマーク海峡
Denmark Strait
アイスランド海盆
Iceland Basin
アーミンガー海盆
Irminger Basin
レイキャネス海嶺
Reykjanes Ridge
ファーヴェル岬
Kap Farvel
ナーサースアック
Narsarsuaq
ヌーク
Nuuk
カンゲルルススアック
Kangerlussuaq
イルリサット
Ilulissat
ウーマナック
Uummannaq
ウペルナヴィク
Upernavik
チューレ米軍基地
Thule Air Base
カーナーク(チューレ)
Qaanaaq (Thule)
バフィン湾
Baffin Bay
バフィン海盆
Baffin Basin
デーヴィス海峡
Davis Strait
ラブラドル海
Labrador Sea
ラブラドル海盆
Labrador Basin
エルズミーア島
Ellesmere Island
アクセル・ハイバーグ島
Axel Heiberg Island
エリザベス諸島
Elizabeth Islands
クイーン・
Queen
エルフ・リングネース島
Ellef Ringnes Island
メルヴィル島
Melville Island
バサースト島
Bathurst Island
コーンウォリス島
Cornwallis Island
デヴォン島
Devon Island
レゾリュート
Resolute
バイロット島
Bylot Island
サマーセット島
Somerset Island
プリンス・オブ・ウェールズ島
Prince of Wales Island
ヴィクトリア島
Victoria Island
バフィン島
Baffin Island
ケンブリッジ・ベイ
Cambridge Bay
キング・ウィリアム島
King William Island
メルヴィル半島
Melville Peninsula
プリンス・チャールズ島
Prince Charles Island
フォックス海盆
Foxe Basin
イカルイト
Iqaluit
パングナータング
Pangnirtung
レゾリューション島
Resolution Island
ハドソン海峡
Hudson Strait
サウサンプトン島
Southampton Island
コーツ島
Coats Island
マンセル島
Mansel Island
アンガヴァ半島
Ungava Peninsula
アンガヴァ湾
Ungava Bay
クジュアク
Kuujjuaq
ネーン
Nain
ラブラドル半島
Labrador Peninsula
ハドソン湾
Hudson Bay
カナダ
Canada
ヌナヴト準州
Nunavut
ノースウェスト準州
Northwest Territories
イエローナイフ
Yellowknife
グレート・スレーヴ湖
Great Slave Lake
グレート・ベア湖
Great Bear Lake
ランキン・インレット
Rankin Inlet
チェスターフィールド・インレット
Chesterfield Inlet
アルヴィアト
Arviat
チャーチル
Churchill
ウラニウム・シティ
Uranium City
アサバスカ湖
Lake Athabasca
レーンディア湖
Reindeer Lake
サスカチュワン
Saskatchewan
マニトバ
Manitoba
ネルソン川
Nelson
トンプソン
Thompson
ギラム
Gillam
フォート・セヴァーン
Fort Severn
ウィニスク
Winisk
ジェームズ湾
James Bay
ベルチャー諸島
Belcher Islands
ビッグ・トラウト湖
Big Trout Lake
ウィニペグ湖
Lake Winnipeg
マニトバ湖
Lake Manitoba
ウィニペグ
Winnipeg
サスカトゥーン
Saskatoon
レジャイナ
Regina
ムース・ジョー
Moose Jaw
ニピゴン湖
Lake Nipigon
サンダー・ベイ
Thunder Bay
オンタリオ
Ontario
ムースニー
Moosonee
ミスタッシニ湖
Lac Mistassini
マニクアガン湖
Reservoir Manicouagan
ラブラドル高原
Labrador Plateau
ラブラドル・シティ
Labrador City
シェファーヴィル
Schefferville
スモールウッド湖
Smallwood Reservoir
グース・ベイ
Goose Bay
ボールド岬
Cape Bauld
ニューファンドランド島
Newfoundland
セント・ジョンズ
Saint John's
レース岬
Cape Race
サン・ピエール・ミクロン
St.Pierre et Miquelon
[フランス]
アンティコスティ島
Île d'Anticosti
セント・ローレンス湾
Gulf of Saint Lawrence
プリンス・エドワード島
Prince Edward Island
シャーロットタウン
Charlottetown
ハリファックス
Halifax
ノヴァ・スコシア
Nova Scotia
セーブル岬
Cape Sable
ケベック
Quebec
サグネー
Saguenay
ローレンシア台地
Laurentian Plateau
トロワ・リヴィエール
Trois Rivières
モントリオール
Montreal
オタワ
Ottawa
サドベリー
Sudbury
ノース・ベイ
North Bay
スペリオル湖
Lake Superior
スー・セント・マリー
Sault Sainte Marie
ミシガン湖
Lake Michigan
ヒューロン湖
Lake Huron
トロント
Toronto
オンタリオ湖
Lake Ontario
エリー湖
Lake Erie
バッファロー
Buffalo
アメリカ合衆国
United States
グレートプレーンズ
Great Plains
プレーリー
Prairie
ビスマーク
Bismarck
ファーゴ
Fargo
ダルース
Duluth
ミネアポリス
Minneapolis
セント・ポール
Saint Paul
ミルウォーキー
Milwaukee
シカゴ
Chicago
デトロイト
Detroit
クリーヴランド
Cleveland
ランシング
Lansing
オマハ
Omaha
デ・モイン
Des Moines
リンカーン
Lincoln
シャイアン
Cheyenne
デンヴァー
Denver
パイクス・ピーク
Pikes Peak
カンザス・シティ
Kansas City
セント・ルイス
Saint Louis
インディアナポリス
Indianapolis
コロンバス
Columbus
ピッツバーグ
Pittsburgh
シンシナティ
Cincinnati
ルイヴィル
Louisville
ナッシュヴィル
Nashville
ウィチタ
Wichita
オクラホマ・シティ
Oklahoma City
メンフィス
Memphis
リトル・ロック
Little Rock
チャタヌーガ
Chattanooga
アトランタ
Atlanta
シャーロット
Charlotte
コロンビア
Columbia
チャールストン
Charleston
サヴァナ
Savannah
ジャクソンヴィル
Jacksonville
ローリー
Raleigh
リッチモンド
Richmond
ノーフォーク
Norfolk
ハッテラス岬
Cape Hatteras
アパラチア山脈
Appalachian Mountains
ワシントンD.C.
Washington D.C.
ボルティモア
Baltimore
フィラデルフィア
Philadelphia
ニューヨーク
New York
ハートフォード
Hartford
オルバニー
Albany
ボストン
Boston
プロヴィデンス
Providence
ポートランド
Portland
メーン湾
Gulf of Maine
ロッキー山脈
サンタ・フェ
Santa Fe
アマリロ
Amarillo
アルバカーキ
Albuquerque
ラボック
Lubbock
ダラス
Dallas
フォート・ワース
Fort Worth
オースティン
Austin
サン・アントニオ
San Antonio
ヒューストン
Houston
シュリーヴポート
Shreveport
ジャクソン
Jackson
バトン・ルージュ
Baton Rouge
ニューオーリンズ
New Orleans
ミシシッピ川
Mississippi
バーミングハム
Birmingham
モントゴメリー
Montgomery
モービル
Mobile
タラハシー
Tallahassee
ブレーク海台
Blake Plateau
フロリダ半島
Florida Peninsula
タンパ
Tampa
オキーチョビー湖
Lake Okeechobee
マイアミ
Miami
キー・ウェスト
Key West
フロリダ海峡
Straits of Florida
グランド・バハマ島
Grand Bahama
ナッソー
Nassau
バハマ諸島
Bahama Islands
バハマ
Bahamas
メキシコ湾
Gulf of Mexico
メキシコ海盆
Mexico Basin
シウダー・フアレス
Ciudad Juárez
チワワ
Chihuahua
モンテレイ
Monterrey
トレオン
Torreón
ドゥランゴ
Durango
マタモロス
Matamoros
ラレード
Laredo
タンピコ
Tampico
サン・ルイス・ポトシ
San Luis Potosí
グアダラハラ
Guadalajara
レオン
León
メキシコシティ
México City
プエブラ
Puebla
ベラクルス
Veracruz
アカプルコ
Acapulco
オアハカ
Oaxaca
ビジャエルモサ
Villahermosa
カンペチェ
Campeche
メリダ
Mérida
カンクン
Cancún
ユカタン半島
Peninsula de Yucatán
ユカタン海峡
Yucatán Channel
チェトウマル
Chetumal
ベリーズ
Belize
ベルモパン
Belmopan
グアテマラ
Guatemala
ホンジュラス
Honduras
ハバナ
Havana
キューバ
Cuba
キューバ島
ケイマン諸島
Cayman Islands
[イギリス]
ケイマン海溝
Cayman Trench
サンティアゴ・デ・クーバ
Santiago de Cuba
グアンタナモ
Guantánamo
ジャマイカ
Jamaica
キングストン
Kingston
ハイチ
Haiti
ポルトープランス
Port-au-Prince
イスパニョーラ島
Hispaniola
サントドミンゴ
Santo Domingo
ドミニカ共和国
Dominican Republic
サン・フアン
San Juan
プエルト・リコ
Puerto Rico
[アメリカ合衆国]
ヴァージン諸島
Virgin Islands
西インド諸島
West Indies
カリブ海
Caribbean Sea
セントクリストファー・ネービス
(セントキッツ・ネービス)
Saint Christopher and Nevis
(Saint Kitts and Nevis)
アンティグア・バーブーダ
Antigua and Barbuda
ドミニカ国
Dominica
グアドループ島
Guadeloupe
[フランス]
マルティニーク島[フランス]
Martinique
セントルシア
Saint Lucia
バルバドス
Barbados
セントビンセント及びグレナディーン諸島
Saint Vincent and the Grenadines
グレナダ
Grenada
ポート・オブ・スペイン
Port of Spain
トリニダード・トバゴ
Trinidad and Tobago
[オランダ]
アルバ島
Aruba
カラカス
Caracas
ベネズエラ
Venezuela
バミューダ諸島
Bermuda
[イギリス]
大西洋
Atlantic Ocean
北アメリカ海盆
North American Basin
大西洋中央海嶺
Mid-Atlantic Ridge
フレミッシュ・キャップ
Flemish Cap
ニューファンドランド海盆
Newfoundland Basin
北回帰線
標高
6000 (m)
5000
4000
3000
2000
1000
500
200
0
0m以下の陸地
200
1000
3000
6000
水深

アメリカ合衆国・カナダ南部・メキシコ

▲ P60・61

おもな都市

国・都市	位置
カナダ	
オタワ	B12
ヴァンクーヴァー	B 3
ウィニペグ	B 8
カルガリー	A 5
ケベック	B13
トロント	C12
ハリファックス	C15
アメリカ合衆国	
ワシントンD.C.	D12
アトランタ	E11
サン・ディエゴ	E 4
サンフランシスコ	D 3
シアトル	B 3
シカゴ	C10
セント・ルイス	D 9
ダラス	E 8
デトロイト	C11
デンヴァー	D 6
ニューオーリンズ	F 9
ニューヨーク	C13
ヒューストン	F 8
フィラデルフィア	D12
ボストン	C13
マイアミ	F11
ロサンゼルス	E 4
メキシコ	
メキシコシティ	H 8
グアダラハラ	G 7
チワワ	F 6
プエブラ	H 8
モンテレイ	F 7
キューバ	
ハバナ	G11
バハマ	
ナッソー	F12
ジャマイカ	
キングストン	H12
ハイチ	
ポルトープランス	H13
ドミニカ共和国	
サントドミンゴ	H14
イギリス領	
バミューダ諸島	E15

アメリカ合衆国の州

州	位置	州	位置
アーカンソー州	D 9	デラウェア州	D12
アイオワ州	C 9	ニュー・ジャージー州	C13
アイダホ州	C 5	ニュー・ハンプシャー州	C13
アラバマ州	E10	ニュー・メキシコ州	E 6
アリゾナ州	E 5	ニューヨーク州	C12
イリノイ州	C10	ネヴァダ州	D 4
インディアナ州	C10	ネブラスカ州	C 8
ヴァージニア州	D12	ノース・カロライナ州	E12
ヴァーモント州	C13	ノース・ダコタ州	B 7
ウィスコンシン州	B 9	フロリダ州	F11
ウェスト・ヴァージニア州	D11	ペンシルヴェニア州	C12
オクラホマ州	D 8	マサチューセッツ州	C13
オハイオ州	C11	ミシガン州	B11
オレゴン州	C 4	ミシシッピ州	E10
カリフォルニア州	E 4	ミズーリ州	D 9
カンザス州	D 7	ミネソタ州	B 9
ケンタッキー州	D10	メーン州	B14
コネティカット州	C13	メリーランド州	D12
コロラド州	D 6	モンタナ州	B 6
サウス・カロライナ州	E11	ユタ州	D 5
サウス・ダコタ州	B 7	ルイジアナ州	E 9
ジョージア州	E11	ロード・アイランド州	C13
テキサス州	E 7	ワイオミング州	C 6
テネシー州	D10	ワシントン州	B 4

凡例

■ ● 首都　■ ● 州都・省都など

都市の人口　□ 100万以上　○ 10万～50万　□ 50万～100万　○ 10万未満

カリフォルニア …… 州名・省名など　[イギリス] …… 所属国

…… 湿地　…… 氷河　…… 塩湖

0　200　400　600　800km

1 / 16,860,000

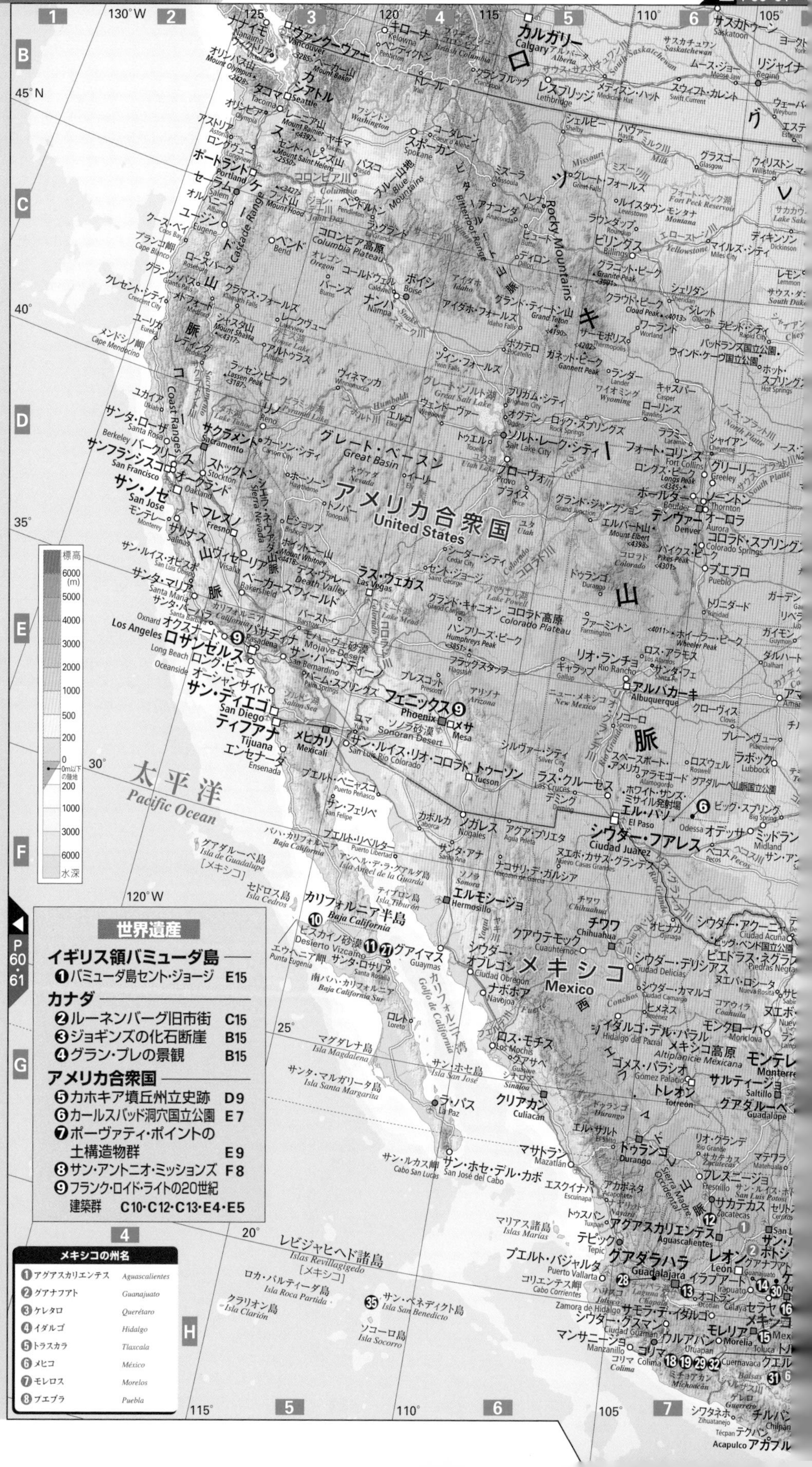

世界遺産

イギリス領バミューダ島
❶バミューダ島セント・ジョージ　E15

カナダ
❷ルーネンバーグ旧市街　C15
❸ジョギンズの化石断崖　B15
❹グラン・プレの景観　B15

アメリカ合衆国
❺カホキア墳丘州立史跡　D9
❻カールスバッド洞穴国立公園　E7
❼ポーヴァティ・ポイントの土構造物群　E9
❽サン・アントニオ・ミッションズ　F8
❾フランク・ロイド・ライトの20世紀建築群　C10・C12・C13・E4・E5

◀ P60・61

メキシコの州名

❶アグアスカリエンテス	*Aguascalientes*
❷グアナフアト	*Guanajuato*
❸ケレタロ	*Querétaro*
❹イダルゴ	*Hidalgo*
❺トラスカラ	*Tlaxcala*
❻メヒコ	*México*
❼モレロス	*Morelos*
❽プエブラ	*Puebla*

カナダ
Canada
大西洋
Atlantic Ocean
メキシコ湾
Gulf of Mexico
カリブ海
Caribbean Sea
バハマ
Bahamas
キューバ
Cuba
ジャマイカ
Jamaica
ハイチ
Haiti
ドミニカ共和国
Dominican Republic
ベリーズ
Belize
グアテマラ
Guatemala
ローレンシア台地
Laurentian Plateau
アパラチア山脈
Appalachian Mountains
ブルー・リッジ山脈
Blue Ridge
ユカタン半島
Peninsula de Yucatán
フロリダ半島
Florida Peninsula
メキシコ
⑩エル・ヴィスカイノの鯨保護区 F5
⑪サンフランシスコ山地の岩絵 F5
⑫サカテカス歴史地区 G7
⑬カバーニャス孤児院 G7
⑭古都グアナフアトと鉱山群 G7
⑮モレリア歴史地区 H7
⑯ケレタロの歴史的文化財地帯 G7
⑰古代都市テオティワカン H8
⑱メキシコ・シティ歴史地区など H8
⑲ルイス・バラガンの自邸とアトリエ H8
⑳ソチカルコの古代遺跡地区 H8
㉑ポポカテペトル山腹の修道院 H8
㉒プエブラ歴史地区 H8
㉓古代都市エル・タヒン G8
㉔トラコタルパンの歴史的建造物 H8
㉕オアハカ歴史地区など H8
㉖ケレタロのゴルダ山脈にあるフランチェスコ会伝道施設 G8
㉗カリフォルニア湾の島々と保護地域 F5
㉘竜舌蘭植生域と旧テキーラ蒸留工場 G7
㉙メキシコ国立自治大学の中央大学都市キャンパス H8
㉚サン・ミゲルの要塞都市とアトトニルコの聖地 G7
㉛オオカバマダラ生物圏保護区 H7
㉜カミーノ・レアル・デ・ティエラアデントロ H8
㉝オアハカの中部渓谷にあるヤグルとミトラの有史以前の洞窟 H8
㉞パドレ・テンブレケ水道橋の水利システム H8
㉟レビジャヒヘド諸島 H5
㊱テワカン=クイカトラン渓谷 H8
P60・61
P68・69

アメリカ
アメリカ合衆国東部

凡例

■ • 首都　■ • 州都・省都など

都市の人口　□ 100万以上
□ 50万〜100万
○ 10万〜50万
∘ 10万未満

ヴァージニア …… 州名・省名など

…… 湿地

標高 6000(m) 5000 4000 3000 2000 1000 500 200 0 0m以下の陸地 200 1000 3000 6000 水深

0 100 200 300 400km

1 / 8,140,000

おもな都市

カナダ

オタワ	D1
ケベック	E1
トロント	D2
モントリオール	E1

アメリカ合衆国

ワシントンD.C.	D3
アトランタ	C4
インディアナポリス	B3
クリーヴランド	C2
シカゴ	B2
シンシナティ	C3
デトロイト	C2
ニューヨーク	E2
ピッツバーグ	C2
フィラデルフィア	D3
ボストン	E2
ボルティモア	D3
マイアミ	C5
ミルウォーキー	B2

バハマ

ナッソー	D5

世界遺産

カナダ

❶ミグアシャ公園	F1
❷ケベック歴史地区	E1
❸リドー運河	D1

アメリカ合衆国

❹自由の女神像	E2
❺独立記念館	D3
❻モンティセロとヴァージニア大学	D3
❼マンモスケーヴ国立公園	B3
❽グレート・スモーキー山脈国立公園	C3
❾エヴァーグレーズ国立公園	C5

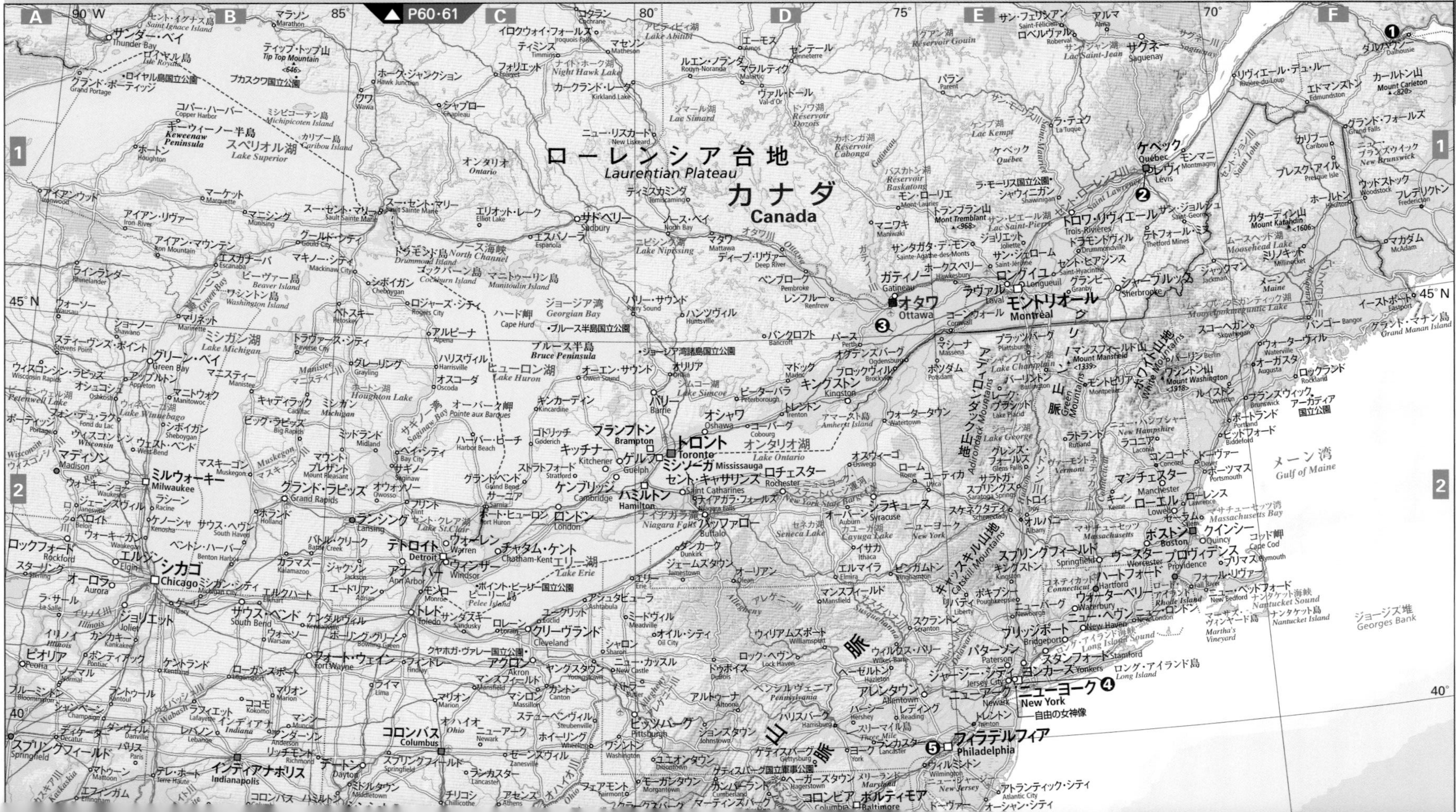

P60·61
P62·63
P68·69
大西洋
Atlantic Ocean
アメリカ合衆国
United States
バハマ
Bahamas
バハマ諸島
Bahama Islands
メキシコ湾
Gulf of Mexico
フロリダ半島
Florida Peninsula
ブレーク海台
Blake Plateau
ブレーク海嶺
Blake Ridge
Appalachian Mountains
Blue Ridge
ジャクソンヴィル
Jacksonville
アトランタ
Atlanta
チャールストン
Charleston
サヴァナ
Savannah
ナッシュヴィル
Nashville
バーミングハム
Birmingham
モントゴメリー
Montgomery
タラハシー
Tallahassee
コロンビア
Columbia
ローリー
Raleigh
リッチモンド
Richmond
ナッソー
Nassau
マイアミ
Miami
オーランド
Orlando
タンパ
Tampa
Straits of Florida
85°W
80°
75°
70°
35°
30°
25°

アメリカ合衆国西部

凡例

■● 首都　■● 州都・省都など

都市の人口　□ 100万以上　□ 50万～100万　○ 10万～50万　∘ 10万未満

カリフォルニア …… 州名・省名など

…… 湿地　…… 砂漠　…… 塩湖　…… 氷河

標高 (m): 6000, 5000, 4000, 3000, 2000, 1000, 500, 200, 0, 0m以下の陸地; 水深: 200, 1000, 3000, 6000

0　100　200　300　400km

1 / 8,140,000

おもな都市

カナダ

ヴァンクーヴァー	B2
エドモントン	D1
カルガリー	D1
リジャイナ	F1

アメリカ合衆国

エル・パソ	E5
オークランド	B4
サクラメント	B4
サン・ディエゴ	C5
サン・ノゼ	B4
サンフランシスコ	B4
シアトル	B2
ソルト・レーク・シティ	D3
デンヴァー	F4
フェニックス	D5
ポートランド	B2
ラス・ヴェガス	C4
ロサンゼルス	C5

メキシコ

シウダー・フアレス	E5
ティフアナ	C5

世界遺産

カナダ

❶～❹ カナディアン・ロッキー山岳公園群（うち❶ジャスパー国立公園、❷バンフ国立公園）	C1
❺ ダイナソール州立公園	D1
❻ ヘッド・スマッシュト・イン・バッファロー・ジャンプ	D2
❼ ライティング・オン・ストーン州立公園／アイシナイピ	D2

カナダ/アメリカ合衆国

❽ ウォータートン・グレイシャー国際平和公園	D2

アメリカ合衆国

❾ オリンピック国立公園	B2
❿ イエローストーン	D3
⓫ レッドウッド国立公園	B3
⓬ ヨセミテ国立公園	C4
⓭ グランド・キャニオン	D4
⓮ メサ・ヴェルデ国立公園	E4
⓯ チャコ文化国立歴史公園	E4
⓰ プエブロ・デ・タオス	E4

メキシコ

⓱ カサス・グランデス	E5
⓲ ピナカテ、グラン・デシエルト・デ・アルター生物保護区	D5

P62·63

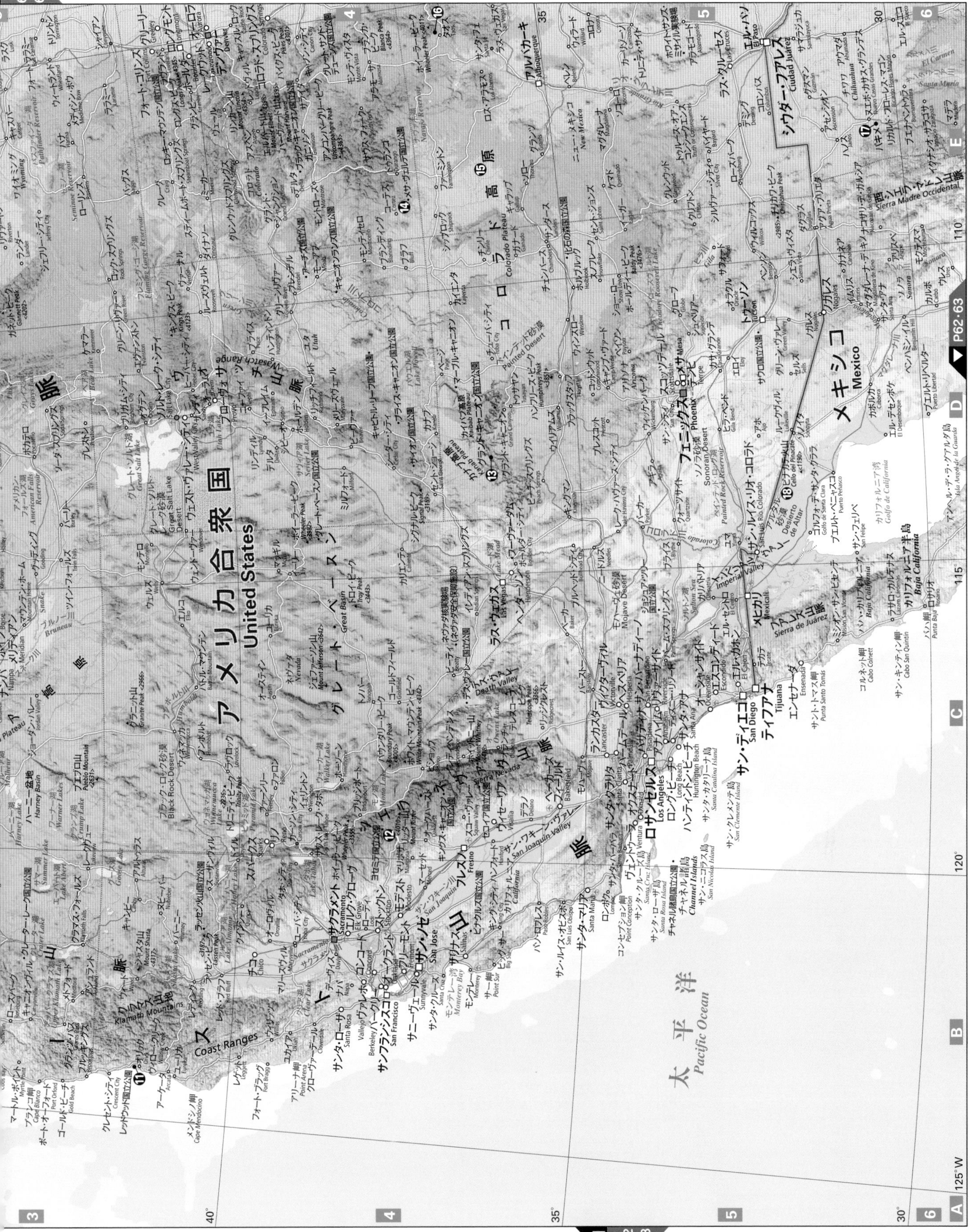
アメリカ合衆国
United States
メキシコ
Mexico
太平洋
Pacific Ocean
グレート・ベースン
Great Basin
コロラド高原
Colorado Plateau
シエラネバダ山脈
Sierra Nevada
コースト山脈
Coast Ranges
クラマス山地
Klamath Mountains
ワサッチ山脈
Wasatch Range
西シエラ・マドレ山脈
Sierra Madre Occidental
カリフォルニア半島
Baja California
カリフォルニア湾
Golfo de California
グレート・ソルト湖
Great Salt Lake
ブラック・ロック砂漠
Black Rock Desert
モハーヴェ砂漠
Mojave Desert
デス・ヴァレー
Death Valley
ソノラ砂漠
Sonoran Desert
ペインテッド砂漠
Painted Desert
チャネル諸島
Channel Islands
サン・ホアキン・ヴァレー
San Joaquin Valley
サンフランシスコ
San Francisco
サクラメント
Sacramento
サン・ノゼ
San Jose
ロサンゼルス
Los Angeles
サン・ディエゴ
San Diego
ティフアナ
Tijuana
ラス・ヴェガス
Las Vegas
フェニックス
Phoenix
トゥーソン
Tucson
ソルト・レーク・シティ
Salt Lake City
デンヴァー
Denver
アルバカーキ
Albuquerque
エル・パソ
El Paso
シウダー・フアレス
Ciudad Juárez
メヒカリ
Mexicali
フレズノ
Fresno
ボイシ
Boise
125° W
120°
115°
110°
40°
35°
30°

P32·33

おもな都市

アメリカ合衆国		ドミニカ共和国	
マイアミ	A4	サントドミンゴ	C7

バハマ		アメリカ領プエルト・リコ	
ナッソー	A5	サン・フアン	C7

キューバ		セントクリストファー・ネービス	
ハバナ	B4	バセテール	C8
サンティアゴ・デ・クーバ	B5		

メキシコ		アンティグア・バーブーダ	
メリダ	B3	セントジョンズ	C8

ベリーズ		ドミニカ国	
ベルモパン	C3	ロゾー	C8

グアテマラ		セントルシア	
グアテマラシティー	D2	カストリーズ	D8

ホンジュラス		バルバドス	
テグシガルパ	D3	ブリッジタウン	D9

エルサルバドル		セントビンセント及び グレナディーン諸島	
サンサルバドル	D3	キングスタウン	D8

ニカラグア		グレナダ	
マナグア	D3	セントジョージズ	D8

コスタリカ		トリニダード・トバゴ	
サンホセ	E4	ポート・オブ・スペイン	D8

パナマ		コロンビア	
パナマシティー	E5	バランキージャ	D6
		メデジン	E5

ジャマイカ		ベネズエラ	
キングストン	C5	カラカス	D7

ハイチ		バレンシア	D7
ポルトープランス	C6	マラカイボ	D6

世界遺産

メキシコ
① 古代都市パレンケと国立公園　C2
② カンペチェ歴史的要塞都市　C2
③ 古代都市ウシュマル　B3
④ 古代都市チチェン・イツァ　B3
⑤ シアン・カアン　C3
⑥ カラクムルの古代マヤ遺跡地区　C3

グアテマラ
⑦ ティカル国立公園　C3
⑧ キリグアの遺跡公園と遺跡　C3
⑨ アンティグア・グアテマラ　D2

ベリーズ
⑩ ベリーズ・バリア・リーフ　C3

凡例

■ 首都　　■ 州都・省都など
都市の人口　□ 100万以上　○ 10万～50万
　　　　　　□ 50万～100万　○ 10万未満
チアパス 州名・省名など　[イギリス] 所属国
～～ 湿地　　～～ 氷河
⬭ 塩湖

0　100　200　300　400　500km

1 / 11,628,000

キューバの州名
① ピナル・デル・リオ　Pinar del Río
② アルテミサ　Artemisa
③ ラ・アバナ　La Habana
④ マヤベケ　Mayabeque
⑤ マタンサス　Matanzas
⑥ ビジャ・クララ　Villa Clara
⑦ シエンフエゴス　Cienfuegos
⑧ サンクティ・スピリトゥス　Sancti Spíritus
⑨ シエゴ・デ・アビラ　Ciego de Ávila
⑩ カマグエイ　Camagüey
⑪ ラス・トゥナス　Las Tunas
⑫ オルギン　Holguín
⑬ グランマ　Granma
⑭ サンティアゴ・デ・クーバ　Santiago de Cuba
⑮ グアンタナモ　Guantánamo
⑯ フベントゥ島　Isla de la Juventud

標高
6000
4000
3000
2000
1000
500
200
0
0m以下の陸地
200
1000
2000
3000
4000
6000
水深

ホンジュラス
⑪ コパンのマヤ遺跡　D3
⑫ リオ・プラターノ生物保護区　C4

エルサルバドル
⑬ ホヤ・デ・セレン遺跡　D3

ニカラグア
⑭ レオン旧市街　D3
⑮ レオン大聖堂　D3

コスタリカ
⑯ グアナカステ保護地区　D3
⑰ 石球をともなう先コロンブス期 ディキス地域首長制集落群　E4

コスタリカ/パナマ
⑱ タラマンカ地方の保護区など　E4

パナマ
⑲ ポルト・ベロと⑳ サン・ロレンソ　E5
㉑ パナマ歴史地区など　E5
㉒ ダリエン国立公園　E5
㉓ コイバ国立公園および特別保護海域　E4

メキシコ湾 Gulf of Mexico
アメリカ合衆国 United States
フロリダ半島 Florida Peninsula
メキシコ Mexico
ユカタン半島 Península de Yucatán
グアテマラ Guatemala
ホンジュラス Honduras
ニカラグア Nicaragua
コスタリカ Costa Rica
パナマ Panama
キューバ島 Cuba
ハバナ Havana
太平洋 Pacific Ocean
中央アメリカ海溝 Middle America Trench

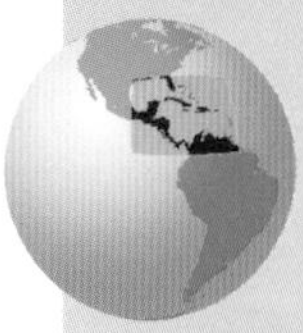

| 5 | 75° | 6 | 7 | 8 | 9 |

キューバ
- ㉔ビニャーレス渓谷　B4
- ㉕オールド・ハバナなど　B4
- ㉖トリニダーなど　B5
- ㉗グランマ号上陸記念国立公園　C5
- ㉘サン・ペドロ・デ・ラ・ロカ城塞　B5
- ㉙キューバ南東部のコーヒー農園発祥地　B5
- ㉚アレハンドロ・デ・フンボルト国立公園　B5
- ㉛シエンフエゴスの都市歴史地区　B4
- ㉜カマグエイの歴史地区　B5

ジャマイカ
- ㉝ブルー・アンド・ジョン・クロウ・マウンテンズ　C5

ハイチ
- ㉞シタデル、サン・スーシなど　C6

ドミニカ共和国
- ㉟サント・ドミンゴの植民都市　C7

アメリカ領プエルト・リコ
- ㊱サン・フアン歴史地区　C7

アンティグア・バーブーダ
- ㊲アンティグア海軍造船所と関連遺跡群　C8

セントクリストファー・ネーヴィス
- ㊳ブリムストーン・ヒル要塞　C8

ドミニカ国
- ㊴モーゥン・トワ・ピトン国立公園　C8

セントルシア
- ㊵ピトン管理地域　D8

オランダ領アンティル
- ㊶ウィレムスタットの歴史地区　D7

コロンビア
- ㊷ロス・カティオス国立公園　E5
- ㊸カルタヘナの港、要塞　D5
- ㊹モンポスの歴史地区　E6

ベネズエラ
- ㊺コロとその港　D7
- ㊻カラカスの大学都市　D7
- ㊼カナイマ国立公園　E8

バルバドス
- ㊽ブリッジタウン歴史地区とその要塞　D9

ブレーク海台
Blake Plateau

宇宙センター
…ラル岬
Canaveral

…ト・パーム・ビーチ
lm Beach

リトル・アバコ島
Little Abaco

グランド・バハマ島
Grand Bahama

フリーポート
Freeport

グレート・アバコ島
Great Abaco

マーシュ・ハーバー
Marsh Harbour

ノースイースト・プロヴィデンス海峡
Northeast Providence Channel

バハマ諸島
Bahama Islands

ビミニ諸島
Bimini Islands

ナッソー
Nassau

ニュー・プロヴィデンス島
New Providence

アンドロス・タウン
Andros Town

エリューセラ島
Eleuthera

ガヴァナーズ・ハーバー
Governor's Harbour

25°N

キャット島
Cat Island

ニュー・ビト
New Bight

グレート・グアナ島
Great Guana Cay

サン・サルヴァドル島（ワットリング島）
San Salvador(Watling Island)

ケンプス・ベイ
Kemp's Bay

グレート・エグズマ島
Great Exuma

ロング島
Long Island

ラム島
Rum Cay

アンドロス島
Andros

グレート・バハマ堆
Great Bahama Bank

オールド・バハマ海峡
Old Bahama Channel

クラレンス・タウン
Clarence Town

サマナ島
Samana Cay

西

イ

ン

ド

諸

島

大西洋
Atlantic Ocean

60°

West Indies

20°

マヤグアナ島
Mayaguana

アクリンズ島
Acklins

クルックド島
Crooked Island

カイコス海峡
Caicos Passage

タークス・カイコス諸島
Turks and Caicos Islands
[イギリス]

リトル・イナグア島
Little Inagua

カイコス諸島
Caicos Islands

コックバーン・タウン（グランド・ターク）
Cockburn Town(Grand Turk)

タークス諸島
Turks Islands

クルックド島海峡
Crooked Island Passage

グレート・イナグア島
Great Inagua

マシュー・タウン
Matthew Town

ヴァージン諸島
Virgin Islands

プエルト・リコ海溝
Puerto Rico Trench

リーワード諸島
Leeward Islands

カマグエイ諸島
Archipiélago de Camagüey

カヨ・ココ
Cayo Coco

シエゴ・デ・アビラ
Ciego de Ávila

カマグエイ
Camagüey

オルギン
Holguín

バネス
Banes

グアンタナモ
Guantánamo

バラコア
Baracoa

ヴィンドワード海峡
Windward Passage

カパイシアン
Cap-Haïtien

モンテ・クリスティ
Monte Cristi

プエルト・プラタ
Puerto Plata

サンティアゴ
Santiago

サン・フランシスコ・デ・マコリス
San Francisco de Macorís

サン・フアン
San Juan

アレシーボ
Arecibo

バヤモン
Bayamón

米領ヴァージン諸島
Virgin Islands
of the United States

英領ヴァージン諸島
British Virgin Islands

アンギラ島[イギリス]
Anguilla

サン・マルタン島[フランス]
Saint-Martin

サン・バルテルミー島[フランス]
Saint-Barthélemy

アンティグア・バーブーダ
Antigua and Barbuda

ゴナイブス
Gonaïves

サン・マルク
St-Marc

ラ・ベガ
La Vega

サン・ペドロ・デ・マコリス
San Pedro de Macorís

マヤグエス
Mayagüez

ポンセ
Ponce

サン・ファン
San Juan

ロード・タウン
Road Town

シント・マールテン
St. Maarten

アンティグア島
Antigua

バラオナ
Barahona

グレーター・アンティル諸島
Greater Antilles

ジャマイカ海峡
Jamaica Channel

ハイチ
Haiti

ドミニカ共和国
Dominican Republic

プエルト・リコ
Puerto Rico
[アメリカ合衆国]

プエルト・リコ島
Puerto Rico

モナ島
Isla Mona

セント・クロイ島
Saint Croix

セントクリストファー・ネーヴィス
（セントキッツ・ネービス）
Saint Christopher and Nevis
(Saint Kitts and Nevis)

モンツェラート島[イギリス]
Montserrat

グアドループ島[フランス]
Guadeloupe

バス・テール島
Basse-Terre

グランド・テール島
Grande-Terre

デジラード島
La Désirade

ポワンタ・ピトル
Pointe-à-Pitre

マリー・ガラント島
Marie-Galante

15°

小ドミニカ国
アン
ティ
ル
諸
島

ドミニカ
Dominica

マルティニーク島[フランス]
Martinique

ペレ山
Montagne Pelée

フォール・ド・フランス
Fort-de-France

ウ
ィ
ン
ド
ワ
ー
ド
諸
島

バルバドス
Barbados

セントルシア
Saint Lucia

カストリーズ
Castries

ブリッジタウン
Bridgetown

セント・ビンセント島
Saint Vincent

キングスタウン
Kingstown

グレナディーン諸島
Grenadines

セントビンセント及びグレナディーン諸島
Saint Vincent and
the Grenadines

グレナダ
Grenada

セント・ジョージズ
Saint George's

トバゴ島
Tobago

トリニダード・トバゴ
Trinidad and Tobago

スカボロ
Scarborough

ポート・オブ・スペイン
Port of Spain

トリニダード島
Trinidad

ベネズエラの州名
- ❶カラボボ　Carabobo
- ❷アラグア　Aragua
- ❸バルガス　Vargas
- ❹ミランダ　Miranda

カリブ海
Caribbean Sea

ベネズエラ海盆
Venezuelan Basin

コロンビア海盆
Colombian Basin

[オランダ]
アルバ島
Aruba

[オランダ]
キュラソー島
Curaçao

[オランダ]
ボネール島
Bonaire

ラス・アベス諸島
Islas Las Aves

オルチラ島
Isla Orchila

ブランキージャ島
Isla Blanquilla

ガジナス岬
Punta Gallinas

ラ・グアヒラ半島
Península de
La Guajira

パラグアナ半島
Península de Paraguaná

プント・フィホ
Punto Fijo

オランエスタット
Oranjestad

ウィレムスタット
Willemstad

コロ
Coro

ファルコン
Falcón

エルモサス諸島
Islas Los Hermanos

マルガリータ島
Isla de Margarita

ポルラマル
Porlamar

ヌエバ・エスパルタ
Nueva Esparta

テスティゴス諸島
Islas Los Testigos

10°

リオアチャ
Riohacha

マラカイボ湖
Lago de Maracaibo

マラカイボ
Maracaibo

バランキージャ
Barranquilla

サンタ・マルタ
Santa Marta

カルタヘナ
Cartagena

コロンビア
Colombia

メデジン
Medellín

バルキシメト
Barquisimeto

バレンシア
Valencia

サン・カルロス
San Carlos

カラカス
Caracas

マトゥリン
Maturín

オリノコ・デルタ
Delta del Orinoco

シウダー・グアヤナ
Ciudad Guayana

シウダー・ボリバル
Ciudad Bolívar

ベネズエラ
Venezuela

サン・フェルナンド・デ・アプーレ
San Fernando de Apure

グアイアナ高地
Macizo de Guayana
(Guiana Highlands)

オリノコ川
Orinoco

プエルト・アヤクチョ
Puerto Ayacucho

アンヘル滝
Salto de Angel

ロライマ山
Mount Roraima

ブラジル
Brazil

ガイアナ
Guyana

75°

70°

おもな都市

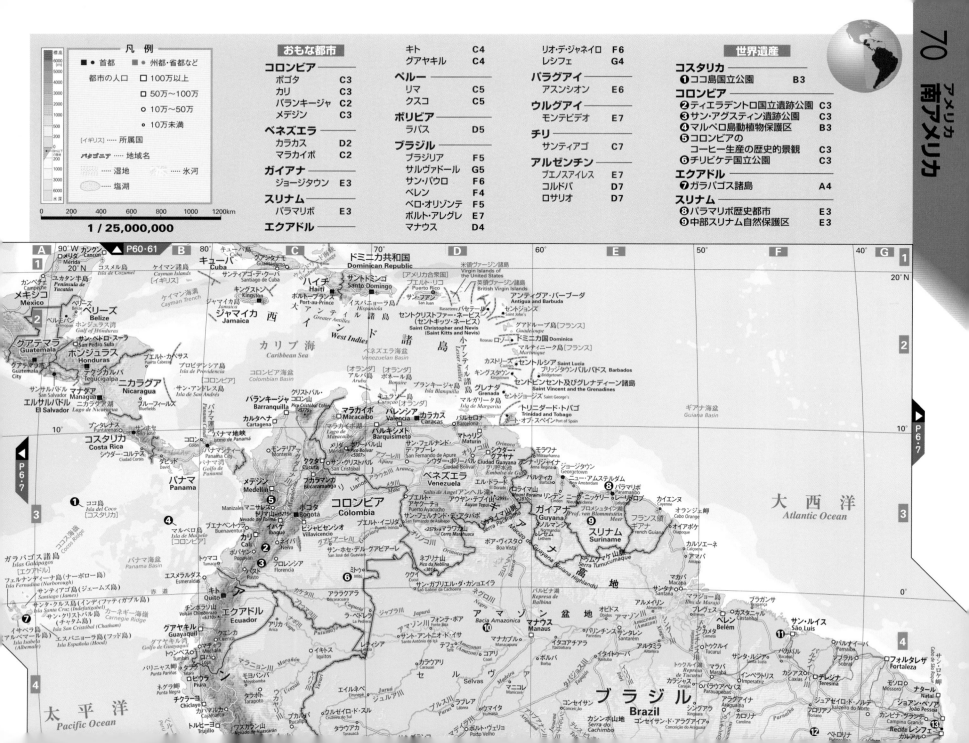

コロンビア
- ボゴタ　C3
- カリ　C3
- バランキージャ　C2
- メデジン　C3

ベネズエラ
- カラカス　D2
- マラカイボ　C2

ガイアナ
- ジョージタウン　E3

スリナム
- パラマリボ　E3

エクアドル

- キト　C4
- グアヤキル　C4

ペルー
- リマ　C5
- クスコ　C5

ボリビア
- ラパス　D5

ブラジル
- ブラジリア　F5
- サルヴァドール　G5
- サンパウロ　F6
- ベレン　F4
- ベロオリゾンテ　F5
- ポルト・アレグレ　E7
- マナウス　D4

- リオデジャネイロ　F6
- レシフェ　G4

パラグアイ
- アスンシオン　E6

ウルグアイ
- モンテビデオ　E7

チリ
- サンティアゴ　C7

アルゼンチン
- ブエノスアイレス　E7
- コルドバ　D7
- ロサリオ　D7

世界遺産

コスタリカ
- ❶ ココ島国立公園　B3

コロンビア
- ❷ ティエラデントロ国立遺跡公園　C3
- ❸ サン・アウグスティン遺跡公園　C3
- ❹ マルペロ島動植物保護区　B3
- ❺ コロンビアの　C3
- コーヒー生産の歴史的景観　C3
- ❻ チリビケテ国立公園　C3

エクアドル
- ❼ ガラパゴス諸島　A4

スリナム
- ❽ パラマリボ歴史都市　E3
- ❾ 中部スリナム自然保護区　E3

凡例
- ■ ● 首都
- ■ ● 州都・省都など
- 都市の人口
  - □ 100万以上
  - □ 50万〜100万
  - □ 10万〜50万
  - □ 10万未満
- ［イギリス］……所属国
- ──── 地域名
- ────── 湿地
- ────── 氷河
- ────── 塩湖

1 / 25,000,000

0 200 400 600 800 1000 1200km

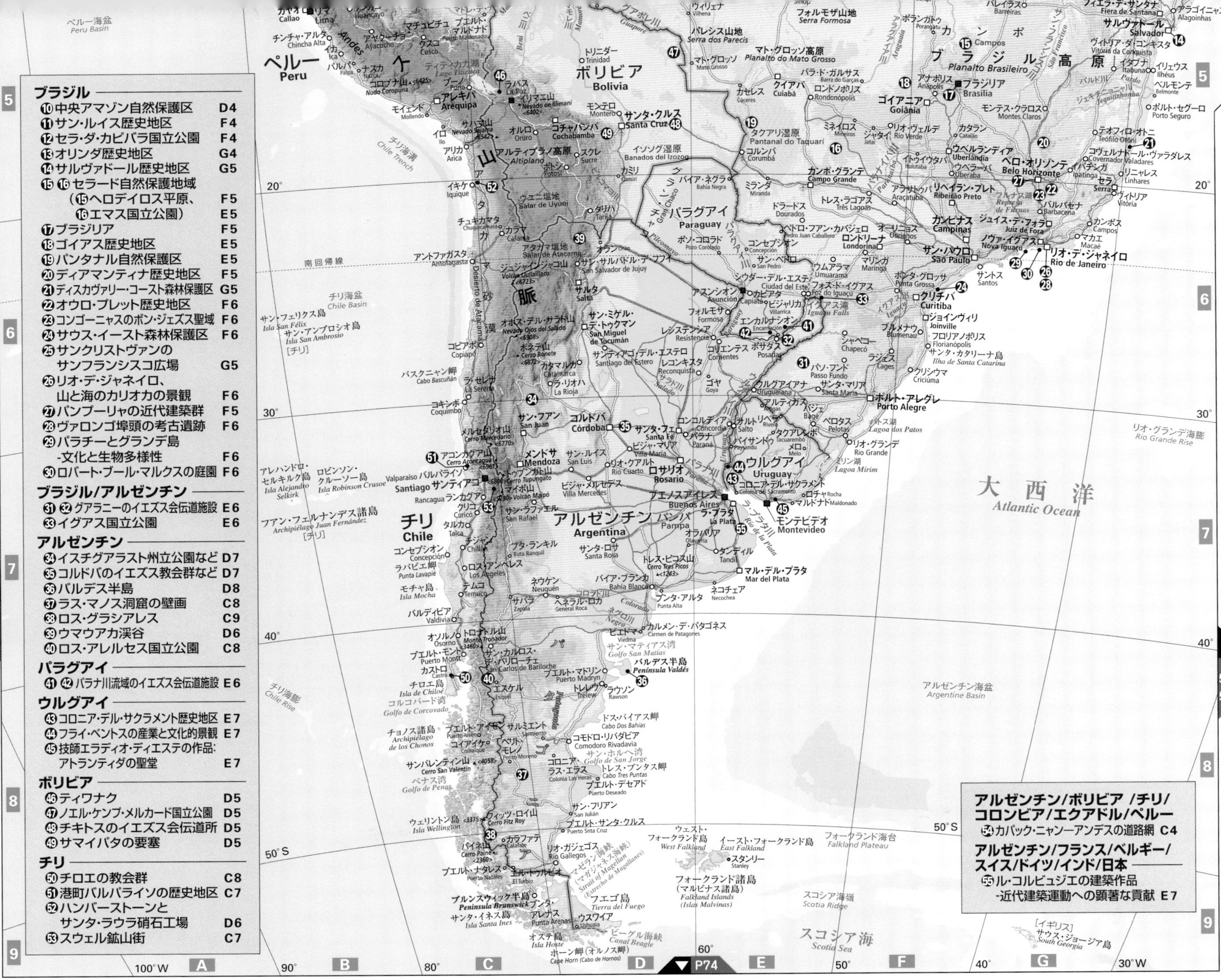

P56/57

P74

P32/33

▲ P70・71

凡　例

● ● …首都
■ ■ …州都・省都など

都市の人口
□ 100万以上
□ 50万～100万
○ 10万～50万
○ 10万未満

クスコ …… 州名・省名など
湿地
砂漠
氷河
塩湖

1／8,256,000

0　100　200　300　400km

80°W　赤道　0°　5°S　65°　70°　75°

ベネズエラ Venezuela
ブラジル Brazil
コロンビア Colombia
エクアドル Ecuador
ペルー Peru
アマゾン盆地 Bacia Amazonica
セルバ Selvas
アンデス Andes

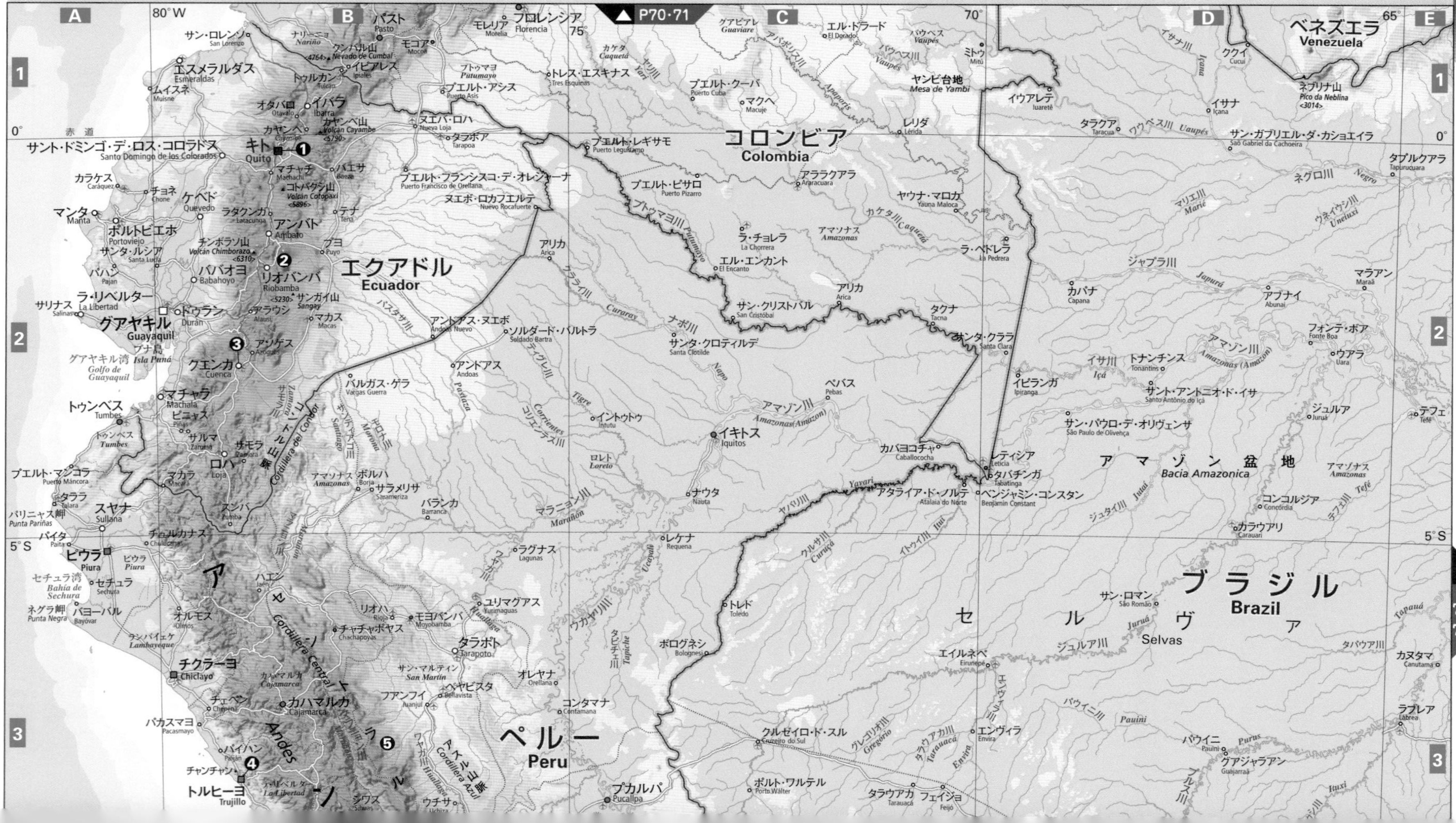

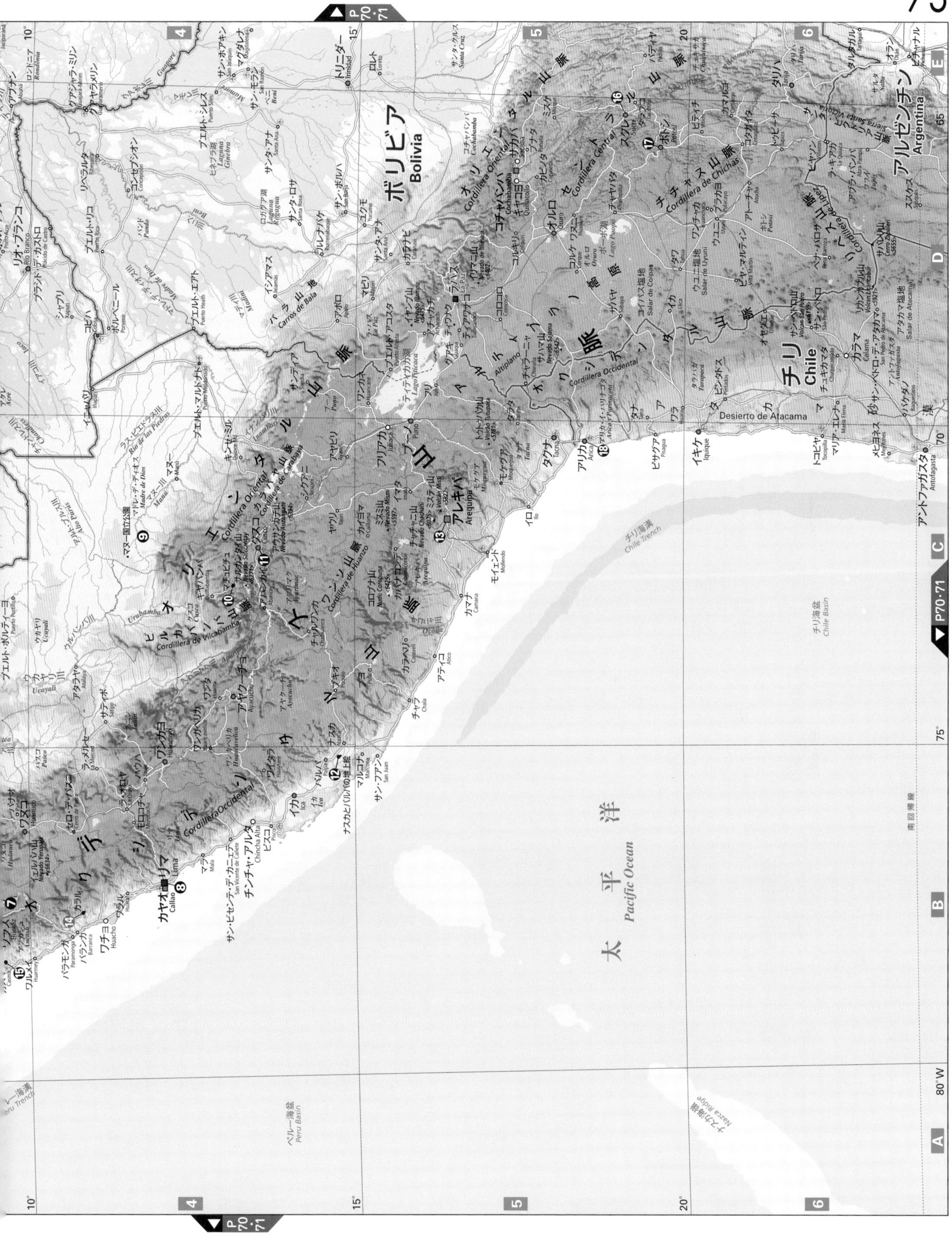
ボリビア
Bolivia
チリ
Chile
アルゼンチン
Argentina
太平洋
Pacific Ocean
ペルー海盆
Peru Basin
チリ海盆
Chile Basin
チリ海溝
Chile Trench
ナスカ海嶺
Nazca Ridge
南回帰線
Desierto de Atacama
Cordillera Occidental
Cordillera Oriental
Cordillera Central
Cordillera de Chichas
Cordillera de Vilcabamba
Cordillera de Huanzo
Cordillera de Carabaya
Altiplano
Lago Titicaca
Lago Poopó
Salar de Uyuni
Salar de Coipasa
Salar de Atacama
リマ
Lima
カヤオ
Callao
クスコ
Cusco
アレキパ
Arequipa
ラパス
La Paz
オルロ
Oruro
スクレ
Sucre
ポトシ
Potosí
コチャバンバ
Cochabamba
アリカ
Arica
イキケ
Iquique
アントファガスタ
Antofagasta
トリニダー
Trinidad
リオ・ブランコ
Rio Branco
P70·71
80°W
75°
70°
65°
10°
15°
20°

北極圏・南極圏

おもな都市

北極圏

ロシア

アルハンゲリスク	C 1
ヴォルクタ	C 2
チクシ	B 5
ノリリスク	C 3
ムルマンスク	C18
ヤクーツク	C 5

カナダ

イエローナイフ	C11
イカルイト	C13
イヌヴィク	C10
レゾリュート	B12

アメリカ合衆国

バロー	B 9
フェアバンクス	C 9

ノルウェー

ハンメルフェスト	B18
ロングイェールビエン	B17

デンマーク領グリーンランド

タシーラック	C15
カーナーク(チューレ)	B13
ヌーク(ゴットホープ)	C14

アイスランド

レイキャビク	C15

日本の観測基地

南極圏

昭和基地	G6
あすか基地	F6
ドームふじ	F6
みずほ基地	F5

おもな山

北極圏

デナリ(マッキンリー山) 6190m	C 9

南極圏

ヴィンソン・マッシフ山 4897m	F12
エレバス山 3794m	F17

凡例

- ■● 首都
- ■● 州都・省都など
- 都市の人口
  - □ 100万以上
  - □ 50万～100万
  - ○ 10万～50万
  - ∘ 10万未満
- ウィルクス・ランド …… 地域名
- …… 氷河
- …… 氷床
- …… 棚氷

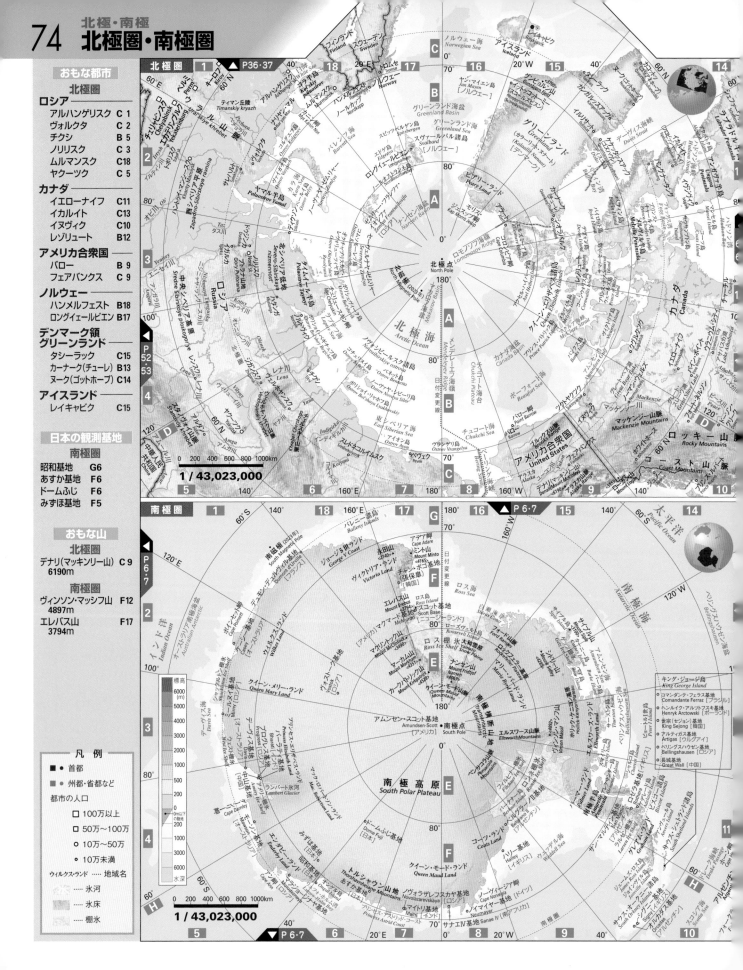

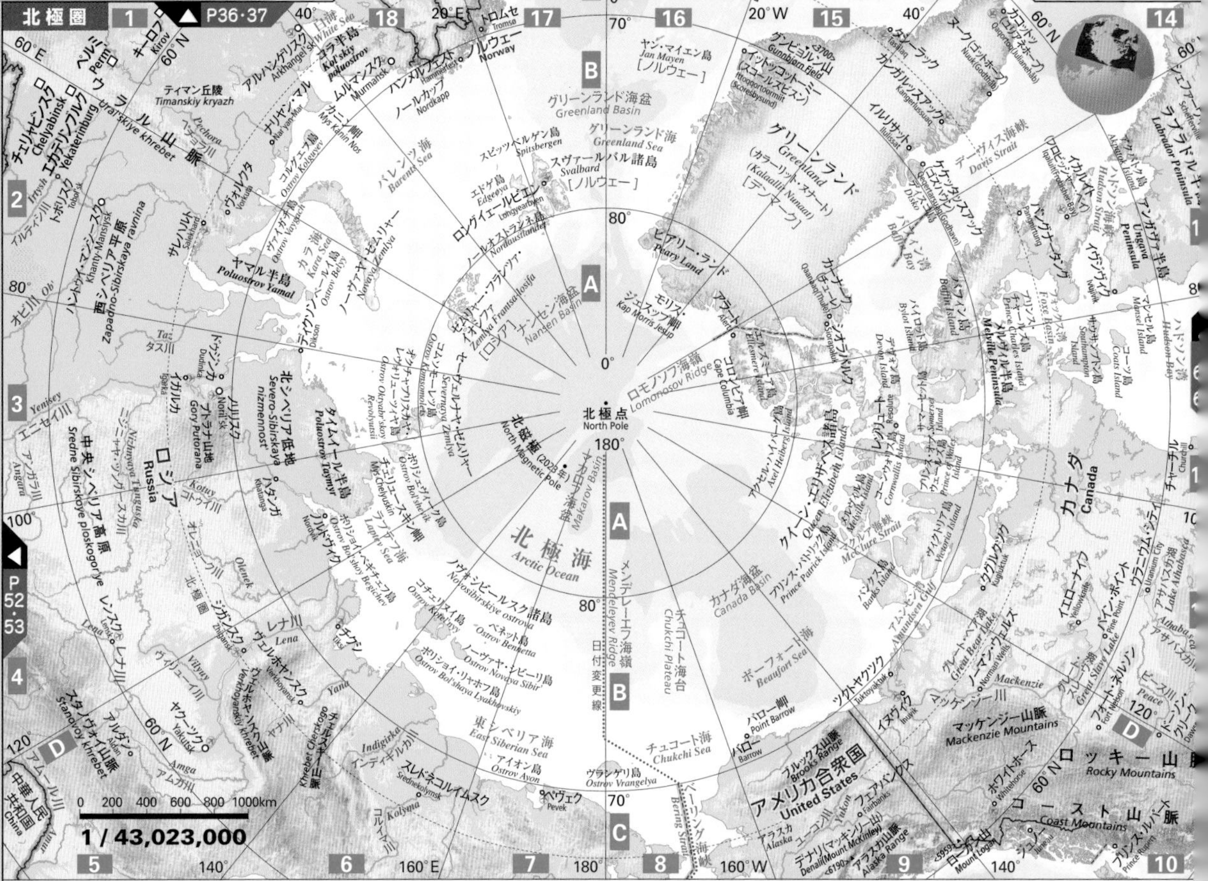

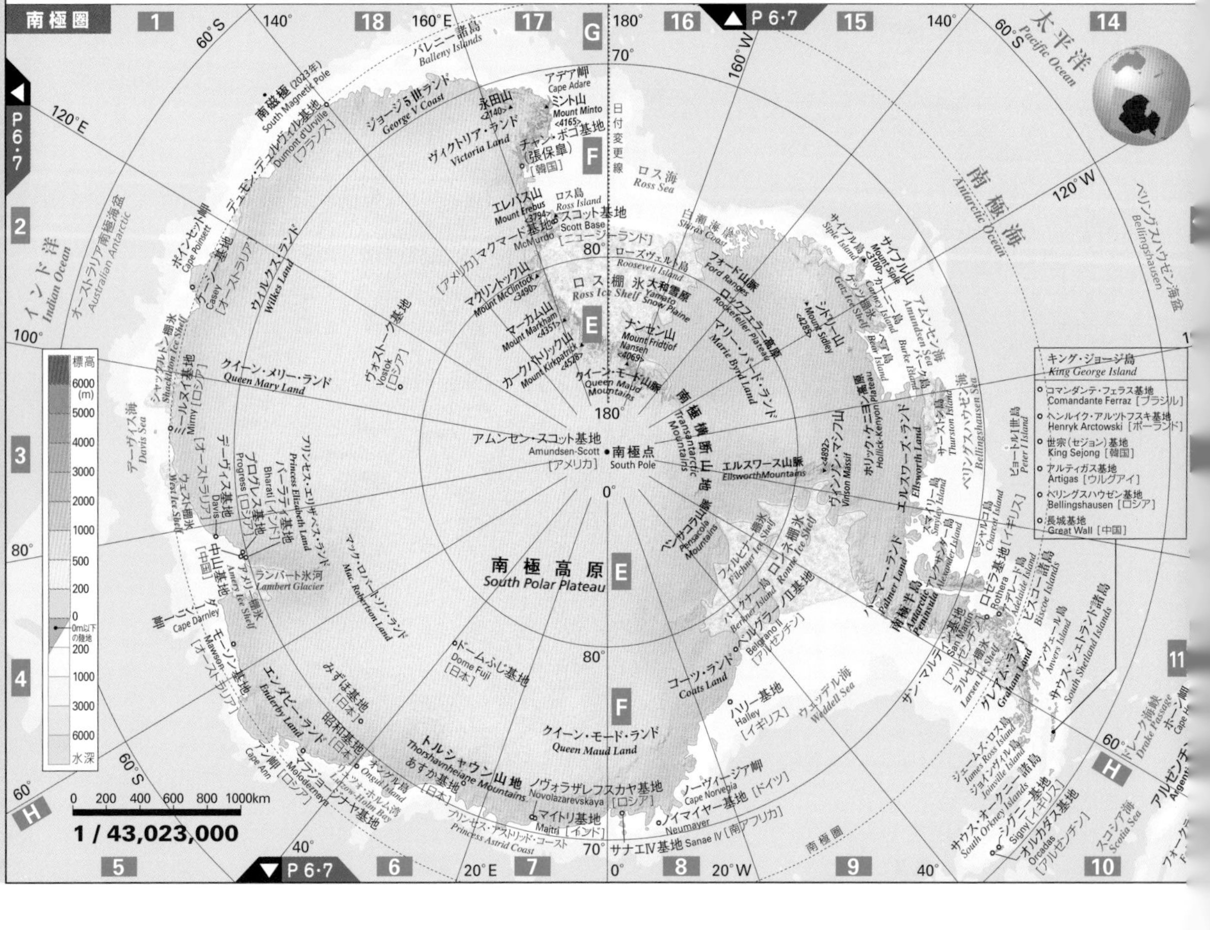

この索引は、さまざまなテーマに分かれた構成になっています。

地名だけではわからない、その場所の特色や世界遺産、おもな施設など、テーマごとに紹介しています。

索引では、国名・地域名を略称で使用しています。下記の表を参照してください。

地図中の位置を示す索引記号については、目次ページの「世界地図の見方」を参照してください。

略称国名・地域名表

略称	正式	略称	正式	略称	正式	略称	正式
アイス	アイスランド	北マリ	北マリアナ諸島	中アフ	中央アフリカ共和国	ブルン	ブルンジ
アイル	アイルランド	キプロ	キプロス	中国	中華人民共和国	米領ヴ	米領ヴァージン諸島
アゴラ	アンゴラ	キュバ	キューバ	チュニ	チュニジア	米領サ	米領サモア
アゼチ	アルゼンチン	キュラ	キュラソー島〔オランダ領〕	デンマ	デンマーク	ベトナ	ベトナム
アゼル	アゼルバイジャン	ギリシ	ギリシャ	トバゴ	トリニダード・トバゴ	ベネズ	ベネズエラ
アフガ	アフガニスタン	キリバ	キリバス	ドミ共	ドミニカ共和国	ベラル	ベラルーシ
アラブ	アラブ首長国連邦	キルギ	キルギス	ドミニ	ドミニカ国	ベリズ	ベリーズ
アルジ	アルジェリア	グアテ	グアテマラ	トルク	トルクメニスタン	ベルギ	ベルギー
アル島	アルバ島〔オランダ領〕	グアド	グアドループ島〔仏領〕	ナイジ	ナイジェリア	ヘレナ	セントヘレナ島
アルバ	アルバニア	グアム	グアム島〔米領〕	ナミビ	ナミビア	ポーラ	ポーランド
アルメ	アルメニア	クウェ	クウェート	ニカラ	ニカラグア	ボスニ	ボスニア・ヘルツェゴビナ
アンギ	アンギラ島〔英領〕	クック	クック諸島	ニジェ	ニジェール	ボツワ	ボツワナ
アンド	アンドラ	グリン	グリーンランド〔デンマーク領〕	西サハ	西サハラ	ボリビ	ボリビア
イエメ	イエメン	グレナ	グレナダ	ニュギ	パプアニューギニア	ポルト	ポルトガル
イギリ	イギリス	クロア	クロアチア	ニュジ	ニュージーランド	ホンジ	ホンジュラス
イスラ	イスラエル	ケイマ	ケイマン諸島〔英領〕	ネービ	セントクリストファー・ネービス	マシャ	マーシャル諸島
イタリ	イタリア	コスタ	コスタリカ	ネパル	ネパール	マダガ	マダガスカル
イドネ	インドネシア	コトジ	コートジボワール	ノルウ	ノルウェー	マラウ	マラウイ
ウガン	ウガンダ	コロン	コロンビア	パキス	パキスタン	マリノ	サンマリノ
ウクラ	ウクライナ	コン共	コンゴ共和国	バチカ	バチカン	マルテ	マルティニーク島〔仏領〕
ウズベ	ウズベキスタン	コン民	コンゴ民主共和国	バヌア	バヌアツ	マレー	マレーシア
ウルグ	ウルグアイ	サウジ	サウジアラビア	バブダ	アンティグア・バーブーダ	ミクロ	ミクロネシア連邦
英領ヴ	英領ヴァージン諸島	サント	サントメ・プリンシペ	バミュ	バミューダ諸島〔英領〕	南アフ	南アフリカ共和国
エクア	エクアドル	ザンビ	ザンビア	パラグ	パラグアイ	南スダ	南スーダン
エジプ	エジプト	シエラ	シエラレオネ	バルバ	バルバドス	ミャン	ミャンマー
エスト	エストニア	ジブラ	ジブラルタル	パレス	パレスチナ	メキシ	メキシコ
エスワ	エスワティニ（スワジランド）	ジャマ	ジャマイカ	バレン	バーレーン	モザン	モザンビーク
エチオ	エチオピア	ジョジ	ジョージア	ハンガ	ハンガリー	モリシ	モーリシャス
エリト	エリトリア	シンガ	シンガポール	バング	バングラデシュ	モリタ	モーリタニア
エルサ	エルサルバドル	ジンバ	ジンバブエ	東ティ	東ティモール	モルデ	モルディブ
オスラ	オーストラリア	スウェ	スウェーデン	ビサウ	ギニアビサウ	モルド	モルドバ
オスリ	オーストリア	スダン	スーダン	ビンセ	セントビンセント及びグレナディーン諸島	モロコ	モロッコ
オマン	オマーン	スペイ	スペイン	フィジ	フィジー	モンゴ	モンゴル
オラン	オランダ	スリナ	スリナム	フィン	フィンランド	モンセ	モンセラット島〔英領〕
ガイア	ガイアナ	スリラ	スリランカ	プエル	プエルト・リコ〔米領〕	モンテ	モンテネグロ
カザフ	カザフスタン	スロバ	スロバキア	フェロ	フェロー諸島	ヨルダ	ヨルダン
カタル	カタール	スロベ	スロベニア	フォク	フォークランド諸島	ラトビ	ラトビア
合衆国	アメリカ合衆国	セーシ	セーシェル	ブタン	ブータン	リトア	リトアニア
カーボ	カーボベルデ	赤道ギ	赤道ギニア	仏領ギ	フランス領ギアナ	リヒテ	リヒテンシュタイン
カメル	カメルーン	セネガ	セネガル	仏領ポ	フランス領ポリネシア	リベリ	リベリア
カレド	ニュー・カレドニア島〔仏領〕	セルビ	セルビア	ブラジ	ブラジル	ルーマ	ルーマニア
韓国	大韓民国	ソマリ	ソマリア	フラン	フランス	ルクセ	ルクセンブルク
ガンビ	ガンビア	ソロモ	ソロモン諸島	フリピ	フィリピン	ルシア	セントルシア
カンボ	カンボジア	ターク	タークス・カイコス諸島〔英領〕	ブルガ	ブルガリア	ルワン	ルワンダ
北朝鮮	朝鮮民主主義人民共和国	タジキ	タジキスタン	ブルキ	ブルキナファソ	レバノ	レバノン
北マケ	北マケドニア	タンザ	タンザニア	ブルネ	ブルネイ	レユニ	レユニオン島〔仏領〕

国旗 国名（外務省表記の国名）—— 6 A1
首都 — 首都名　ページ 索引記号

※国旗の縦横寸法は、国連で採用している縦2:横3の比率とした。ただし、慣例的にネパールとバチカンのみ1:1の比率とした。

ア

正式名称は、グレートブリテン及び北アイルランド連合王国。

エルサレムを首都と宣言しているが、国際的な承認は得ていない。

首都をデリーの1区であるニュー・デリーとする場合もある。

国名表記を「スワジランド」から「エスワティニ」に変更。

カ

サ

セントキッツ・ネービスの名称も用いる。

タ

法律上の首都はドドマ。

チュニジア共和国 56 D2
首都 チュニス

朝鮮民主主義人民共和国(北朝鮮) 12 C3
首都 平壌(ピョンヤン)
日本は朝鮮民主主義人民共和国を国家承認していない。

チリ共和国 71 C7
首都 サンティアゴ

ツバル 33 E8
首都 フナフティ

デンマーク王国 51 C4
首都 コペンハーゲン

ドイツ連邦共和国 42 C4
首都 ベルリン

トーゴ共和国 57 C11
首都 ロメ

ドミニカ共和国 69 C6
首都 サントドミンゴ

ドミニカ国 69 C8
首都 ロゾー

トリニダード・トバゴ共和国 69 D9
首都 ポート・オブ・スペイン

トルクメニスタン 30 D5
首都 アシガバット

トルコ共和国 26 B4
首都 アンカラ

トンガ王国 33 G9
首都 ヌクアロファ

ナ

ナイジェリア連邦共和国 57 C10
首都 アブジャ

ナウル共和国 32 E7
首都 ヤレン

ナミビア共和国 57 E8
首都 ウィントフック

ニウエ 33 G10
首都 アロフィ

ニカラグア共和国 68 D4
首都 マナグア

ニジェール共和国 56 D4
首都 ニアメ

日本国 11 D6
首都 東京

ニュージーランド 35 H9
首都 ウェリントン

ネパール 24 D3
首都 カトマンズ

ノルウェー王国 50 C2
首都 オスロ

ハ

バーレーン王国 27 D8
首都 マナーマ

ハイチ共和国 69 C6
首都 ポルトープランス

パキスタン・イスラム共和国 24 A3
首都 イスラマバード

バチカン市国 47 D5
首都 なし(都市国家の一種)

パナマ共和国 68 E4
首都 パナマシティー

バヌアツ共和国 35 B6
首都 ポートビラ

バハマ国 69 B6
首都 ナッソー

パプアニューギニア独立国 32 E6
首都 ポートモレスビー

パラオ共和国 32 D4
首都 マルキョク

パラグアイ共和国 71 D6
首都 アスンシオン

バルバドス 69 D9
首都 ブリッジタウン

ハンガリー 43 E8
首都 ブダペスト

バングラデシュ人民共和国 25 F4
首都 ダッカ

東ティモール民主共和国 23 D6
首都 ディリ

フィジー共和国 33 F8
首都 スバ

フィリピン共和国 21 D3
首都 マニラ

フィンランド共和国 50 F2
首都 ヘルシンキ

ブータン王国 24 F3
首都 ティンプー

ブラジル連邦共和国 70 E4
首都 ブラジリア

フランス共和国 41 E5
首都 パリ

ブルガリア共和国 44 F3
首都 ソフィア

ブルキナファソ 57 B10
首都 ワガドゥグ

ブルネイ・ダルサラーム国 23 A3
首都 バンダル・スリ・ブガワン

ブルンジ共和国 59 B5
首都 ブジュンブラ

ベトナム社会主義共和国 20 C3
首都 ハノイ

ベナン共和国 57 C10
首都 ポルトノボ

ベネズエラ・ボリバル共和国 70 D3
首都 カラカス

ベラルーシ共和国 54 B3
首都 ミンスク

ベリーズ 68 C3
首都 ベルモパン

ペルー共和国 72 B3
首都 リマ

ベルギー王国 41 B7
首都 ブリュッセル

ポーランド共和国 43 B8
首都 ワルシャワ

ボスニア・ヘルツェゴビナ 46 F3
首都 サラエボ

ボツワナ共和国 57 F8
首都 ハボロネ

ボリビア多民族国 73 D5
首都 ラパス

ポルトガル共和国 48 C1
首都 リスボン

ホンジュラス共和国 68 C3
首都 テグシガルパ

マ

マーシャル諸島共和国 32 C7
首都 マジュロ

マダガスカル共和国 57 H7
首都 アンタナナリボ

マラウイ共和国 59 C7
首都 リロングウェ

マリ共和国 56 C4
首都 バマコ

マルタ共和国 47 E8
首都 バレッタ

マレーシア 22 B1
首都 クアラルンプール

ミクロネシア連邦 32 D6
首都 パリキール

南アフリカ共和国 57 E9
首都 プレトリア

南スーダン共和国 58 B3
首都 ジュバ

ミャンマー連邦共和国 18 A2
首都 ネーピードー

メキシコ合衆国 62 F6
首都 メキシコシティ

モーリシャス共和国 57 I7
首都 ポートルイス

モーリタニア・イスラム共和国 56 B4
首都 ヌアクショット

モザンビーク共和国 57 G7
首都 マプト

モナコ公国 41 F8
首都 なし(都市国家の一種)

モルディブ共和国 25 B7
首都 マレ

モルドバ共和国 54 C3
首都 キシナウ

モロッコ王国 56 B3
首都 ラバト

モンゴル国 15 B10
首都 ウランバートル

モンテネグロ 44 B3
首都 ポドゴリツァ

ヤ

ヨルダン・ハシェミット王国 28 D4
首都 アンマン

ラ

ラオス人民民主共和国 20 B2
首都 ビエンチャン

ラトビア共和国 51 F4
首都 リガ

リトアニア共和国 51 E4
首都 ビリニュス

リビア 56 E3
首都 トリポリ

リヒテンシュタイン公国 42 E3
首都 ファドーツ

リベリア共和国 57 B11
首都 モンロビア

ルーマニア 44 E1
首都 ブカレスト

ルクセンブルク大公国 41 C7
首都 ルクセンブルク

ルワンダ共和国 59 C5
首都 キガリ

レソト王国 57 F8
首都 マセル

レバノン共和国 28 B3
首都 ベイルート

ロシア連邦 53 C12
首都 モスクワ

●その他の地域●

名称 / 領有・保護等の関係にある国	政庁等	ページ	索引記号
英領ヴァージン諸島 / イギリス	ロード・タウン	69	C8
キュラソー島 / オランダ	ウィレムスタット	69	D7
北マリアナ諸島 / アメリカ合衆国	サイパン	32	C5
グアドループ島 / フランス	バス・テール	69	C8
グアム島 / アメリカ合衆国	ハガッニャ	32	C5
グリーンランド / デンマーク	ヌーク(ゴットホーブ)	61	B17
ケイマン諸島 / イギリス	ジョージ・タウン	69	C4
パレスチナ自治区(西岸・ガザ) / パレスチナ自治政府	ラマッラ	28	C3・D2
ニュー・カレドニア島 / フランス	ヌーメア	35	C6
バミューダ諸島 / イギリス	ハミルトン	63	E15
プエルト・リコ / アメリカ合衆国	サン・フアン	69	C7
フランス領ギアナ / フランス	カイエンヌ	70	E3
フランス領ポリネシア / フランス	パペーテ	33	G12
米領ヴァージン諸島 / アメリカ合衆国	シャーロット・アマリエ	69	C7
米領サモア / アメリカ合衆国	パゴパゴ	33	F9
マルティニーク島 / フランス	フォール・ド・フランス	69	C8
モンセラット島 / イギリス	プリマス	69	C8
レユニオン島 / フランス	サン・ドニ	57	I8

国ごとに、アイウエオ順に並べた世界遺産のリストです。
場所は地図中に丸数字で示しています。

世界遺産の登録名
世界遺産の種別
文化遺産・自然遺産・複合遺産
西暦
地図中で丸数字がある場所を示す
世界遺産 国略称 種別 登録年 丸数字 ページ 索引記号

●アジアの世界遺産●

日本

世界遺産	国略称	種別	登録年	丸数字	ページ	索引記号
奄美大島、徳之島、沖縄島北部及び西表島	日本	自然	20	25	10	E4·F3
厳島神社	日本	文化	96	9	10	D5
石見銀山遺跡とその文化的景観	日本	文化	07	14	10	C5
小笠原諸島	日本	自然	11	16	11	E7
『神宿る島』宗像・沖ノ島と関連遺産群	日本	文化	17	21	10	D5
紀伊山地の霊場と参詣道	日本	文化	04	12	11	D6
原爆ドーム(広島平和記念碑)	日本	文化	96	8	10	D5
古都京都の文化財	日本	文化	94	4	11	C6
古都奈良の文化財	日本	文化	98	5	11	D6
白神山地	日本	自然	93	1	11	B7
白川郷、五箇山の合掌造集落	日本	文化	95	3	11	C6
知床	日本	自然	05	13	11	B8
富岡製糸場と絹産業遺産群	日本	文化	14	18	11	C6
日光の社寺	日本	文化	99	2	11	C6
長崎と天草地方の潜伏キリシタン関連遺産	日本	文化	18	22	10	D4
姫路城	日本	文化	93	7	10	D5
平泉-仏国土(浄土)を表す建築・庭園及び考古学的遺跡群	日本	文化	11	15	11	C7
富士山-信仰の対象と芸術の源泉	日本	文化	13	17	11	C6
法隆寺地域の仏教建造物群	日本	文化	93	6	11	D6
北海道・北東北の縄文遺跡群	日本	文化	21	24	11	B7
明治日本の産業革命遺産 製鉄・製鋼、造船、石炭産業	日本	文化	15	19	10·11	C7/D4·5·6
百舌鳥・古市古墳群	日本	文化	19	23	11	D6
屋久島	日本	自然	93	10	10	D5
琉球王国のグスク及び関連遺跡群	日本	文化	00	11	10	E4
ル・コルビュジエの建築作品-近代建築運動への顕著な貢献	日本・インド・フラン・ベルギ・スイス・ドイツ・アゼチ	文化	16	20 55	11/24	C6/C2

韓国

世界遺産	国略称	種別	登録年	丸数字	ページ	索引記号
伽倻山(カヤサン)海印寺(ヘインサ)	韓国	文化	95	4	13	D5
韓国の干潟ゲボル	韓国	自然	20	17	13	C5
慶州(キョンジュ)の歴史地域	韓国	文化	00	6	13	D5
百済歴史地区	韓国	文化	15	14	13	C4·C5
高敞(コチャン)、和順(ファスン)、江華(カンファ)の支石墓跡	韓国	文化	00	7 8 9	13	C4·C5
山寺(サンサ)、韓国の山岳仏寺群	韓国	文化	18	15	13	C4
水原(スウォン)の華城(ファソン)	韓国	文化	97	3	13	C4
書院(ソウォン)、韓国の新儒学私学校	韓国	文化	19	16	13	C4·5/D4·5
石窟庵(ソックラム)、仏国寺(プルグクサ)	韓国	文化	95	5	13	D5
済州(チェジュ)火山島と溶岩洞窟群	韓国	自然	07	10	13	C6
昌徳宮(チャンドックン)	韓国	文化	97	2	13	C4
朝鮮王朝の王墓群	韓国	文化	09	11	13	D4
宗廟(チョンミョ)	韓国	文化	95	1	13	C4
南漢山城(ナムハンサンソン)	韓国	文化	14	13	13	C4
河回(ハフェ)と良洞(ヤンドン)の歴史村	韓国	文化	10	12	13	D4

中国など

世界遺産	国略称	種別	登録年	丸数字	ページ	索引記号
安徽(アンホイ)南部の古村落	中国	文化	00	19	17	D5
頤和園	中国	文化	98	2	9	D11
殷墟(インシュー遺跡)	中国	文化	06	24	17	C3
武夷山(ウーイーシャン)	中国	複合	99	21	17	D5
五台山(ウータイシャン)	中国	文化	09	27	16	C3
武当山(ウータンシャン)の古代建築物群	中国	文化	94	10	17	C4
武陵源(ウーリンユワン)	中国	自然	92	16	17	C5
峨眉山(オーメイシャン)、楽山(ローシャン)大仏	中国	複合	96	2	15	F8
開平(カイピン)の望楼群と村落	中国	文化	07	22	17	C6
京杭大運河	中国	文化	14	31	17	D3
元の上都	中国	文化	12	32	16	D2
紅河ハニ族の棚田群の文化的景観	中国	文化	13	8	15	G8
故宮	中国	文化	87	1	9	D11
古代高句麗王国の首都と古墳群	中国	文化	04	20	12	C2
湖北省の神農架	中国	自然	16	35	17	C4
左江花山の岩絵の文化的景観	中国	文化	16	34	17	B6
三清山(サンチンシャン)国立公園	中国	自然	08	25	17	D5
新疆(シンチアン)の天山(ティエンシャン)	中国	自然	13	9	14	C4
秦の始皇帝陵	中国	文化	87	11	17	B4
蘇州(スーチョウ)古典園林	中国	文化	97/00	17	17	E4
四川(スーチョワン)ジャイアントパンダ保護区	中国	自然	06	6	15	E8
大足(ターツー)石刻	中国	文化	99	15	17	B5
泰山(タイシャン)	中国	複合	87	6	17	D3
九寨溝(チウチャイコウ)渓谷	中国	自然	92	12	17	A4
澄江(チェンジャン)の化石出土地域	中国	自然	12	10	15	G8
中国南部カルスト	中国	自然	07	7	15	G8
中国の黄海-渤海(ボーハイ)湾沿いの渡り鳥保護区	中国	自然	19	38	17	E4
中国の丹霞	中国	自然	10	29	17	B5
曲阜(チューフー)の孔廟、孔林、孔府	中国	文化	94	7	17	D3
泉州(チュワンチョウ):中国宋・元時代の世界交易の中心地	中国	文化	20	40	17	D6
周口店(チョウコウティエン)の北京原人遺跡	中国	文化	87	4	16	D3
承徳(チョントー)の避暑山荘と外八廟	中国	文化	94	2	16	D2
青城山(チンチョンシャン)、都江堰(トゥーチアンイエン)水利施設	中国	文化	00	14	17	A4
天壇	中国	文化	98	3	9	D11
天地之中 登封(ドンフォン)の歴史建造物群	中国	文化	10	28	17	C4
敦煌(トゥンホワン)・莫高窟	中国	文化	87	1	14	D7
土司の遺跡群	中国	文化	15	33	17	B5
杭州(ハンチョウ)西湖の文化的景観	中国	文化	11	30	17	E4
万里の長城	中国	文化	87	1	16	D2
平遥(ピンヤオ)古城	中国	文化	97	8	16	C3
梵浄(ファンチン)山	中国	自然	18	37	17	B5
福建(フーチエン)の土楼	中国	文化	08	26	17	D6
青海可可西里(フフシル)	中国	自然	17	11	14	D6
黄山(ホワンシャン)	中国	複合	90	18	17	D4
黄龍(ホワンロン)	中国	自然	92	13	17	A4
マカオの歴史地区	中国	文化	05	23	17	C6
明・清代の皇帝陵墓	中国	文化	00/03/04	3	16	D2
雲崗(ユンカン)石窟	中国	文化	01	5	16	C2
雲南(ユンナン)保護区の三江併流	中国	自然	03	5	15	F7
ラサのポタラ宮	中国	文化	94/00/01	4	14	F6
良渚(リアンチュウ)の考古遺跡群	中国	文化	19	39	17	D4
麗江(リーチアン)古城	中国	文化	97	3	15	F8
廬山(ルーシャン)国立公園	中国	文化	96	20	17	D5
歴史的共同租界、鼓浪嶼(コロンス島)	中国	文化	17	36	17	D6
龍門(ロンメン)石窟	中国	文化	00	9	17	C4
シルクロード:長安から天山回廊の交易路網	中国他	文化	14	4	8·9	C7·C8
アルタイ山脈の岩絵群	モンゴ	文化	11	13	14	B5
オルホン渓谷の文化的景観	モンゴ	文化	04	12	15	B8
大ブルカン・カルドゥン山と周辺の神聖な景観	モンゴ	文化	15	14	15	B9
ウヴス湖盆地	モンゴ・ロシア	自然	03	15	14	A6
ダウリヤの景観	モンゴ・ロシア	自然	17	16	15	B11
開城市の歴史的建造物と史跡	北朝鮮	文化	13	19	13	C4
高句麗古墳群	北朝鮮	文化	04	18	13	B3

東南アジア

世界遺産	国略称	種別	登録年	丸数字	ページ	索引記号
ウジュン・クロン国立公園	イドネ	自然	91	5	22	D2
コモド国立公園	イドネ	自然	91	9	23	D4
サワルントのオンビリン炭鉱遺産	イドネ	文化	19	4	18	D3
サンギラン初期人類遺跡	イドネ	文化	96	8	22	D3
スマトラの熱帯雨林遺産	イドネ	自然	04	3	18	D3
バリ州の文化的景観	イドネ	文化	12	10	23	D4

*リスト中の色文字は、特に著名なものや写真で紹介しているものを示します。

名称	国	区分	登録年	No.	地図
プランバナン寺院遺跡群	イドネ	文化	91	7	22 D3
ボロブドゥル寺院遺跡群	イドネ	文化	91	6	22 D3
ロレンツ国立公園	イドネ	自然	99	2	19 D6
アンコール	カンボ	文化	92	11	20 C2
古代イシャナプラの考古遺跡、サンボー・プレイ・クックの寺院地帯	カンボ	文化	17	8	18 B3
プレア・ヴィヒア寺院	カンボ	文化	08	12	20 C2
シンガポール植物園	シンガ	文化	15	11	22 B1
ケーンクラチャン森林地帯	タイ	自然	20	18	20 C1
古都アユタヤ	タイ	文化	91	16	20 C2
古都スコータイ	タイ	文化	91	14	20 B1
トゥンヤイ・ファイ・カ・ケン野生生物保護区	タイ	自然	91	15	20 B1
ドンパヤーイェン・カオヤイ森林地帯	タイ	自然	05	17	20 C2
バン・チェン遺跡	タイ	文化	92	13	20 B2
コルディレラの棚田	フィリ	文化	95	2	21 B3
トゥバタハ岩礁自然公園	フィリ	自然	93/09	5	21 D2
ハミギタン山域野生生物保護区	フィリ	自然	14	6	21 D4
バロック様式聖堂	フィリ	文化	93	3	21 C3
ビガン歴史地区	フィリ	文化	99	1	21 B3
プエルト・プリンセサ地下河川国立公園	フィリ	自然	99	4	21 C2
古都ホイアン	ベトナ	文化	99	3	20 B3
チャンアンの複合景観	ベトナ	複合	14	7	20 A3
ハノイのタンロン王宮中心部	ベトナ	文化	10	5	20 A3
ハロン湾	ベトナ	自然	94/00	1	20 A3
フエの建造物群	ベトナ	文化	93	2	20 B3
フォンニャ - ケバン国立公園	ベトナ	自然	03	1	18 B3
ホー(胡)朝の城塞	ベトナ	文化	11	6	20 A3
ミーソン聖域	ベトナ	文化	99	4	20 B3
キナバル公園	マレー	自然	00	1	23 A4
グヌンムル国立公園	マレー	自然	00	2	23 B3
マラッカとジョージタウン、マラッカ海峡の歴史地区	マレー	文化	08	3	22 A1·B1
レンゴン渓谷の考古遺跡	マレー	文化	12	4	22 A1
バガン	ミャン	文化	19	7	18 A2
ピュー族の都市	ミャン	文化	14	6	18 A2
シエンクワンの巨石壺遺跡群-ジャール平原	ラオス	文化	19	10	20 B2
ルアンパバーンの町	ラオス	文化	95	8	20 B2
ワット・プー寺院と関連古代遺産群	ラオス	文化	01	9	20 C3

南アジア

名称	国	区分	登録年	No.	地図
アグラ城塞	インド	文化	83	7	24 C3
アジャンタ石窟群	インド	文化	83	13	25 C4
インドの山岳鉄道	インド	文化	99/05/08	2	24 C2·C6·E3
エレファンタ石窟群	インド	文化	87	15	25 B5
エローラ石窟群	インド	文化	83	14	25 C4
カジュラーホの建造物群	インド	文化	86	10	24 C4
カジランガ国立公園	インド	自然	85	5	18 A2
カンチェンジュンガ国立公園	インド	複合	16	31	24 E3
グレート・ヒマラヤ国立公園保護地域	インド	自然	14	27	24 C2
ケオラデオ国立公園	インド	自然	85	9	24 C3
現存するチョーラ期寺院群	インド	文化	87/04	20	25 C6
ゴアの聖堂と修道院	インド	文化	86	16	25 B5
古都アーメダバード	インド	文化	17	32	25 B4
コナーラクの太陽神寺院	インド	文化	84	12	25 E5
サーンチーの仏教建造物	インド	文化	89	11	25 C4
ジャイプールのジャンタルマンタル	インド	文化	10	25	24 C3
スンダルバンス国立公園	インド	自然	87	3	25 E4
タージ・マハル	インド	文化	83	6	24 C3
チャトラパティ・シヴァジ・ターミナス駅〈旧ヴィクトリア・ターミナス駅〉	インド	文化	04	23	25 B5
チャンパネル・パヴァガドゥ遺跡公園	インド	文化	04	22	25 B4
テランガーナ州のカカティヤ・ルドレシュワラ(ラマッパ)寺院	インド	文化	20	35	25 C5
デリーのクトゥブ・ミナールと建造物	インド	文化	93	6	8 E7
デリーのフーマユーン廟	インド	文化	93	5	8 E7
ナーランダ・マハーヴィハーラ遺跡(ナーランダ大学)	インド	文化	16	30	24 E3
ナンダ・デヴィ国立公園	インド	自然	88/05	5	24 C2
西ガーツ山脈	インド	自然	12	29	25 C6
パッタダカルの建造物群	インド	文化	87	17	25 C5

古都アユタヤ(タイ)
仏教寺院ワット・プラ・スィー・サンペットの遺跡

タージ・マハル(インド)
白亜の大理石でできたムガール帝国時代の霊廟

名称	国	区分	登録年	No.	地図
ハラッパー文化の都市ドーラビーラ	インド	文化	21	36	25 B4
ハンピの建造物群	インド	文化	86	18	25 C5
ビンベトカの洞窟群	インド	文化	03	21	25 C4
ファテープル・シークリー	インド	文化	86	8	24 C3
マナス野生生物保護区	インド	自然	85	1	24 F3
マハーバリプラムの建造物群	インド	文化	84	19	25 D6
マハーボーディー(大菩薩)寺院	インド	文化	02	4	24 C4
ムンバイのヴィクトリア朝様式とアール・デコの遺産群	インド	文化	18	33	25 B5
ラージャスターン1州の丘陵要塞群	インド	文化	13	26	24 B3·C3
ラージャスターン州のジャイプール	インド	文化	19	34	24 C3
ラニ・キ・ヴァヴ(王妃の階段井戸)、グジャラート州パータン	インド	文化	14	28	25 B4
レッド・フォートの建造物群	インド	文化	07	24	24 C3
ゴール旧市街とその要塞	スリラ	文化	88	50	25 D7
古代都市シーギリヤ	スリラ	文化	82	45	25 D7
古代都市ポロンナルワ	スリラ	文化	82	46	25 D7
シンハラジャ森林保護区	スリラ	自然	88	49	25 D7
スリランカの中央高地	スリラ	自然	10	51	25 D7
聖地アヌラダプラ	スリラ	文化	82	44	25 D7
聖地キャンディ	スリラ	文化	88	48	25 D7
ダンブッラの黄金寺院	スリラ	文化	91	47	25 D7
カトマンズ渓谷	ネパル	文化	79/06	38	24 E3
サガルマータ国立公園	ネパル	自然	79	37	24 E3
仏陀の生誕地ルンビニ	ネパル	文化	97	40	24 D3
ロイヤル・チトワン国立公園	ネパル	自然	84	39	24 D3
タキシラ	パキス	文化	80	53	24 B2
タッタの歴史的建造物	パキス	文化	81	57	24 A4
タフティ・バヒーの仏教遺跡とサリ・バロール近隣都市遺跡	パキス	文化	80	52	24 B2
モヘンジョダロの遺跡	パキス	文化	80	56	24 A3
ラホール城とシャリマール庭園	パキス	文化	81	55	24 B2
ロータス城塞	パキス	文化	97	54	24 B2
シュンダバンズ	バング	自然	97	43	25 E4
バゲルハートのモスク都市	バング	文化	85	42	25 E4
パハールプールの仏教寺院遺跡	バング	文化	85	41	24 E3

西アジア・中央アジア・カフカス

名称	国	区分	登録年	No.	地図
ゴブスタンのロック・アートと文化的景観	アゼル	文化	07	9	30 D3
ハーン宮殿のあるシャキ歴史地区	アゼル	文化	19	10	30 D3
バクーの旧市街、シルヴァンシャー宮殿、乙女の塔	アゼル	文化	00	8	30 D3
ジャムのミナレットと考古遺跡群	アフガ	文化	02	1	29 C2
バーミヤーン渓谷の文化的景観と遺跡	アフガ	文化	03	2	29 C3
アル・アインの文化的地域	アラブ	文化	11	17	27 E9
エチミアジンの大聖堂と教会、ズヴァルトゥノツ教会の遺跡	アルメ	文化	00	11	30 D2
ゲハルトの修道院とアザート川上流域	アルメ	文化	00	12	30 D2
ハフパットの修道院	アルメ	文化	96/00	13	30 D2
サヌアの旧市街	イエメ	文化	86	59	27 F6
ザビドの歴史地区	イエメ	文化	93	60	27 G6
シバームの旧城壁市街	イエメ	文化	82	58	27 F7
ソコトラ群島	イエメ	自然	08	61	27 G8
アッコ旧市街	イスラ	文化	01	21	28 C3
エルサレム旧市街	イスラ*	文化	81	24	28 D3
カルメル山の人類進化遺跡	イスラ	文化	12	29	28 C3
香料の交易路・・・ネゲヴの砂漠都市群	イスラ	文化	05	27	28 D3
聖書の丘・・・メギド、ハゾル、ベール・シェヴァ	イスラ	文化	05	26	28 C3
テル・アヴィヴの「白亜の町」	イスラ	文化	03	25	28 C3

*ヨルダンによる申請

洞窟世界の縮図-ユダの低地における マレシャおよびベト・グヴリンの洞窟群	イスラ	文化	14	28	28 D3
ハイファと西ガリラヤのバハイ教聖地群	イスラ	文化	08	22	28 C3
ベイト・シェアリムの古代墓地 - ユダヤ再興の象徴	イスラ	文化	15	30	28 C3
マサダ国立公園	イスラ	文化	01	23	28 D3
アッシュール	イラク	文化	03	21	27 B6
イラク南部のアフワール：生物多様性保護区とメソポタミアの景観	イラク	複合	16	24	27 C7
エルビル(アルビル)城塞	イラク	文化	14	23	27 B6
都市遺跡サーマッラー	イラク	文化	07	22	27 C6
ハトラ	イラク	文化	85	20	27 B6
バビロン	イラク	文化	19	25	27 C6
アルダビールのシャイフ・サフィー・アッディーン廟と神殿	イラン	文化	10	38	27 B7
イスファハーンのイマーム広場	イラン	文化	79	28	27 C8
イスファハーンのジャーメモスク	イラン	文化	12	42	27 C8
イラン縦貫鉄道	イラン	文化	20	51	27 C8
イランのアルメニア修道院群	イラン	文化	08	35	27 B6
古都ヤズド	イラン	文化	17	48	27 C8
ゴレスターン宮殿	イラン	文化	13	40	27 B8
ゴンバデ・カーブース	イラン	文化	12	43	27 B9
シャフリ・ソフタ	イラン	文化	14	41	27 C10
シューシュタルの歴史的水利施設	イラン	文化	09	36	27 C7
スーサ	イラン	文化	15	44	27 C7
ソルタニイェ	イラン	文化	05	33	27 B7
タフティ・ソレイマン	イラン	文化	03	30	27 B7
タブリーズの歴史的バザール	イラン	文化	10	37	27 B7
チョーガ・ザンビル	イラン	文化	79	27	27 C7
ハウラマン／ウラマナトの文化的景観	イラン	文化	21	52	27 B7
パサルガダエ	イラン	文化	04	31	27 C8
バムとその文化的景観	イラン	文化	04	32	27 D9
ビソトゥーンの考古遺跡	イラン	文化	06	34	27 C7
ヒルカニアの森	イラン	自然	19	50	27 B8
ファールス地方のササン朝の考古学的景観	イラン	文化	18	49	27 D8
ペルシャ庭園	イラン	文化	11	39	27 C8
ペルシャのカナート	イラン	文化	16	46	27 C9
ペルセポリス	イラン	文化	79	29	27 D8
マイマンドの文化的景観	イラン	文化	15	45	27 C9
ルート砂漠	イラン	自然	16	47	27 C9
サマルカンド=文化交差路	ウズベ	文化	01	1	31 E7
シャハリサブズの歴史地区	ウズベ	文化	00	2	31 E7
ヒヴァのイチャン・カラ	ウズベ	文化	90	4	31 D6
ブハラ歴史地区	ウズベ	文化	93	3	31 E6
オマーンのアフラジ灌漑施設	オマン	文化	06	56	27 E9
カルハットの都市遺跡	オマン	文化	18	57	27 E9
バット、アル・フトゥム、アル・アインの遺跡	オマン	文化	88	53	27 E9
バフラ城塞	オマン	文化	87	54	27 E9
フランキンセンス・トレイル	オマン	文化	00	55	27 F8
サルヤルカ-カザフスタン北部のステップと湖沼群	カザフ	自然	08	20	31 B6·7
タムガリの考古学的景観と岩絵彫刻群	カザフ	文化	04	19	31 D9
ホジャ・アフマド・ヤサウィ廟	カザフ	文化	03	18	31 D7
西天山	カザフ·キルギ·ウズベ	自然	16	25	31 D8
アル=ズバラ考古遺跡	カタル	文化	13	70	27 D8
トロードス地方の壁画教会群	キプロ	文化	85/01	2	28 B2
パフォス	キプロ	文化	80	1	28 B2
ヒロキティア	キプロ	文化	98	3	28 B2
スライマン-トー聖山	キルギ	文化	09	22	31 D8
アハサー・オアシス、進化する文化的景観	サウジ	文化	18	75	27 D7
アル-ヒジュル古代遺跡	サウジ	文化	08	71	26 D5
サウジアラビアのハーイル地方の岩絵	サウジ	文化	15	74	27 D6
ジッダ歴史地区—メッカへの玄関	サウジ	文化	14	73	27 E5
ディライヤのトゥライフ地区	サウジ	文化	10	72	27 E7
ヒマー文化圏	サウジ	文化	20	76	27 F6
アッパー・スヴァネティ	ジョジ	文化	96	15	30 D2
コルキスの多雨林と湿地群	ジョジ	自然	20	17	30 D2
バグラチ大聖堂とゲラチ修道院	ジョジ	文化	94	16	30 D2
ムツヘタ	ジョジ	文化	94	14	30 D2
クラック・デ・シュヴァリエとカラット・サラーフ・アッディーン	シリア	文化	06	13	28 B4
古代都市アレッポ	シリア	文化	86	9	28 A4
古代都市ダマスカス	シリア	文化	79	11	28 C4
古代都市ボスラ	シリア	文化	80	12	28 C4
シリア北部の古代村落	シリア	文化	11	14	28 A4
パルミラの遺跡	シリア	文化	80	10	28 B5
サラズムの原始都市跡	タジキ	文化	10	23	31 E7
タジク国立公園	タジキ	自然	13	24	31 E8
クニヤ・ウルゲンチ	トルク	文化	05	6	30 D5
国立歴史文化公園「古代メルヴ」	トルク	文化	99	5	31 E6
ニッサのパルティア要塞都市	トルク	文化	07	7	30 E5
アニ遺跡	トルコ	文化	16	16	27 A6
アフロディシアス	トルコ	文化	17	17	26 B3
アルスランテペの遺丘	トルコ	文化	20	19	27 B5
イスタンブール歴史地区	トルコ	文化	85	2	26 A3
エディルネのセリミエ・モスクと複合施設	トルコ	文化	11	10	26 A3
エフェソス	トルコ	文化	15	14	26 B3
ギョベクリ・テペ	トルコ	文化	18	18	27 B5
ギョレメ国立公園とカッパドキアの岩石群	トルコ	複合	85	7	26 B4
クサントスとレトーン	トルコ	文化	88	5	26 B3
サフランボル市街	トルコ	文化	94	1	26 A4
チャタルホユックの新石器時代の遺跡	トルコ	文化	12	13	26 B4
ディヴリーイの大モスクと施療院	トルコ	文化	85	8	27 B5
ディヤルバクル城塞とヘヴセル庭園の文化的景観	トルコ	文化	15	15	27 B6
トロイの考古学地区	トルコ	文化	98	3	26 B3
ネムルト・ダア	トルコ	文化	87	9	27 B5
ハットゥシャ	トルコ	文化	86	6	26 B4
ヒエラポリスとパムッカレ	トルコ	複合	88	4	26 B3
ブルサとジュマルクズク:オスマン帝国発祥の地	トルコ	文化	14	11	26 A3
ペルガモンとその多層的な文化的景観	トルコ	文化	14	12	26 B3
キリスト生誕の地:ベツレヘムの聖誕教会と巡礼路	パレス	文化	12	32	28 D3
パレスチナ:オリーブとブドウの地— エルサレムの南部バティールの文化的景観	パレス	文化	14	31	28 D3
ヘブロン／アル・ハリル旧市街	パレス	文化	17	33	28 D3
カラートアルバーレーンの古代遺跡	バレン	文化	05	67	27 D8
真珠採取、島嶼経済の証言	バレン	文化	12	68	27 D8
ディルムンの墳丘墓	バレン	文化	19	69	27 D8
アムラ城	ヨルダ	文化	85	15	28 D4
ウム・エル・ラサス〈カストロン・メファー〉	ヨルダ	文化	04	17	28 D3
サルト - 寛容ともてなしの都市	ヨルダ	文化	21	20	28 C3
洗礼の地「ヨルダン川対岸のベタニア」(アル・マグタス)	ヨルダ	文化	15	19	28 D3
ペトラ	ヨルダ	文化	85	16	28 D3
ワディ・ラム保護区	ヨルダ	複合	11	18	28 E3
アンジャル	レバノ	文化	84	7	28 C4
カディーシャ渓谷と神の杉の森	レバノ	文化	98	4	28 B4
ティール(スール)	レバノ	文化	84	8	28 C3
バールベック	レバノ	文化	84	6	28 B4
ビブロス(ジュバイル)	レバノ	文化	84	5	28 B3

グレート・バリア・リーフ(オーストラリア)
2000km以上におよぶ長大なサンゴ礁域は多様な生き物の宝庫

ストーンヘンジ(イギリス)
イギリス南部ソールズベリー郊外にある環状列石

*リスト中の色文字は、特に著名なものや写真で紹介しているものを示します。

●オセアニアの世界遺産●

世界遺産	国略称	種別	登録年	丸数字	ページ 索引記号
ウィランドラ湖群地域	オスラ	複合	81	10	35 D4

世界遺産	国略称	種別	登録年	丸数字	ページ	索引記号
ウルル＝カタ・ジュタ―国立公園	オスラ	複合	87/94	❸	34	C3
王立展示館とカールトン庭園	オスラ	文化	04	⓮	35	D4
オーストラリア中東部の多雨林保護区	オスラ	自然	86/94	❼❽	35	C5・D5
オーストラリアの囚人施設跡	オスラ	文化	10	⓰	35	D5
オーストラリアの哺乳類化石地域	オスラ	自然	94	⓫	35	D4
カカドゥ国立公園	オスラ	複合	81/87/92	❷	34	B3
クイーンズランドの湿潤熱帯地域	オスラ	自然	88	❹	35	B4
グレート・バリア・リーフ	オスラ	自然	81	❺	35	B4
シドニー・オペラハウス	オスラ	文化	07	⓯	35	D5
タスマニア原生地域（クレードル山／セント・クレア湖国立公園、サウスウエスト国立公園などから構成される）	オスラ	複合	82/89	⓬	35	E4
西オーストラリアのシャーク湾	オスラ	自然	91	❶	34	C1
ニンガルー海岸	オスラ	自然	11	⓱	34	C1
ハード島とマクドナルド諸島	オスラ	自然	97	❾	6	H6
バジ・ビムの文化的景観	オスラ	文化	19	⓲	35	D4
パヌルル国立公園	オスラ	自然	03	⓭	34	B2
ブルーマウンテンズ地域	オスラ	自然	00	❾	35	D4
フレーザー島	オスラ	自然	92	❻	35	C5
マッコーリー島	オスラ	自然	97	❸	7	H10
ロード・ハウ諸島	オスラ	自然	82	❶	32	H6
フェニックス諸島保護区	キリバ	自然	10	❼	33	E9
東レンネル	ソロモ	自然	98	❷	32	F7
テ・ワヒポウナム（ウエストランド国立公園、マウント・クック国立公園、アスパイアリング山国立公園、フィヨルドランド国立公園）	ニュジ	自然	90	⓳	35	I7
トンガリロ国立公園	ニュジ	複合	90/93	⓴	35	G9
ニュージーランドの亜南極諸島	ニュジ	自然	98	❹❺❻❼❽	7	H11
クックの初期農業遺跡	ニュギ	文化	08	❻	32	E5
首長ロイ・マタの地	バヌア	文化	08	㉑	35	B6
南部ラグーンのロックアイランド	パラオ	複合	12	❿	32	D4
レブカ歴史的港湾都市	フィジ	文化	13	⓫	33	F8
ビキニ環礁の核実験場跡	マシル	文化	10	❽	32	C7
ナン・マトール：東ミクロネシアの祭祀遺跡	ミクロ	文化	16	❺	32	D6
ヘンダーソン島	イギリ	自然	88	⓱	33	G14
パパハナウモクアケア	合衆国	複合	10	❾	33	B10
ニュー・カレドニアのラグーン	カレド	自然	08	㉒	35	C6
タプタプアテア	フラン	文化	17	⓬	33	F11
フランス領南方・南極地域と海	フラン	自然	19	❿	6	H5・6

●ヨーロッパの世界遺産●

世界遺産	国略称	種別	登録年	丸数字	ページ	索引記号

イギリス・アイルランド

世界遺産	国略称	種別	登録年	丸数字	ページ	索引記号
スケリッグ・マイケル	アイル	文化	96	㉛	39	A6
ボイン渓谷遺跡群	アイル	文化	93	㉚	39	C5
アイアンブリッジ峡谷	イギリ	文化	86	❿	39	E5
イングランドの湖水地方	イギリ	文化	17	㉗	39	E4
ウェールズ北西部のスレート関連景観	イギリ	文化	21	㉙	39	D5
ウエストミンスター宮殿、大聖堂、セント・マーガレット聖堂	イギリ	文化	87	⓬	39	F6
エディンバラの旧市街と新市街	イギリ	文化	95	❶	38	E4
オークニー諸島の新石器時代遺跡中心地	イギリ	文化	99	❶	38	E2
海洋都市グリニッジ	イギリ	文化	97	⓭	39	F6
カンタベリー大聖堂、セント・オーガスティン修道院、セント・マーティン聖堂	イギリ	文化	88	⓮	39	G6
キュー王立植物園	イギリ	文化	03	㉓	39	F6
グウィネズのエドワード1世の城郭と市壁	イギリ	文化	86	⓴	39	D5
ゴーハムの洞窟群	イギリ	文化	16	⓵	48	D3
コーンウォールと西デヴォン鉱業地帯	イギリ	文化	06	㉔	39	D6
ジャイアンツ・コーズウェーとコーズウェー海岸	イギリ	自然	86	㉒	39	C4
ジョドレルバンク天文台	イギリ	文化	19	㉘	39	E5
ストーンヘンジ、エーヴベリーと関連遺跡群	イギリ	文化	86	⓰⓱	39	F6
セント・キルダ	イギリ	自然	86/04/05	❷	38	B3
ソルテア	イギリ	文化	01	❽	39	F5
ダーウェント峡谷の工場群	イギリ	文化	01	❾	39	F5
ダラム城と大聖堂	イギリ	文化	86	❻	39	F4
ドーセットおよび東デヴォン海岸	イギリ	自然	01	⓳	39	E6

世界遺産	国略称	種別	登録年	丸数字	ページ	索引記号
ニュー・ラナーク	イギリ	文化	01	❹	39	E4
バス市街	イギリ	文化	87	⓲	39	E6
ファウンティン修道院遺跡を含むスタッドリー王立公園	イギリ	文化	86	❼	39	F5
フォース鉄道橋	イギリ	文化	15	㉖	38	E3
ブレナボン産業用地	イギリ	文化	00	㉑	39	E6
ブレナム宮殿	イギリ	文化	87	⓯	39	F6
ポントカサステ水路橋と水路	イギリ	文化	09	㉕	39	E5
ローマ帝国最前線の要塞	イギリ	文化	87/05/08	❺	39	E4
ロンドン塔	イギリ	文化	88	⓫	39	F6

イタリア・バチカン・マルタ・サンマリノ

世界遺産	国略称	種別	登録年	丸数字	ページ	索引記号
アクィレイアの遺跡など	イタリ	文化	98	❸	46	D3
アグリジェント遺跡	イタリ	文化	97	㉖	47	D7
アッシジ、聖フランチェスコ聖堂など	イタリ	文化	00	⓮	46	D4
アマルフィ海岸	イタリ	文化	97	⓲	47	E5
アルベロベッロのトゥルッリ	イタリ	文化	96	㉒	47	F5
イタリアのロンゴバルト族 - 権勢の足跡	イタリ	文化	11	㊱	46	D2
ヴァルカモニカの岩絵	イタリ	文化	79	❷	46	C2
ヴァル・ディ・ノートの後期バロック地区	イタリ	文化	02	㉔	47	E7
ヴィチェンツァ市街など	イタリ	文化	94/96	❹	46	C3
ヴィラ・アドリアーナ	イタリ	文化	99	⓯	47	D5
ヴィラ・ロマーナ・デル・カサーレ	イタリ	文化	97	㉕	47	E7
ヴェネツィアとその潟	イタリ	文化	87	⓮	36	D7
ヴェローナ市街	イタリ	文化	00	⓭	36	D7
ウルビーノ歴史地区	イタリ	文化	98	⓭	46	D4
エオリア（リパリ）諸島	イタリ	自然	00	㉓	47	E6
エトナ山	イタリ	自然	13	㊳	47	E7
オルチャ渓谷	イタリ	文化	04	㉙	46	C4
カゼルタの18世紀の王宮と公園	イタリ	文化	97	⓰	47	E5
クレスピ・ダッダ	イタリ	文化	95	❶	46	B3
サヴォイア王家の王宮	イタリ	文化	97	⓫	36	D6
サン・ジミニャーノ歴史地区	イタリ	文化	90	⓫	46	C4
シエナ歴史地区	イタリ	文化	95	⓫	46	C4
ジェノヴァの歴史地区	イタリ	文化	06	㉝	46	B3
シラクーザの古代遺跡とパンタリカ岩壁古墳	イタリ	文化	05	㉜	47	E7
チェルヴェテリとタルキニアのエトルリア墓地遺跡群	イタリ	文化	04	㉚㉛	47	C4・D5
チレント・ディアノ渓谷国立公園など	イタリ	文化	98	⓳	47	E5
ティヴォリのエステ家別荘	イタリ	文化	01	⓯	47	D5
デル・モンテ城	イタリ	文化	96	⓴	47	F5
トスカーナ州のメディチ家のヴィッラと庭園	イタリ	文化	13	㊲	46	C4
ドロミティ	イタリ	自然	09	㉟	46	C2
ナポリ歴史地区	イタリ	文化	95	⓱	36	D7
20世紀の産業都市イヴレーア	イタリ	文化	18	㊶	46	A3
パドヴァの14世紀のフレスコ画群	イタリ	文化	20	㊸	46	C3
パドヴァの植物園	イタリ	文化	97	❺	46	C3
バルミーニのスー・ヌラクシ	イタリ	文化	97	㉗	47	B6
パレルモのアラブ・ノルマン様式建築群、チェファルとモンレアーレの大聖堂	イタリ	文化	15	㊵	47	D6・E6
ピエモンテとロンバルディアのサクリ・モンティ	イタリ	文化	03	㉘	46	B3
ピエンツァ市街の歴史地区	イタリ	文化	96	⓬	46	C4
ピサのドゥオモ広場	イタリ	文化	87	❾	46	C4
フィレンツェ歴史地区	イタリ	文化	82	⓰	36	D7
フェッラーラのルネサンス期の市街	イタリ	文化	95/99	❻	46	C3
葡萄栽培 景観地域:ランゲ＝ロエロ、モンフェッラートとヴァルテッリーナ	イタリ	文化	14	㊴	46	B3
プロセッコ・ディ・コネリアーノ・ヴァルドッビアーデネの丘	イタリ	文化	19	㊷	46	B3
ポルトヴェーネレ、チンクエ・テッレなど	イタリ	文化	97	❽	46	B3
ボローニャのポルチコ群（柱廊式玄関）	イタリ	文化	21	㊹	46	C3
ポンペイなどの遺跡	イタリ	文化	97	⓱	47	E5
マテーラの洞窟住居	イタリ	文化	93	㉑	47	F5
マントヴァとサッビオネータ	イタリ	文化	08	㉞	46	C3
ミラノの修道院と教会	イタリ	文化	80	⓬	36	D6
モデナの大聖堂など	イタリ	文化	97	❼	46	C3
ラヴェンナの初期キリスト教建築物群	イタリ	文化	96	⓯	36	D7
16～17世紀のヴェネツィア共和国の防衛施設群:内陸から西沿海州	イタリ・クロア・モンテ	文化	17	㊻	36	D6

名称	国	区分	登録年	No.	地図
ローマ歴史地区	イタリ・バチカ	文化	80/90	⑩	36 D7
バチカン市国	バチカ	文化	84	⑨	36 D7
サンマリノ歴史地区とティターノ山	マリノ	文化	08	㊺	46 D4
ハル・サフリエニ地下墓群	マルタ	文化	80	㊻	47 E8
バレッタ市街	マルタ	文化	80	⑱	37 E7
マルタの巨石神殿群	マルタ	文化	80/92	㊼	47 E7

スイス

名称	国	区分	登録年	No.	地図
サルドーナ地殻変動地帯	スイス	自然	08	(54)	41 D9
ザンクト・ガレン修道院	スイス	文化	83	㊽	41 D9
サン・ジョルジョ山	スイス	自然	03/10	(52)	41 E9
スイス・アルプス　ユングフラウ=アレッチュ	スイス	自然	01/07	㊾	41 D8
ベリンツォーナ旧市街にある三つの城など	スイス	文化	00	㊿	41 D9
ベルン旧市街	スイス	文化	83	㉖	36 D6
ミュスタイルの聖ヨハネのベネディクト会修道院	スイス	文化	83	(51)	41 D10
ラヴォー地区の葡萄畑	スイス	文化	07	(53)	41 D8
ラ・ショー・ド・フォン、ル・ロクル、時計製造の町	スイス	文化	09	(56)	41 D8
アルプス山脈周辺の先史時代の杭上住居群	スイス他	文化	11	㊹	36 D6
レーティッシュ鉄道アルブラ線・ベルニナ線	スイス・イタリ	文化	08	(55)	41 D9

スペイン・アンドラ

名称	国	区分	登録年	No.	地図
アストゥリアス王国の教会とオビエド歴史地区	スペイ	文化	85/98	④	48 A3
アタプエルカの遺跡群	スペイ	文化	00	⑦	49 A4
アビラ旧市街と墨壁の外の教会	スペイ	文化	85	㉓	48 B3
アランフエスの文化的景観	スペイ	文化	01	⑲	48 B4
アルカラ・デ・エナレスの大学と歴史地区	スペイ	文化	98	⑱	49 B4
アルタミラ洞窟と旧石器時代の洞窟画	スペイ	文化	85/08	⑤	48 A3
アンテケラのドルメン遺跡	スペイ	文化	16	㊲	48 D3
アントニオ・ガウディの建築群	スペイ	文化	84/05	⑩	49 B7
イビサ島、生物的多様性と文化	スペイ	複合	99	㉜	49 C6
イベリア半島地中海沿岸の岩壁画	スペイ	文化	98	⑯	49 C5
ウベダとバエサのルネサンス様式建造物	スペイ	文化	03	㉝	49 C4
エル・エスコリアル修道院	スペイ	文化	84	㉑	48 B3
エルチェの椰子園	スペイ	文化	00	⑮	49 C5
カセレス旧市街	スペイ	文化	86	㉖	48 C2
カリフ都市メディナ・アサーラ	スペイ	文化	18	㊳	48 D3
グラナダのアルハンブラなど	スペイ	文化	84/94	㉘	48 D4
古都トレド	スペイ	文化	86	⑳	48 C3
コルドバ歴史地区	スペイ	文化	84/94	㉙	48 D3
サラマンカ旧市街	スペイ	文化	88	㉔	48 B3
サン・ミジャン・ジュン修道院とスソ修道院	スペイ	文化	97	⑧	49 A4
サンタ・マリア・デ・グアダルーペ王立修道院	スペイ	文化	93	㉕	48 C3
サンティアゴ・デ・コンポステラ(旧市街)	スペイ	文化	85	①	48 A1
サンティアゴ・デ・コンポステラの巡礼路	スペイ*	文化	93	⑧	36 D5
セゴビア旧市街と水道橋	スペイ	文化	85	㉒	48 B3
セビーリャの大聖堂など	スペイ	文化	87	㉚	48 D3
タラゴナの遺跡群	スペイ	文化	00	⑪	49 B6
ムデハル様式建築物	スペイ	文化	86/01	⑬	49 B5
ドニャーナ国立公園	スペイ	自然	94/05	㉛	48 D2
トラムンタナ山地の文化的景観	スペイ	文化	11	㊱	49 C7
バルセロナのカタルニャ音楽堂とサンパウ病院	スペイ	文化	97	⑩	49 B7
バルセロナのラ・ロンハ・デ・ラ・セダ	スペイ	文化	96	⑭	49 C5
ビスカヤ橋	スペイ	文化	06	㉞	49 A4
ブルゴス大聖堂	スペイ	文化	84	⑥	48 A4
ヘラクレスの塔	スペイ	文化	09	㉟	48 A1
プラド通りとブエン・レティーロ、芸術と科学の景観	スペイ	文化	20	㊴	48 B4
ポイ渓谷のカタルーニャ風ロマネスク様式教会群	スペイ	文化	00	⑨	49 A6
ポブレー修道院	スペイ	文化	91	⑫	49 B6
メリダの遺跡群	スペイ	文化	93	㉗	48 C2
ラス・メドゥラス	スペイ	文化	97	③	48 A2
ルーゴのローマの城壁	スペイ	文化	00	②	48 A2
歴史的城塞都市クエンカ	スペイ	文化	96	⑰	49 B4
マドリュウ・ペラフィタ・クラロー渓谷	アンド	文化	04/06	(55)	49 A6

ドイツ

名称	国	区分	登録年	No.	地図
アーヘン大聖堂	ドイツ	文化	78	(57)	41 B8

*フランスも「フランスのサンティアゴ・デ・コンポステラの巡礼路」として1998年に文化遺産の登録をしている。

モン・サン・ミシェルとその湾(フランス)
海に突きだした岩山にたつ修道院

パリのセーヌ河岸(フランス)
セーヌ川に沿って多くの建造物が世界遺産に指定されている。写真はノートル・ダム大聖堂

名称	国	区分	登録年	No.	地図
アイスレーベンとヴィッテンベルクのルター記念建造物	ドイツ	文化	96	⑧⑨	42 C4・C5
アウクスブルクの水管理システム	ドイツ	文化	19	㉙	36 D7
アルフェルトのファグス工場	ドイツ	文化	11	⑯	42 C3
ヴァイマルとデッサウのバウハウス	ドイツ	文化	96	④⑤	42 C4・C5
ヴァルトブルク城	ドイツ	文化	99	⑩	42 C4
ヴィースの巡礼聖堂	ドイツ	文化	83	(66)	41 D10
ヴィルヘルムスヘーエ丘陵公園	ドイツ	文化	13	⑰	42 C3
ヴュルツブルクの司教館、その庭園と広場	ドイツ	文化	81	⑫	42 D3
ケルン大聖堂	ドイツ	文化	96	㉘	36 C6
古典主義の都ヴァイマル	ドイツ	文化	98	⑥	42 C4
コルヴァイのカロリング朝時代の西構え及び都市遺構	ドイツ	文化	14	⑱	42 C3
ザンクト・セルヴァティウス修道院聖堂など	ドイツ	文化	94	③	42 C4
シュヴァーベンジュラの洞窟群と氷河時代の芸術	ドイツ	文化	17	㉑	42 D3
シュトラールズントとヴィスマールの歴史地区	ドイツ	文化	02	(50)(51)	51 C5
シュパイアー、ヴォルムス、マインツのユダヤ人入植地	ドイツ	文化	21	㉔㉕㉖	42 C3・D3
シュパイアー大聖堂	ドイツ	文化	81	⑪	42 D3
僧院の島ライヒェナウ	ドイツ	文化	00	(65)	41 D9
ダルムシュタットのマチルダの丘	ドイツ	文化	20	(64)	42 D3
中部ライン渓谷	ドイツ	文化	02	(61)	41 B8
チリハウスを含むシュパイヘルシュタットとコントールハウス地区	ドイツ	文化	15	⑳	42 B3
ツォルフェライン炭坑業遺産群	ドイツ	文化	01	㉗	36 C6
デッサウ・ヴェルリッツの王宮庭園	ドイツ	文化	00	⑦	42 C4
トリーアのローマ遺跡など	ドイツ	文化	86	(59)	41 C8
ナウムブルク大聖堂	ドイツ	文化	18	㉒	42 C4
バイロイトのマルクグレーフリシェス・オペラハウス	ドイツ	文化	12	⑲	42 D4
ハンザ同盟都市リューベック	ドイツ	文化	87	(52)	51 C5
バンベルクの町	ドイツ	文化	93	⑬	42 D4
ヒルデスハイムのザンクト・マリア大聖堂など	ドイツ	文化	85	①	42 B3
フェルクリンゲン製鉄所	ドイツ	文化	94	(60)	41 C8
ブリュールのアウグストゥスブルク宮殿など	ドイツ	文化	84	(58)	41 B8
ヘーゼビューとダーネヴィルケの考古学的景観	ドイツ	文化	18	(53)	51 B5
ベルリンの近代集合住宅群	ドイツ	文化	08	㊾	51 C5
ベルリンのムゼウムスインゼル(博物館島)	ドイツ	文化	99	㊻	51 C5
ポツダムとベルリンの宮殿と公園	ドイツ	文化	90/92/99	㊼㊽	51 C5
マウルブロンの修道院	ドイツ	文化	93	(64)	41 C9
マルクト広場にある市庁舎とローラント像	ドイツ	文化	04	⑭	42 B3
メッセル・ピットの化石遺跡	ドイツ	自然	95	(62)	41 C9
ランメルスベルク鉱山と古都ゴスラー	ドイツ	文化	92/10	②	42 C4
レーゲンスブルク旧市街	ドイツ	文化	06	⑮	42 D5
ロルシュの王立修道院	ドイツ	文化	91	(63)	41 C9
ローマ帝国最前線の要塞	ドイツ・イギリ	文化	87/05/08	㉜	36 D6
エルツ山地の鉱業地帯	ドイツ・チェコ	文化	19	㉛	37 C7
ドイツとポーランドの国境公園(ムスカウ公園とムザコフスキー公園)	ドイツ・ポーラ	文化	04	㉚	37 C7

フランス

名称	国	区分	登録年	No.	地図
アヴィニョン歴史地区	フラン	文化	95	⑰	41 F7
アミアン大聖堂	フラン	文化	81	②	36 D6
アルルのローマ遺跡とロマネスク建築	フラン	文化	81	⑱	41 F7
ヴェズレーの聖跡と丘	フラン	文化	79	⑩	41 D6
ヴェルサイユの宮殿と庭園	フラン	文化	79	②	41 C6
ヴォーバンの要塞群(アラスなど12ヶ所)	フラン	文化	08	㉓	41 B6

オランジュのローマ劇場と凱旋門	フラン	文化	81	16	41 E7
コースとセヴェンヌ地方の地中海農牧の文化的景観	フラン	文化	11	25	41 E6
コルドゥアン灯台	フラン	文化	20	31	40 E4
サン・サヴァン・シュール・ガルタンプの教会	フラン	文化	83	11	40 D5
サンテミリオン地域	フラン	文化	99	12	40 E4
司教都市アルビ	フラン	文化	10	24	41 F6
シャルトル大聖堂	フラン	文化	79	3	41 C5
シャンパーニュの丘陵、家屋、地下貯蔵庫群	フラン	文化	15	28	41 C7
シュリー・シュル・ロワールとシャロン間のロワール渓谷	フラン	文化	00	4	36 D6
ショーヴェ・ポン・ダルク洞窟として知られるポン・ダルクの装飾洞窟	フラン	文化	14	26	41 E7
ジロラッタ岬、ポルト岬、スカンドラ自然保護区	フラン	自然	83	20	41 F9
ストラスブールの旧市街	フラン	文化	88	3	36 D6
中世都市プロヴァン	フラン	文化	01	5	41 C6
天日製塩施設(サラン-レ-バン大製塩所からアルケ-スナン王立製塩所まで)	フラン	文化	82/09	8	41 D7
ナンシーの三つの広場	フラン	文化	83	7	41 C8
ノール・パ・ド・カレーの鉱山地域	フラン	文化	12	27	41 B6
パリのセーヌ河岸	フラン	文化	91	1	36 D6
ピュイ山地とリマーニュ断層	フラン	自然	18	30	41 E6
ブールジュ大聖堂	フラン	文化	92	5	36 D6
フォンテーヌブローの宮殿と庭園	フラン	文化	81	4	41 C6
フォントネーのシトー会修道院	フラン	文化	81	9	41 D7
ブルゴーニュ地方のブドウ栽培区画、クリマ	フラン	文化	15	29	41 D7
ボルドー、リューヌ港	フラン	文化	07	22	40 E4
ポン・デュ・ガール	フラン	文化	85	19	41 F7
ミディ運河	フラン	文化	96	14	41 F6
モン・サン・ミシェルとその湾	フラン	文化	79	1	40 C4
ラスコーの壁画のあるヴェゼール渓谷の装飾洞窟	フラン	文化	79	13	40 E5
ランス大聖堂ほか、サン・レミ修道院、トー宮殿	フラン	文化	91	6	41 C7
リビエラの冬の保養地ニース	フラン	文化	21	32	41 F8
リヨンの歴史地区	フラン	文化	98	6	36 D6
ル・アーヴル(オーギュスト・ペレによる再建都市)	フラン	文化	05	21	40 C5
歴史的城壁都市カルカソンヌ	フラン	文化	97	15	41 F6
ピレネーのペルデュ山(ペルディド山)	フラン・スペイ	複合	97/99	7	36 D6
ル・コルビュジエの建築作品 -近代建築運動への顕著な貢献	フラン・ベルギ・スイス・ドイツ・インド・日本・アゼチ	文化	16	44	36 C6・D6

ベネルクス3国

アムステルダム 17世紀の運河地区	オラン	文化	10	45	41 A7
アムステルダムのディフェンス・ライン	オラン	文化	96	24	36 C6
キンデルダイク=エルスハウトの風車群	オラン	文化	97	44	41 B7
スホクランドとその周辺	オラン	文化	95	42	41 A7
D. F. ウォーダ蒸気水揚げポンプ場	オラン	文化	98	41	41 A7
ファン・ネレ工場	オラン	文化	14	46	41 B7
ベームスター干拓地	オラン	文化	99	43	41 A7
リートフェルト=シュレーダー邸	オラン	文化	00	25	36 C6
ローマ帝国の国境線 - 下ゲルマニアの城壁	オラン・ドイツ	文化	21	42	36 C6・D6
ワッデン海	オラン他	自然	09	43	36 C6
建築家ヴィクトル・オルタによる主な邸宅	ベルギ	文化	00	21	36 C6
ストックレー邸	ベルギ	文化	09	39	41 B7
スピエンヌの火打石の鉱山発掘地	ベルギ	文化	00	37	41 B6
トゥルネーのノートルダム大聖堂	ベルギ	文化	00	36	41 B6
プランタン・モレトゥス印刷博物館	ベルギ	文化	05	35	41 B7
フランドル地方のベギン会の建物	ベルギ	文化	98	34	41 B6
ブリュッセルのグラン・プラス	ベルギ	文化	98	21	36 C6
ブルッヘの歴史地区	ベルギ	文化	00	33	41 B6
ルヴィエールとルルーの中央運河閘門	ベルギ	文化	98	38	41 B7
ワロン地方の鉱山	ベルギ	文化	12	40	41 B7
慈善の集団居住地群	ベルギ・オラン	文化	20	47	41 A8・B7
ベルギーとフランスの鐘楼	ベルギ・フラン	文化	99/05	22	36 C6
ルクセンブルク市	ルクセ	文化	94	23	36 D6

ポルトガル

アルコバッサの修道院	ポルト	文化	89	45	48 C1
アルト・ドウロ・ワイン生産地域	ポルト	文化	01	43	48 B2
エヴォラ歴史地区	ポルト	文化	86	50	48 C2
エルヴァスの国境要塞都市	ポルト	文化	12	52	48 C2
ギマランイス歴史地区	ポルト	文化	01	42	48 B1
コア渓谷の先史時代の岩壁画	ポルト	文化	98/10	44	48 B2
コインブラ大学-アルタとソフィア	ポルト	文化	13	51	48 B1
ジェロニモス修道院とベレンの塔	ポルト	文化	83	48	48 C1
シントラの文化的景観	ポルト	文化	95	49	48 C1
トマルのキリスト教修道院	ポルト	文化	83	47	48 C1
バターリャの修道院	ポルト	文化	83	46	48 C1
ピコ島における葡萄畑の文化的景観	ポルト	文化	04	2	56 A2
ブラガのボン・ジェズス・ド・モンテの聖域	ポルト	文化	19	54	48 B1
ポルト歴史地区	ポルト	文化	96	41	48 B1
マフラの王宮-宮殿、聖堂、修道院、セルク庭園と狩猟公園(タパダ)	ポルト	文化	19	53	48 C1

*リスト中の色文字は、特に著名なものや写真で紹介しているものを示します。

ヨーロッパ中東部

ヴァッハウ渓谷の文化的景観	オスリ	文化	00	27	43 D6
ウィーン歴史地区	オスリ	文化	01	33	37 D7
グラーツ市歴史地区	オスリ	文化	99/10	49	46 E2
ザルツブルク市街の歴史地区	オスリ	文化	96	34	37 D7
シェーンブルン宮殿と庭園	オスリ	文化	96	33	37 D7
ゼメリング鉄道	オスリ	文化	98	50	46 E2
ハルシュタットの文化的景観	オスリ	文化	97	48	46 D2
フェルテー湖/ノイジードラ湖の文化的景観	オスリ・ハンガ	文化	01	35	37 D7
ヨーロッパの大温泉都市群	オスリ他	文化	20	48	36・37 C5・C7・D6
ローマ帝国の国境線 - ドナウ城壁(西地区)	オスリ・ドイツ・スロバ	文化	20	47	37 D7
ヴルコリニェツ	スロバ	文化	93	43	43 D8
カルパティア山脈のスロバキア木造教会群	スロバ	文化	08	46	43 D9
バルデヨフ市街保護区	スロバ	文化	00	45	43 D9
バンスカ・シュティアヴニツァ	スロバ	文化	93	42	43 D8
レヴォチャ歴史地区、スピシュスキー城及び関連文化財	スロバ	文化	93/09	44	43 D9
カルパティア山脈のブナ原生林及びドイツのブナ古代林	スロバ他	自然	07/11	47	43 D10
オロモウツの聖トリニティ碑	チェコ	文化	00	35	43 D7
クトナー・ホラ歴史都市	チェコ	文化	95	33	43 D6
クラドルビ・ナト・ラベムの儀礼用馬車馬の繁殖・訓練の景観	チェコ	文化	19	41	43 C6
クロムニェジーシュの庭園と城	チェコ	文化	98	36	43 D7
ゼレナー・ホラのネポムツキーの聖ヨハネ巡礼教会	チェコ	文化	94	37	43 D7
チェスキー・クルムロフ歴史地区	チェコ	文化	92	31	43 D6
テルチ歴史地区	チェコ	文化	92	32	43 D6
トシェビチのユダヤ人地区と聖プロコピウス聖堂	チェコ	文化	03	40	43 D6
プラハ歴史地区	チェコ	文化	92	37	37 C7
ブルノのトゥーゲンハット邸	チェコ	文化	01	38	37 D7
ホラショヴィツェの歴史的集落保存地区	チェコ	文化	98	30	43 D6
リトミシュル城	チェコ	文化	99	34	43 D7
レドニツェとヴァルチツェの文化的景観	チェコ	文化	96	38 39	43 D7
トカイ・ワイン地域	ハンガ	文化	02	29	43 D9
パンノンハルマの修道院	ハンガ	文化	96	50	44 A1
ブダペスト、ドナウ河岸とブダ城地区	ハンガ	文化	87/02	47	44 B1
ペーチ市にある初期キリスト教霊園	ハンガ	文化	00	49	44 B1
ホルトバージ国立公園	ハンガ	文化	99	48	44 C1
ホローケー	ハンガ	文化	87	28	43 E8
アグテレックとスロバキア・カルストの洞窟群	ハンガ・スロバ	自然	95/00	36	37 D8
アウシュヴィッツ・ビルケナウ ナチス・ドイツの強制絶滅収容所	ポーラ	文化	79	51	43 C8
ヴィエリチカ岩塩坑	ポーラ	文化	78/13	49	43 D9
ヴロツワフの多目的ホール	ポーラ	文化	06	55	43 C7
カルヴァリア・ゼブジトフスカなど	ポーラ	文化	99	50	43 D8
クシェミオンキの先史時代の縞状燧石鉱山地帯	ポーラ	文化	19	56	43 C9
クラクフ歴史地区	ポーラ	文化	78	39	37 C7
ザモシチ旧市街	ポーラ	文化	92	48	43 C10
タルノフスキェ・グルィの鉛・銀・亜鉛鉱山と地下水利システム	ポーラ	文化	17	40	37 C7
中世都市トルニ	ポーラ	文化	97	45	51 D5
マウォポルスカ地方南部の木造聖堂群	ポーラ	文化	03	54	43 D9
マルボルクの城郭	ポーラ	文化	97	44	51 D5
ヤヴォルとシフィドニツァの平和聖堂	ポーラ	文化	01	52 53	43 C7
ワルシャワ歴史地区	ポーラ	文化	80	43	51 E5

名称	国	区分	登録年	No.	地図
カルパティア地方の木造教会	ポーラ・ウクラ	文化	13	㊶	37 D8
ポーランド・ベラルーシ国境原生林	ポーラ・ベラル	自然	79/92	㊷	51 E5

ヨーロッパ南東部

名称	国	区分	登録年	No.	地図
ベラトとギロカストラの歴史地区	アルバ	文化	05/08	㉒	45 B4・C4
ブトリント	アルバ	文化	92/99	㉑	45 C5
オフリド地域	北マケ	複合	79/80	㉓	45 C4
アテネのアクロポリス	ギリシ	文化	87	❶	45 D6
アトス山	ギリシ	複合	88	⓮	45 E4
ヴェルギナの遺跡	ギリシ	文化	96	⓬	45 D4
エピダウロスの遺跡	ギリシ	文化	88	❻	45 D6
オリュンピアの遺跡	ギリシ	文化	89	❿	45 C6
コルフ旧市街	ギリシ	文化	07	⓳	45 B5
初期キリスト教の建築群など	ギリシ	文化	88	⓭	45 D4
聖ヨハネ修道院など	ギリシ	文化	99	⓰	45 F6
ダフニ、オシオス・ルカス、キオス島のネア・モニの修道院	ギリシ	文化	90	❸	45 D5・F5
デルフォイの遺跡	ギリシ	文化	87	❺	45 D5
デロス島	ギリシ	文化	90	⓲	45 E6
バッサイのアポロン・エピクリオス神殿	ギリシ	文化	86	❾	45 D6
ピタゴリオンとヘラ神殿	ギリシ	文化	92	⓱	45 F6
フィリピ(ピリッポイ)遺跡	ギリシ	文化	16	⓴	45 E4
ミストラ	ギリシ	文化	89	❽	45 D6
ミュケナイとティリュンスの古代遺跡	ギリシ	文化	99	❼	45 D6
メテオラ	ギリシ	複合	88	⓫	45 C5
ロードス島の中世都市	ギリシ	文化	88	⓯	45 G6
古都トロギル	クロア	文化	97	56	46 F4
シベニクの聖ヤコブ大聖堂	クロア	文化	00	55	46 E4
スタリー・グラード平原	クロア	文化	08	58	46 F4
スプリト史跡群とディオクレティアヌス宮殿	クロア	文化	79	20	37 D7
ドゥブロヴニク旧市街	クロア	文化	79/94	57	47 G4
プリトヴィッチェ湖群国立公園	クロア	自然	79/00	54	46 E3
ポレチュ歴史地区のエウフラシウス聖堂建築群	クロア	文化	97	53	46 D3
シュコツィアン洞窟群	スロベ	自然	86	51	46 E3
リュブリャナのヨジェ・プレチニックの作品群 - 人間中心の都市設計	スロベ	文化	21	52	46 E2
水銀の遺産アルマデンとイドリア	スロベ/スペイ	文化	12	⑲	36 E5・D7
ガムジグラード=ロムリアーナ、ガレリウスの宮殿	セルビ	文化	07	28	44 D3
コソボの中世建築群	コソボ	文化	04/06	29	44 C3
スタリ・ラスとソポチャニ	セルビ	文化	79	26	44 C3
ストゥデニツァ修道院	セルビ	文化	86	27	44 C3
イヴァーノヴォの岩窟聖堂	ブルガ	文化	79	36	44 E3
古代都市ネセバル	ブルガ	文化	83	34	44 F3
スヴェシュタリのトラキア人の墓地	ブルガ	文化	85	37	44 F3
スレバルナ自然保護区	ブルガ	自然	83	38	44 F2
トラキア人の墓地	ブルガ	文化	79	33	44 E3
ピリン国立公園	ブルガ	自然	83/10	32	45 D4
ボヤナ聖堂	ブルガ	文化	79	30	44 D3
マダラの騎士像	ブルガ	文化	79	35	44 F3
リラ修道院	ブルガ	文化	83	31	45 D3
ヴィシュグラードのメフメト・パシャ・ソコロヴィッチ橋	ボスニ	文化	07	60	46 G4
モスタル旧市街のスタリモスト地区	ボスニ	文化	05	59	46 F4
中世の墓碑ステチツィ	ボスニ・クロア・モンテ・セルビ	文化	16	61	46 F4
コトルの自然と文化・歴史地域	モンテ	文化	79	24	44 B3
ドゥルミトル国立公園	モンテ	自然	80/05	25	44 B3
オラシュティエ山脈のダキア人要塞	ルーマ	文化	99	41	44 D2
シギショアラ歴史地区	ルーマ	文化	99	43	44 E1
ドナウ・デルタ	ルーマ	自然	91	39	44 G2
ビエルタンと要塞聖堂	ルーマ	文化	93/99	42	44 E1
ホレズ修道院	ルーマ	文化	93	40	44 E2
マラムレシュ地方の木造聖堂	ルーマ	文化	99	45	44 E1
モルドヴァ地方の聖堂群	ルーマ	文化	93/10	44	44 E1
ロシア・モンタナの鉱山の景観	ルーマ	文化	20	46	44 D1

ヨーロッパ北部

名称	国	区分	登録年	No.	地図
ヴァトナヨークトル国立公園-炎と氷が躍動する自然	アイス	自然	19	35	50 I7
シンクヴェトリル国立公園	アイス	文化	04	33	50 H7
スルツェイ	アイス	自然	08	34	50 H7
タリン	エスト	文化	97	36	51 E4
ヴァールベリの無線通信所	スウェ	文化	04	25	51 C4
エーランド島南部の農業景観	スウェ	文化	00	21	51 D4
エンゲルスバーリの製鉄所	スウェ	文化	93	18	51 D4
カールスクローナの海軍港	スウェ	文化	98	19	51 D4
ガンメルスタードの教会村	スウェ	文化	96	23	50 E2
スクーグスシュルコゴーデン	スウェ	文化	94	14	51 D4
ターヌムの岩絵	スウェ	文化	94	20	51 C4
ドロットニングホルムの王領地	スウェ	文化	91	15	51 D4
ハンザ同盟都市ヴィスビー	スウェ	文化	95	17	51 D4
ビルカとホーヴゴーデンの遺跡	スウェ	文化	93	16	51 D4
ファールンの大銅山地域	スウェ	文化	01	22	51 D3
ヘルシングランドの装飾農場家屋	スウェ	文化	12	26	51 D3
ラップ人(サーメ)地域	スウェ	複合	96	24	50 D2
ハイ・コースト/クヴァルケン諸島	スウェ・フィン	自然	00/06	32	51 D3・E3
イェリング墳墓ほか	デンマ	文化	94	❶	51 B4
クロンボー城	デンマ	文化	00	❸	51 C4
シェラン島北部のパル・フォルス式狩猟の景観	デンマ	文化	15	❻	51 C4
スティーブンス・クリント	デンマ	自然	14	❹	51 C4
モラヴィア教会の入植地クリスチャンスフェルド	デンマ	文化	15	❺	51 B4
ロスキレ大聖堂	デンマ	文化	95	❷	51 C4
アルタの岩絵	ノルウ	文化	85	❿	50 E2
ヴェガオヤン・ヴェガ群島	ノルウ	文化	04	⓫	50 C2
ウルネスの木造聖堂	ノルウ	文化	79	❽	51 B3
西ノルウェーのフィヨルド群	ノルウ	自然	05	⓬	51 B3
ブリッゲン(ベルゲン)	ノルウ	文化	79	❼	51 B3
リューカンとノトデンの産業遺産	ノルウ	文化	15	⓭	51 B4
レーロースの旧鉱山町	ノルウ	文化	80/10	❾	51 C3
ヴェルラ砕木・板紙工場	フィン	文化	96	28	51 F3
サンマルラハデンマキ埋葬所	フィン	文化	99	30	51 E3
スオメンリンナ要塞	フィン	文化	91	27	51 F3
ペタヤヴェシの古い聖堂	フィン	文化	94	31	51 F3
ラウマの旧市街	フィン	文化	91	29	51 E3
リガ旧市街	ラトビ	文化	97	37	51 E4
ケルナヴェ考古遺跡	リトア	文化	04	39	51 E5
ビリニュスの旧市街	リトア	文化	94	38	51 F5
クルシュー砂州	リトア・ロシア	文化	00	40	51 E4
シュトルーヴェの観測点群	リトア・ロシア・ウクラ・エスト・スウェ・ノルウ・フィン・ベラル・モルド・ラトビ	文化	05	41	51 F4

ロシア・ウクライナ・ベラルーシ

名称	国	区分	登録年	No.	地図
オデーサ歴史地区	ウクラ	文化	23	❼	54 C4
聖ソフィア大聖堂とペチェルス1カヤ大修道院	ウクラ	文化	90	❹	54 B4
タウロイのケルソネソスの古都とそのコーラ	ウクラ	文化	13	❻	54 D4
ブコヴィナとダルマチアの主教座施設	ウクラ	文化	11	❺	54 C3
リヴィウ歴史地区	ウクラ	文化	98	❸	54 C2
ネスヴィシュのラツィヴィル家の文化的複合建築群	ベラル	文化	05	❷	54 B3
ミール城と関連建物	ベラル	文化	00	❶	54 B3
アルタイ山脈	ロシア	自然	98	❼	53 D11
ウラジーミルとスーズダリの白石の建造物	ロシア	文化	92	⓬⓭	55 A6
ウランゲリ島保護区の自然生態系	ロシア	自然	04	⓫	53 B21
オネガ湖と白海の岩面線刻	ロシア	文化	21	⓯⓰	52 C6

メテオラ(ギリシャ)
奇岩の頂きに築かれた修道院

サンクト・ペテルブルク歴史地区(ロシア)
ピョートル大帝の夏の離宮

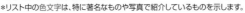

*リスト中の色文字は、特に著名なものや写真で紹介しているものを示します。

世界遺産	国略称	種別	登録年	丸数字	ページ 索引記号
カザン・クレムリンの歴史遺産と建造物	ロシア	文化	00	⑭	55 A7
カムチャツカ火山群	ロシア	自然	96/01	⑩	53 D19
キジ島木造教会	ロシア	文化	90	❸	52 C6
クレムリンと赤の広場	ロシア	文化	90	❽	55 A5
古都デルベントとその要塞	ロシア	文化	03	㉑	30 D3
コミの原生林	ロシア	自然	95	❻	52 C8
コローメンスコエのヴォズネセーニエ聖堂	ロシア	文化	94	⑩	55 A5
サンクト・ペテルブルク歴史地区	ロシア	文化	90	❶	52 D6
シホテ・アリニ山脈中央部	ロシア	自然	01	❾	53 E16
スヴィヤシュスク島の聖母被昇天大聖堂と修道院	ロシア	文化	17	⑱	55 A7
ソロヴェツキー諸島の文化・歴史的建造物	ロシア	文化	92	❺	52 C6
トロイツェ・セルギエフ大修道院の造物群	ロシア	文化	93	⑪	55 A5
西カフカス山脈	ロシア	自然	99	⑮	53 D6
ノヴォデヴィチ修道院の建築物群	ロシア	文化	04	❾	55 A5
ノヴゴロドの歴史的建造物群	ロシア	文化	92	❷	52 D6
バイカル湖	ロシア	自然	96	❽	53 D13
フェラポントフ修道院群	ロシア	文化	00	❹	52 D6
プスコフ建築派の教会群	ロシア	文化	19	⑭	52 D6
プトラナ高原	ロシア	自然	10	⑫	53 C12
ボルガルの史跡・考古遺産群	ロシア	文化	14	⑰	55 B7
ヤロスラーヴリの歴史地区	ロシア	文化	05	⑯	55 A5
レナ・ピラーズ自然公園	ロシア	自然	12	⑬	53 C15

●アフリカの世界遺産●

世界遺産	国略称	種別	登録年	丸数字	ページ	索引記号

アフリカ北部

世界遺産	国略称	種別	登録年	丸数字	ページ 索引記号
アルジェのカスバ	アルジ	文化	92	58	49 D7
ジェミラ	アルジ	文化	82	60	49 D8
タッシリ・ナジェールの岩絵	アルジ	複合	82	⑱	56 D3
ティパサ	アルジ	文化	82	57	49 D7
ティムガッド	アルジ	文化	82	⑯	56 D2
ムザブの谷	アルジ	文化	82	⑰	56 D2
要塞都市ベニ・ハマッド	アルジ	文化	80		49 E8
アブ・シンベルからフィラエまでのヌビア遺跡群	エジプ	文化	79	64 65	26 E4
アブ・メナ	エジプ	文化	79	62	26 C3
イスラム都市カイロ	エジプ	文化	79	35	28 D1
古代都市テーベ	エジプ	文化	79	63	26 D4
聖女カタリナの歴史地区	エジプ	文化	02	34	28 E2
メンフィス周辺のピラミッド地帯	エジプ	文化	79	36	28 E1
ワディ・アル・ヒタン（クジラの谷）	エジプ	自然	05	66	26 D4
ガラホナイ国立公園	スペイ	自然	86	❺	56 B3
サン・クリストバル・デ・ラ・ラグナ	スペイ	文化	99	❹	56 B3
テイデ国立公園	スペイ	自然	07	❻	56 B3
リスコ・カイドとグラン・カナリア島の聖なる山々の文化的景観	スペイ	文化	19	❼	56 B3
イシュケウル国立公園	チュニ	自然	80	65	47 B7
カイルワン	チュニ	文化	88	68	47 C8
カルタゴ遺跡	チュニ	文化	79	63	47 C7
ケルクアンの古代カルタゴの町など	チュニ	文化	85/86	62	47 C7
ジェムの円形闘技場	チュニ	文化	79	69	47 C8
スース旧市街	チュニ	文化	88	67	47 C8
チュニス旧市街	チュニ	文化	79	64	47 C7
ドゥッガ	チュニ	文化	97	66	47 B7
アングラ・ド・エロイズモの町	ポルト	文化	83	❶	56 A2
マデイラのラウリシルヴァ	ポルト	自然	99	❸	56 B2
アイト・ベン・ハッドゥの集落	モロコ	文化	87	⑬	56 C2
ヴォルビリス遺跡	モロコ	文化	97	❾	56 C2
エッサウィラのメディナ	モロコ	文化	01	⑪	56 C2
古都メクネス	モロコ	文化	96	⑩	56 C2
テトゥアン旧市街	モロコ	文化	97	56	48 E3
フェス旧市街	モロコ	文化	81	❽	56 C2
マサガン（アルジャディーダ）の旧ポルトガル街区	モロコ	文化	04	⑭	56 C2
マラケシュ旧市街	モロコ	文化	85	⑫	56 C2
ラバト、現代の首都と歴史都市	モロコ	文化	12	⑮	56 C2
ガダミス旧市街	リビア	文化	86	㉑	56 D2
キュレーネの遺跡	リビア	文化	82	㉓	56 F2
サブラタの遺跡	リビア	文化	82	⑲	56 E2
タドラット・アカクスの岩絵	リビア	文化	85	㉒	56 E3
レプティス・マグナの遺跡	リビア	文化	82	⑳	56 E2

アフリカ西南部

世界遺産	国略称	種別	登録年	丸数字	ページ 索引記号
アシャンティの伝統的建築物群	ガーナ	文化	80	46	57 B11
ガーナのギニア湾岸の要塞群	ガーナ	文化	79	47	57 B11
シダーデ・ヴェリャ、リベイラ・グランデの歴史都市	カーボ	文化	09	82	56 A4
イビンド国立公園	ガボン	自然	21	61	57 D11
ロペ＝オカンダの生態系と残存する文化的景観	ガボン	複合	07	60	56 E6
ジャー野生動物保護区	カメル	自然	87	58	57 D11
クンタキンテ島と関連遺産	ガンビ	文化	03	35	57 A10
ニンバ山厳正自然保護区	ギニアコジ	自然	81/82	41	57 B11
グラン・バッサムの歴史都市	コトジ	文化	12	44	57 B11
コートジボワール北部のスーダン式モスク群	コトジ	文化	21	45	57 B10
コモエ国立公園	コトジ	自然	83	43	57 B11
タイ国立公園	コトジ	自然	82	42	57 B11
サンガ川	コン共他	自然	12	51	57 D11
ゴレ島	セネガ	文化	78	31	57 A10
サルーム・デルタ	セネガ	文化	11	33	57 A10
サン・ルイ島	セネガ	文化	00	30	57 A10
ジュッジ国立鳥類保護区	セネガ	自然	81	29	57 A10
ニオコロ・コバ国立公園	セネガ	自然	81	32	57 A10
セネガンビアのストーンサークル	セネガンビ	文化	06	36	57 A10
バサリ地方、バサリ、フラ、ベディックの文化的景観	セネガ	文化	12	34	57 A10
ウニアンガ湖	チャド	自然	12	49	56 F4
エネディ山塊：自然と文化的景観	チャド	複合	16	50	56 F4
サン・フローリス国立公園	中アフ	自然	88	59	56 F5
バタマリバ族の地　コウタマコウ	トーゴ	文化	04	48	57 C11
オシュン・オショグボの聖なる森	ナイジ	文化	05	57	57 C11
スクルの文化的景観	ナイジ	文化	99	56	57 D10
アイルとテネレの自然保護区	ニジェ	自然	91	54	56 D4
アガデス歴史地区	ニジェ	文化	13	55	56 D4
ニジェールのW国立公園	ニジェ	自然	96	53	57 C10
ブルキナファソの古代鉄冶金遺跡群	ブルキ	文化	19	84	57 B10
ロロペニの遺跡	ブルキ	文化	09	83	57 B10
アボメイの王宮	ベナン	文化	85	52	57 C11
アスキアの墓	マリ	文化	04	40	56 C4
ジェンネ旧市街	マリ	文化	88	38	57 B10
トンブクトゥ	マリ	文化	88	37	56 C4
バンディアガラの断崖	マリ	複合	89	39	57 B10
アルガン礁国立公園	モリタ	自然	89	24	56 B3
モーリタニア内陸部の古代集落（ワダヌ、シンゲッティ、ティシット、ワラタ）	モリタ	文化	96	25～28	56 B3・C4

アフリカ東部

世界遺産	国略称	種別	登録年	丸数字	ページ 索引記号
ブウィンディ原生国立公園	ウガン	自然	94	21	59 B5
ブガンダ王国歴代国王の墓	ウガン	文化	01	19	59 C4
ルウェンゾリ山地国立公園	ウガン	自然	94	20	59 B4
アクスムの考古遺跡	エチオ	文化	80	❶	58 D2
アワシュ川下流域	エチオ	文化	80	❼	58 E2
オモ川下流域	エチオ	文化	80	❺	58 D3
コンソの文化的景観	エチオ	文化	11	❾	58 D3
ゴンダルの王宮と聖堂群	エチオ	文化	79	❸	58 D2
シミエン国立公園	エチオ	自然	78	❷	58 D2
ティヤの石碑群	エチオ	文化	80	❻	58 D3
要塞都市ハラル・ジュゴル	エチオ	文化	06	❽	58 E3
ラリベラの岩の教会群	エチオ	文化	78	❹	58 D2
アスマラ：アフリカの近代都市	エリト	文化	17	⑩	58 D1
ケニア山国立公園	ケニア	自然	97/13	⑬	59 D5
ケニア大地溝帯の湖沼群の生態系	ケニア	自然	11	⑯	59 D4
ティムリカ・オヒンガ考古遺跡	ケニア	文化	18	⑱	59 C5
トゥルカナ湖国立公園	ケニア	自然	97/01	⑪⑫	58 D4
ミジケンダの聖なるカヤの森林	ケニア	文化	08	⑮	59 D5
モンバサのジーザス城塞	ケニア	文化	11	⑰	59 D5

世界遺産	国略称	種別	登録年	丸数字	ページ	索引記号
ラム旧市街	ケニア	文化	01	⑭	59	E5
ゲベル・バルカルのヌビア遺跡とナパタ地区	スダン	文化	03	㊸	58	C1
サンガネブ海洋国立公園とドンゴナーブ湾 -ムッカワル島海洋国立公園	スダン	自然	16	㉖	26	E5
メロエ島の考古遺跡群	スダン	文化	11	㊹	58	C1
キリマンジャロ国立公園	タンザ	自然	87	㉘	59	D5
キルワ・キシワニとソンゴ・ムナラ	タンザ	文化	81	㉛	59	D6
コンドアの岩壁画	タンザ	文化	06	㉜	59	D5
ザンジバル島のストーン・タウン	タンザ	文化	00	㉙	59	D6
セルース・ゲーム・リザーブ	タンザ	自然	82	㉚	59	D6
セレンゲティ国立公園	タンザ	自然	81	㉖	59	C5
ンゴロンゴロ保全地域	タンザ	複合	79/10	㉗	59	D5
モザンビーク島	モザン	文化	91	㉝	59	E8
ヴィルンガ国立公園	コン民	自然	79	㉔	59	B4
オカビ野生生物保護区	コン民	自然	96	㉓	59	B4

アフリカ南部など

世界遺産	国略称	種別	登録年	丸数字	ページ	索引記号
ンバンザ・コンゴ、旧コンゴ王国首都の痕跡	アゴラ	文化	17	86	57	E6
ゴフ島野生動物保護区	イギリ	自然	95/04	①	6	H2
カフジ・ビエガ国立公園	コン民	自然	80	㉕	59	B5
ガランバ国立公園	コン民	自然	80	㉒	58	B4
サロンガ国立公園	コン民	自然	84	62	56	F6
ヴィクトリアの滝	ザンビ・ジンバ	自然	89	㊱	59	B8
カミ遺跡	ジンバ	文化	86	65	57	F8
グレート・ジンバブエ遺跡	ジンバ	文化	86	66	57	G8
マトボ丘陵	ジンバ	文化	03	67	57	F8
マナ・プールズ国立公園	ジンバ	自然	84	㊲	59	B8
アルダブラ環礁	セーシ	自然	82	㊶	59	F6
メイ渓谷自然保護区	セーシ	自然	83	㊷	59	H5
トゥウェイフルフォンテーン	ナミビ	文化	07	68	57	E8
ナミブ砂海	ナミビ	自然	13	69	57	E8
オカヴァンゴ・デルタ	ボツワ	自然	14	64	57	F7
ツォディロ	ボツワ	文化	01	63	57	F7
アツィナナナの雨林	マダガ	自然	07	㊵	59	F7
アンブヒマンガの丘の王領地	マダガ	文化	01	㊴	59	E8
ツィンギ・ド・ベマラハ自然保護地域	マダガ	自然	90	㊳	59	E8
チョンゴニの岩壁画	マラウ	文化	06	㉟	59	C7
マラウイ湖国立公園	マラウ	自然	84	㉞	59	C7
イシマンガリソ湿地公園	南アフ	自然	99	71	57	G8
ケープ植物区保護地域	南アフ	自然	04	74	57	F9
コマニの文化的景観	南アフ	文化	17	77	57	F9
スタークフォンテインなど	南アフ	文化	99/05	70	57	F8
バーバートン・マコンジュワ山脈	南アフ	自然	18	78	57	G8
フレデフォート・ドーム	南アフ	自然	05	75	57	F8
マプングブウェの文化的景観	南アフ	文化	03	73	57	F8
リヒタスフェルトの文化的及び植生景観	南アフ	文化	07	76	57	E8
ロベン島	南アフ	文化	99	72	57	E9
マロティ=ドラケンスバーグ公園	南アフ・レソト	複合	00	79	57	F8
アブラバシ・ガート	モリシ	文化	06	80	57	I8
ル・モーンの文化的景観	モリシ	文化	08	81	57	I8
レユニオン島の火山地形	レユニ	自然	10	85	57	I8

●アメリカの世界遺産●

世界遺産	国略称	種別	登録年	丸数字	ページ	索引記号

北アメリカ

世界遺産	国略称	種別	登録年	丸数字	ページ	索引記号
イエローストーン	合衆国	自然	78	⑩	66	D3
エヴァーグレーズ国立公園	合衆国	自然	79	⑨	65	C5
オリンピック国立公園	合衆国	自然	81	⑨	66	B2
カールスバッド洞穴国立公園	合衆国	自然	95	⑥	62	E7
カホキア墳丘州立史跡	合衆国	文化	82	⑤	63	D9
グランド・キャニオン	合衆国	自然	79	⑬	67	D4
グレート・スモーキー山脈国立公園	合衆国	自然	83	⑧	65	C3
サン・アントニオ・ミッションズ	合衆国	文化	15	⑧	63	F8
自由の女神像	合衆国	文化	84	④	64	E2

＊リスト中の色文字は、特に著名なものや写真で紹介しているものを示します。

世界遺産	国略称	種別	登録年	丸数字	ページ	索引記号
チャコ文化国立歴史公園	合衆国	文化	87	⑮	67	E4
独立記念館	合衆国	文化	79	⑤	64	D3
ハワイ火山国立公園	合衆国	自然	87	①	60	H6
プエブロ・デ・タオス	合衆国	文化	92	⑯	67	E4
フランク・ロイド・ライトの20世紀建築群	合衆国	文化	19	⑨	62·63	C10·12·13/E4·5
ポヴァティ・ポイントの土構造物群	合衆国	文化	14	⑦	63	E9
マンモスケーヴ国立公園	合衆国	自然	81	⑦	65	B3
メサ・ヴェルデ国立公園	合衆国	文化	78	⑭	67	E4
モンティセロとヴァージニア大学	合衆国	文化	87	⑥	65	D3
ヨセミテ国立公園	合衆国	自然	84	⑫	67	C4
レッドウッド国立公園	合衆国	自然	80	⑪	67	B3
アラスカ・カナダ国境地帯の山岳公園群	合衆国/カナダ	自然	79/92/94	②·④	60	C7·C8·D8
アンソニー島	カナダ	文化	81	⑦	60	D8
ウッド・バッファロー国立公園	カナダ	自然	83	⑥	61	D10
カナディアン・ロッキー山岳公園群 （うち1ジャスパー国立公園、2バンフ国立公園）	カナダ	自然	84/91	①～④	66	C1
グラン・プレの景観	カナダ	文化	12	⑧	63	B15
グロス・モーン国立公園	カナダ	自然	87	⑧	61	E16
ケベック歴史地区	カナダ	文化	85	❷	64	E1
ジョギンズの化石断崖	カナダ	自然	08	❸	63	B15
ダイナソール州立公園	カナダ	自然	79	⑤	66	D1
ナハニ国立公園	カナダ	自然	78	⑤	60	C9
ピマチオウィン・アキ	カナダ	複合	18	⑫	61	D12
ヘッド・スマッシュト・イン・バッファロー・ジャンプ	カナダ	文化	81	⑥	66	D2
ミグアシャ公園	カナダ	自然	99	❶	64	F1
ミステイクン・ポイント	カナダ	自然	16	⑪	61	E16
ライティング・オン・ストーン州立公園／アイシナイピ	カナダ	文化	19	⑦	66	D2
ランス・オ・メドー国立歴史公園	カナダ	文化	78	⑨	61	D16
リドー運河	カナダ	文化	07	❸	64	D1
ルーネンバーグ旧市街	カナダ	文化	95	❷	63	C15
レッド・ベイのバスク人捕鯨基地	カナダ	文化	13	⑩	61	C16
ウォータートン・グレイシャー国際平和公園	カナダ/合衆国	自然	95	⑧	66	D2
アーシヴィスイト・ニビサット	デンマ	自然	18	⑮	61	C16
イルリサット・フィヨルド	デンマ	自然	04	⑬	61	C16
クヤータ・グリーンランド： 氷帽周縁部のノース人とイヌイットの農業景観	デンマ	文化	17	⑭	61	C17
バミューダ島セント・ジョージ	バミュ	文化	00	①	63	E15
エル・ヴィスカイノの鯨保護区	メキシ	自然	93	⑩	62	F5
オアハカの中部渓谷にある ヤグルとミトラの有史以前の洞窟	メキシ	文化	10	㉝	63	H8
オアハカ歴史地区など	メキシ	文化	87	㉕	62	H8
オオカバマダラ生物圏保護区	メキシ	自然	08	㉛	62	H7
カサス・グランデス	メキシ	文化	98	⑰	67	E5
カバーニャス孤児院	メキシ	文化	97	⑬	62	G7
カミーノレアル・デ・ティエラアデントロ	メキシ	文化	10	㉜	62	H8
カラクルムの古代マヤ遺跡地区	メキシ	複合	02/14	⑥	68	C3
カリフォルニア湾の島々と保護地域	メキシ	自然	05	㉗	62	F5
カンペチェ歴史的要塞都市	メキシ	文化	99	❷	68	C2
ケレタロのゴルダ山脈にあるフランチェスコ会伝道施設	メキシ	文化	03	㉖	62	G8
ケレタロの歴史的文化財地帯	メキシ	文化	96	⑯	62	G7
古代都市ウシュマル	メキシ	文化	96	❸	68	B3
古代都市エル・タヒン	メキシ	文化	92	㉓	63	G8
古代都市チチェン・イツァ	メキシ	文化	88	④	68	B3
古代都市テオティワカン	メキシ	文化	87	⑰	63	H8
古代都市パレンケと国立公園	メキシ	文化	87	①	68	C2
古都グアナフアトと鉱山群	メキシ	文化	88	⑭	62	G7
サカテカス歴史地区	メキシ	文化	93	⑫	62	G7
サンフランシスコ山地の岩絵	メキシ	自然	93	⑪	62	F5
サン・ミゲルの要塞都市とアトトニルコの聖地	メキシ	文化	08	㉚	62	G7
シアン・カアン	メキシ	自然	87	⑤	68	C3
ソチカルコの古代遺跡地区	メキシ	文化	99	⑳	62	H8
テワカン=クイカトラン渓谷	メキシ	複合	18	㊱	63	H8
トラコタルパンの歴史的建造物	メキシ	文化	98	㉔	63	H8
パドレ・テンブレケ水道橋の水利システム	メキシ	文化	15	㉞	63	H8

名称	国	区分	登録年	No.	地図
ピナカテ、グラン・デシエルト・デ・アルターレ生物保護区	メキシ	自然	13	⑱	67 D5
プエブラ歴史地区	メキシ	文化	87	㉒	63 H8
ポポカテペトル山腹の修道院	メキシ	文化	94	㉑	63 H8
メキシコ国立自然大学の中央大学都市キャンパス	メキシ	文化	07	㉙	62 H8
メキシコ・シティ歴史地区など	メキシ	文化	87	⑱	62 H8
モレリア歴史地区	メキシ	文化	91	⑮	62 H7
竜舌蘭植生地と旧テキーラ蒸留工場	メキシ	文化	06	㉘	62 G7
ルイス・バラガンの自邸とアトリエ	メキシ	文化	04	⑲	62 H8
レビジャヒヘド諸島	メキシ	自然	16	㉟	62 H5

中央アメリカ

名称	国	区分	登録年	No.	地図
ホヤ・デ・セレン遺跡	エルサ	文化	93	⑬	68 D3
アレハンドロ・デ・フンボルト国立公園	キュバ	自然	01	㉚	69 B5
オールド・ハバナなど	キュバ	文化	82	㉕	68 B4
カマグエイの歴史地区	キュバ	文化	08	㉜	69 B5
キューバ南東部のコーヒー農園発祥地	キュバ	文化	00	㉙	69 B5
グランマ号上陸記念国立公園	キュバ	自然	99	㉗	69 C5
サン・ペドロ・デ・ラ・ロカ城塞	キュバ	文化	97	㉘	69 B5
シエンフエゴスの都市歴史地区	キュバ	文化	05	㉛	68 B4
トリニダーなど	キュバ	文化	88	㉖	69 B5
ビニャーレス渓谷	キュバ	文化	99	㉔	68 B4
ウィレムスタットの歴史地区	キュラ	文化	97	㊶	69 D7
アンティグア・グアテマラ	グアテ	文化	79	⑨	68 D2
キリグアの遺跡公園と遺跡	グアテ	文化	81	⑧	68 C3
ティカル国立公園	グアテ	複合	79	⑦	68 C3
グアナカステ保護地区	コスタ	自然	99/04	⑯	68 D3
ココ島国立公園	コスタ	自然	97/02	①	70 B3
石球をともなう先コロンブス期ディキス地域首長制集落群	コスタ	文化	14	⑰	68 E4
タラマンカ地方の保護区など	コスタ･パナマ	自然	83/90	⑱	68 E4
ブルー・アンド・ジョン・クロウ・マウンテンズ	ジャマ	複合	15	㉝	69 C5
サント・ドミンゴの植民都市	ドミ共	文化	90	㉟	69 C7
モゥーン・トワ・ピトン国立公園	ドミニ	自然	97	㊴	69 C8
レオン旧市街	ニカラ	文化	00	⑭	68 D3
レオン大聖堂	ニカラ	文化	11	⑮	68 D3
ブリムストーン・ヒル要塞	ネヴィ	文化	99	㊳	69 C8
シタデル、サン・スーシなど	ハイチ	文化	82	㉞	68 C6
コイバ国立公園および特別保護海域	パナマ	自然	05	㉓	68 E4
ダリエン国立公園	パナマ	自然	81	㉒	69 E5
パナマ歴史地区など	パナマ	文化	97/03	㉑	69 E5
ポルト・ベロとサン・ロレンソ	パナマ	文化	80	⑲⑳	69 E5
アンティグア海軍造船所と関連遺跡群	バブダ	文化	16	㊲	69 C8
ブリッジタウン歴史地区とその要塞	バルバ	文化	11	㊽	69 D9
サン・フアン歴史地区	プエル	文化	83	㊱	69 C7
ベリーズ・バリア・リーフ	ベリズ	自然	96	⑩	68 C3
コパンのマヤ遺跡	ホンジ	文化	80	⑪	68 D3
リオ・プラターノ生物保護区	ホンジ	文化	82	⑫	68 C4
ピトン管理地域	ルシア	自然	04	㊵	69 D8

南アメリカ

名称	国	区分	登録年	No.	地図
イグアス国立公園	アゼチ*	自然	84	㉝	71 E6
イスチグアラスト州立公園など	アゼチ	自然	00	㉞	71 D7
ウマウアカ渓谷	アゼチ	文化	03	㊴	71 D6
コルドバのイエズス教会群など	アゼチ	文化	00	㉟	71 D7
バルデス半島	アゼチ	自然	99	㊱	71 D8
ラス・マノス洞窟の壁画	アゼチ	自然	99	㊲	71 C8
ロス・アレルセス国立公園	アゼチ	自然	17	㊵	71 C8
ロス・グラシアレス	アゼチ	自然	81	㊳	71 C9
グアラニーのイエズス会伝道施設	アゼチ･ブラジ	文化	83/84	㉛㉜	71 E6
ル・コルビュジエの建築作品-近代建築運動への顕著な貢献	アゼチ・フラン・ベルギ・スイス ドイツ・インド・日本	文化	16	(55)	71 E7
カパック・ニャン―アンデスの道路網	アゼチ他	文化	14	(54)	70 C4
技師エラディオ・ディエステの作品：アトランティダの聖堂	ウルグ	文化	20	㊺	71 E7
コロニア・デル・サクラメント歴史地区	ウルグ	文化	95	㊸	71 E7
フライ・ベントスの産業と文化的景観	ウルグ	文化	15	㊹	71 E7

*ブラジルも「イグアス国立公園」として1986年に自然遺産の登録をしている。

名称	国	区分	登録年	No.	地図
ガラパゴス諸島	エクア	自然	78/01	⑦	70 A4
キト市街	エクア	文化	78	①	72 B2
クエンカの歴史地区	エクア	文化	99	③	72 B2
サンガイ国立公園	エクア	自然	83	②	72 B2
カルタヘナの港、要塞	コロン	文化	84	㊸	69 D5
コロンビアのコーヒー生産の歴史的景観	コロン	文化	11	⑤	70 C3
サン・アグスティン遺跡公園	コロン	文化	95	③	70 C3
チリビケテ国立公園	コロン	複合	18	⑥	70 C3
ティエラデントロ国立遺跡公園	コロン	文化	95	②	70 C3
マルベロ島動植物保護区	コロン	自然	06	④	70 B3
モンポスの歴史地区	コロン	文化	95	㊹	69 E6
ロス・カティオス国立公園	コロン	自然	94	㊷	69 E5
中部スリナム自然保護区	スリナ	自然	00	⑨	70 E3
パラマリボ歴史都市	スリナ	文化	02	⑧	70 E3
アリカ・イ・パリナコータ州のチンチョーロ文化の集落と人工ミイラ製法	チリ	文化	21	⑱	73 C5
スウェル鉱山街	チリ	文化	06	(53)	71 C7
チロエの教会群	チリ	文化	00	(50)	71 C8
ハンバーストーンとサンタ・ラウラ硝石工場	チリ	文化	05	(52)	71 D6
港町バルパライソの歴史地区	チリ	文化	03	(51)	71 C7
ラパ・ヌイ国立公園	チリ	文化	95	④	33 G16
パラナ川流域のイエズス会伝道施設	パラグ	文化	93	㊶㊷	71 E6
ヴァロンゴ埠頭の考古遺跡	ブラジ	文化	17	㉘	71 F6
オウロ・プレット歴史地区	ブラジ	文化	80	㉒	71 F6
オリンダ歴史地区	ブラジ	文化	82	⑬	70 G4
ゴイアス歴史地区	ブラジ	文化	01	⑱	71 E5
コンゴーニャスのボン・ジェズス聖域	ブラジ	文化	85	㉓	71 F6
サウス・イースト森林保護区	ブラジ	自然	99	㉔	71 F6
サルヴァドール歴史地区	ブラジ	文化	85	⑭	71 G5
サンクリストヴァンのサンフランシスコ広場	ブラジ	文化	10	㉕	71 G5
サン・ルイス歴史地区	ブラジ	文化	97	⑪	70 F4
セラード自然保護地域(ヴェロデイロス平原とエマス国立公園)	ブラジ	自然	01	⑮⑯	71 F5・E5
セラ・ダ・カピバラ国立公園	ブラジ	文化	91	⑫	70 F4
中央アマゾン自然保護区	ブラジ	自然	00/03	⑩	70 D4
ディアマンティナ歴史地区	ブラジ	文化	99	⑳	71 F5
ディスカバリー・コースト森林保護区	ブラジ	自然	99	⑪	71 G5
パラチーとグランデ島-文化と生物多様性	ブラジ	複合	19	㉙	71 F6
パンタナル自然保護区	ブラジ	自然	00	⑲	71 E5
パンプーリャの近代建築群	ブラジ	文化	16	㉗	71 F5
ブラジリア	ブラジ	文化	87	⑰	71 F5
ブラジルの大西洋諸島	ブラジ	自然	01	⑨	7 F19
リオ・デ・ジャネイロ、山と海のカリオカの景観	ブラジ	文化	12	㉖	71 F6
ロバート・ブール・マルクスの庭園	ブラジ	文化	20	㉚	71 F6
カナイマ国立公園	ベネズ	自然	94	㊷	69 E8
カラカスの大学都市	ベネズ	文化	00	㊶	69 D7
コロとその港	ベネズ	文化	93	㊺	69 D7
アレキパ市の歴史地区	ペルー	文化	00	⑬	73 C5
クスコ市街	ペルー	文化	83	⑪	73 C4
聖地カラル・スーペ	ペルー	文化	09	⑭	73 B4
チャビン遺跡	ペルー	文化	85	⑦	73 B3
チャンキーヨ天文考古学遺産群	ペルー	文化	20	⑮	73 B3
チャンチャン遺跡地帯	ペルー	文化	86	④	72 B3
ナスカとフマナの地上絵	ペルー	文化	94	⑫	73 B4
マチュピチュ	ペルー	複合	83	⑩	73 C4
マヌー国立公園	ペルー	自然	87	⑨	73 C4
リオ・アビセオ国立公園	ペルー	複合	90	⑤	72 B3
リマ歴史地区	ペルー	文化	88/91	⑧	73 B4
ワスカラン国立公園	ペルー	自然	85	⑥	73 B3
サマイパタの要塞	ボリビ	文化	98	㊾	71 D5
スクレ歴史地区	ボリビ	文化	91	⑯	73 D5
チキトスのイエズス会伝道所	ボリビ	文化	90	㊽	71 D5
ティワナク	ボリビ	文化	00	㊻	71 D5
ノエル・ケンプ・メルカード国立公園	ボリビ	自然	00	㊼	71 D5
ポトシ	ボリビ	文化	87	⑰	73 D5

国連や経済機構など、国際政治に関係する機関の所在地と、
地域紛争に関係した地名をまとめています。

国連関係機関　その他のおもな経済関係機関、地域機構

●国際機関●　国際機関・機構などの本部や事務局がある都市

都市名(所在地)	国略称	機関名 アルファベットは略称	ページ	索引記号
ア				
アスタナ	カザフ	国際科学技術センター ISTC	8	B7
アディス・アベバ	エチオ	**アフリカ連合 AU**	56	G5
		国連アフリカ経済委員会 ECA		
アビジャン	コトジ	アフリカ開発銀行 AfDB	56	C5
アブジャ	ナイジ	西アフリカ諸国経済共同体 ECOWAS	56	D5
アンマン	ヨルダ	**国連パレスチナ難民救済事業機関 UNRWA**	8	D3
ウィーン	オスリ	欧州安全保障協力機構 OSCE		
		国際原子力機関 IAEA 国連工業開発機関 UNIDO	36	D7
		石油輸出国機構 OPEC		
カ				
カイロ	エジプ	**アラブ連盟**	56	G2
ガザ	パレス	**国連パレスチナ難民救済事業機関 UNRWA**	28	D3
キャンベラ	オスラ	みなみまぐろ保存委員会 CCSBT	32	H5
クウェート	クウェ	**アラブ石油輸出国機構 OAPEC**	8	E4
ケンブリッジ	イギリ	**国際捕鯨委員会 IWC**	38	G5
サ				
サンサルバドル	エルサ	中米統合機構 SICA	68	D3
サンティアゴ	チリ	国連ラテンアメリカ・カリブ経済委員会 ECLAC	70	C7
ジッダ	サウジ	イスラム協力機構 OIC	8	E3
ジャカルタ	イドネ	**東南アジア諸国連合 ASEAN**	8	H10
ジュネーヴ	スイス	欧州自由貿易連合 EFTA 国際移住機関 IOM	36	D6
		国際赤十字・赤新月社連盟 IFRC **世界貿易機関 WTO**		
		赤十字国際委員会 ICRC 国際電気通信連合 ITU		
		国際労働機関 ILO 国際標準化機構 ISO		
		国連人道問題調整事務所 OCHA		
		国連難民高等弁務官事務所 UNHCR		
		国連人権高等弁務官事務所 OHCHR		
		国連貿易開発会議 UNCTAD		
		世界気象機関 WMO		
		世界知的所有権機関 WIPO **世界保健機関 WHO**		
ジョージタウン	ガイア	カリブ共同体 CARICOM	70	E3
シンガポール	シンガ	**アジア太平洋経済協力 APEC**	8	G10
スバ	フィジ	太平洋諸島フォーラム PIF	32	F8
タ				
チューリヒ	スイス	**国際サッカー連盟 FIFA**	36	D6
東京	日本	**国連大学 UNU**	10	C6
		北太平洋漁業委員会 NPFC		
トゥーン	スイス	国際スキー連盟 FIS	36	D6

都市名(所在地)	国略称	機関名	ページ	索引記号
ナ				
ナイロビ	ケニア	**国連環境計画 UNEP**	56	G6
ニューヨーク	合衆国	**国際連合本部 UN** 国連開発計画 UNDP	60	E14
		国連人口基金 UNFPA		
		国連児童基金(ユニセフ)UNICEF		
ヌーメア	カレド	南太平洋委員会 SPC	32	G7
ハ				
ハーグ	オラン	化学兵器禁止機関 OPCW	36	C6
		国際司法裁判所 ICJ		
バーゼル	スイス	国際決済銀行 BIS	36	D6
パリ	フラン	**経済協力開発機構 OECD**	36	D6
		国際人権連盟 ILHR		
		国連教育科学文化機関(ユネスコ) UNESCO		
		博覧会国際事務局 BIE		
バンコク	タイ	国連アジア太平洋経済社会委員会 ESCAP	8	F10
ビクトリア	セーシ	インド洋まぐろ類委員会 IOTC	56	I6
プラハ	チェコ	国際ジャーナリスト機構 IOJ	36	C7
ブリュッセル	ベルギ	**欧州連合 EU 北大西洋条約機構 NATO**	36	C6
		国際ジャーナリスト連盟 IFJ 国際労働組合総連合 ITUC		
ベイルート	レバノ	国連西アジア経済社会委員会 ESCWA	8	D3
ベルン	スイス	万国郵便連合 UPU	36	D6
ポート・オブ・スペイン	トバゴ	カリブ諸国連合 ACS	68	D8
マ				
マドリード	スペイ	世界観光機関 UNWTO	36	D5
		大西洋まぐろ類保存国際委員会 ICCAT		
マニラ	フリピ	アジア開発銀行 ADB	8	F12
モナコ	モナコ	国際水路機関 IHO ワールドアスレティックス WA	40	F8
モントリオール	カナダ	国際航空運送協会 IATA 国際民間航空機関 ICAO	60	E14
ラ・ワ				
リヤド	サウジ	湾岸協力会議 GCC	8	E4
リヨン	フラン	**国際刑事警察機構 ICPO**	36	D6
ローザンヌ	スイス	**国際オリンピック委員会 IOC**		
		国際水泳連盟 FINA	40	D8
		国際バレーボール連盟 FIVB		
ローマ	イタリ	**国連食糧農業機関 FAO**	36	D7
ロンドン	イギリ	**国際アムネスティ AI 国際海事機関 IMO**	36	C5
		国際コーヒー機関 ICO		
		国際消費者機構 CI 国際ペンクラブ		
		国際砂糖機関 ISO		
		国際穀物理事会 IGC		
ワシントンD.C.	合衆国	**国際通貨基金 IMF** 米州機構 OAS	60	F14
		国際電気通信衛星機構 ITSO 国際復興開発銀行 IBRD		

国連本部(アメリカ合衆国、ニューヨーク)
マンハッタン島の
イーストリバー河畔にある

ジュネーヴ(スイス) 数多くの国連関係機関が
おかれる。写真はレマン湖の大噴水と旧市街

パリ(フランス) 世界遺産を認定する
ユネスコがおかれる。写真はエッフェル塔

*リスト中の色文字は、特に著名なものや写真で紹介しているものを示します。

ブリュッセル（ベルギー）
歴史ある経済都市で、EUの拠点が
設けられている

ワシントンD.C.（アメリカ合衆国）
合衆国の動向は、国際政治を大きく左右
させる。大統領府のホワイトハウス

●紛争地域など● 第2次大戦以降のおもな紛争地域や関係地名

地域の色	● アジア	● オセアニア	● ヨーロッパ・ロシア	● アフリカ	● アメリカ

紛争名・組織名など	地域	国略称	地 名 （）は関係国・地域	ページ	索引記号
ア					
ISIL（イスラム国）	●		ラッカ（シリア）、モスル（イラク）	27	B5
アチェ独立運動	●	イドネ	ナングロ・アチェ州	18	C2
アッサム紛争	●	インド	アッサム州	14	F6
アフガニスタン内戦	●	アフガ	カブール	8	D6
	●	アフガ	カンダハール	8	D6
	●	アフガ	バーミヤーン	29	C3
アブハジア紛争	●	ジョジ	アブハジア自治共和国	30	D2
アメリカ同時多発テロ	●	合衆国	ニューヨーク	60	E14
	●	合衆国	ワシントン	60	F14
イエメン内戦	●	イエメ	アデン	8	F4
イラク問題	●	イラク	バグダッド	8	D4
イリアン・ジャヤ独立運動	●	イドネ	パプア（イリアン・ジャヤ）州	18	D6
インド洋合衆国・イギリス軍事基地	●		ディエゴ・ガルシア島	6	F6
ウイグル独立運動	●	中国	シンチアンウイグル自治区 新疆維吾爾	14	C4
オセチア紛争	●	ジョジ	南オセチア自治州	30	D2
カ					
カシミール紛争	●		カルギル（インド、パキスタン）	24	C2
	●		ジャンム・カシミール（インド、パキスタン）	24	C2
合衆国海軍基地	●	キュバ	グアンタナモ	68	B5
合衆国核実験場	●	マシャ	ビキニ島	32	C7
カレン族独立運動	●	ミャン	カイン州	20	B1
北アイルランド問題	●	イギリ	北アイルランド	38	C4
キプロス問題	●	キプロ	ニコシア	8	D3
旧ソ連核実験場	●	カザフ	セメイ（セミパラチンスク）	8	B8
旧ユーゴスラビア内戦	●	クロア	ヴコヴァル	46	G3
	●	ボスニ	サラエボ	36	D7
クリミア併合	●	ウクラ	クリミア共和国	54	C4
クルド独立運動	●		クルディスターン（トルコ、イラク、イラン、シリア）	26	B6
ケベック分離問題	●	カナダ	ケベック州	60	E14
コソボ紛争	●	コソボ	旧コソボ自治州	44	C3
コンゴ民主共和国内戦	●	コン民	ブカヴ	56	F6
サ					
サパティスタ国民解放軍	●	メキシ	チアパス州	68	C2
ジブラルタル問題	●	ジブラ	ジブラルタル	36	E5
シリア内戦	●	シリア	アレッポ	8	D3
スコットランド独立問題	●	イギリ	スコットランド	38	E3
ソマリア内戦	●	ソマリ	モガディシュ	56	H5
タ					
タイ南部分離独立運動	●	タイ	パタニー	20	D2
台湾問題	●	台湾	タイワン 台湾	8	E12
	●	台湾	チンメン島 金門島	16	D6
	●	台湾	マーツー島 馬祖島	16	E5
ダルフール紛争	●	スダン	ダルフール	56	F4
チェチェン紛争	●	ロシア	チェチェン共和国	52	E7
チベット独立運動	●	インド	ダラムサラ	24	C2
	●	中国	チベット自治区	14	E5
	●	中国	ラサ	8	E9
中印国境紛争	●		アクサイ・チン 阿克賽欽（中国、インド）	14	D3
	●		マクマホン・ライン（中国、インド）	14	F6
中央アフリカ内戦	●	中アフ	バンギ	56	E5
朝鮮半島問題	●	北朝鮮	ニョンビョン 寧辺	12	B3
	●		パンムンジョム 板門店（大韓民国、朝鮮民主主義人民共和国）	12	C4
	●	北朝鮮	プンゲリ 豊渓里	12	D2
ドニエストル紛争	●	モルド	ドニエストル川	54	C3
ナ					
ナゴルノ・カラバフ紛争	●	アゼル	ナゴルノ・カラバフ自治州	30	D3
西サハラ問題	●	西サハ	西サハラ	56	B3
ハ					
バスク独立運動	●	スペイ	パイス・バスコ	48	A4
パレスチナ問題	●		エリコ（イスラエル、パレスチナ）	28	D3
	●		エルサレム（イスラエル、パレスチナ）	8	D3
	●		ガザ（イスラエル、パレスチナ）	28	D3
	●		ゴラン高原（イスラエル、シリア）	28	C3
	●		パレスチナ（イスラエル、パレスチナ）	28	C3
	●		ベスレヘム（イスラエル、パレスチナ）	28	C3
	●		ヘブロン（イスラエル、パレスチナ）	28	C3
	●		ヨルダン川西岸地区（イスラエル、パレスチナ）	28	C3
	●		ラマラ（イスラエル、パレスチナ）	28	D3
フォークランド紛争	●	フォク	フォークランド諸島	70	E9
フランス核実験場	●	仏領ポ	ムルロア環礁	32	G13
ボコ・ハラム	●	ナイジ	マイドゥグリ	57	D10
マ					
マリ北部紛争	●	マリ	トンブクトゥ	56	C4
マルク州宗教対立	●	イドネ	アンボン	18	D5
	●	イドネ	マルク州	18	D6
南シナ海問題	●		南シナ海（中国、ベトナム、フィリピン、マレーシア、ブルネイ、台湾）	8	G11
南スーダン内戦	●	南スダ	ジュバ	56	G5
ミンダナオ紛争	●	フリピ	スル諸島	18	C4
	●	フリピ	バシラン島	18	C5
	●	フリピ	ミンダナオ島	8	G12
メキシコ麻薬戦争	●	メキシ	シナロア州	62	F6
ラ					
リビア内戦	●	リビア	スルト	56	E2
ルーマニア革命	●	ルーマ	ティミショアラ	36	D8
レバノン内戦	●	レバノ	ベイルート	8	D3
ロシア・ウクライナ戦争	●		キーウ（ウクライナ）	54	B4
	●		ザポリージャ原子力発電所（ウクライナ）	55	C4
	●		マリウポリ（ウクライナ）	55	C5
ロシア核実験場	●	ロシア	ノーヴァヤ・ゼムリャー	52	B8
ロシア黒海艦隊母港	●	ウクラ	セヴァストポリ	36	D9
ロヒンギャ難民	●	ミャン	シットウェー	18	A2

世界的に著名な企業の本社や主要工場などがどこにあるか、また各地の証券取引所のおもなものを、地名ごとにまとめています。

●著名な企業・証券取引所●

都市名	国略称	企業名（業種）	ページ 索引記号
ア			
アクラ	ガーナ	ガーナ証券取引所	56 C5
アクロン	合衆国	グッドイヤー・タイヤ・アンド・ラバー（タイヤ・ゴム製品）	62 C11
ア・コルーニャ近郊	スペイ	インディテックス（アパレル）	36 D5
アテネ	ギリシ	アテネ証券取引所	36 E8
アトランタ	合衆国	コカ・コーラ（清涼飲料）	60 F13
		デルタ・エアラインズ（航空運輸）	
		CNN（放送）	
アムステルダム	オラン	INGグループ（金融）	36 C6
		ユーロネクスト・アムステルダム（証券取引）	
		ハイネケングループ（酒類）	
		フィリップス（電機）	40 B7
アムステルダム近郊		KLMオランダ航空（航空運輸）	
アレクサンドリア	エジプ	エジプト証券取引所	56 F2
アンマン	ヨルダ	アンマン証券取引所	8 D3
イェーテボリ	スウェ	ボルボ・カーズ（自動車）	36 C7
イスタンブール	トルコ	イスタンブール証券取引所	8 C2
インゴルシュタット	ドイツ	アウディ（自動車）	42 D4
ウィーン	オスリ	ウィーン証券取引所	36 D7
ウィルミントン	合衆国	デュポン（化学）	64 D3
ヴヴェー	スイス	ネスレ（食品・飲料）	40 D8
ウェリントン	ニュジ	ニュージーランド証券取引所	32 I8
ウォルフスブルク	ドイツ	フォルクスワーゲン（自動車）	42 B4
ウルサン 蔚山	韓国	現代重工業（造船・プラント建設）	12 D5
エアランゲン近郊	ドイツ	アディダス（スポーツ用品）	42 D4
		プーマ（スポーツ用品）	
エッセン	ドイツ	ティッセンクルップ（鉄鋼・機械）	36 C6
エディンバラ	イギリ	ロイヤルバンク・オブ・スコットランド（銀行）	36 C5
オークランド近郊	合衆国	シェブロン（石油・天然ガス）	
		デルモンテ・フーズ（缶詰・食料品）	66 B4
オースティン	合衆国	オラクル（ソフトウェア）	60 F12
オースティン近郊		デル（コンピュータ）	
オスロ	ノルウ	オスロ証券取引所	36 C7
オマハ	合衆国	ユニオン・パシフィック（鉄道）	60 E12
カ			
カイロ	エジプ	エジプト証券取引所	56 G2
カラチ	パキス	パキスタン証券取引所	8 E6
ギューターズロー	ドイツ	ベルテルスマン（出版・音楽・放送）	42 C3
キングストン	ジャマ	ジャマイカ証券取引所	68 C5
キングズポート	合衆国	イーストマン・ケミカル（化学）	64 C3
クアラルンプール	マレー	ペトロナス（石油）	8 G10
		マレーシア証券取引所	
		マレーシア航空（航空運輸）	
クウェート	クウェ	クウェート証券取引所	8 E4
グランド・ラピッズ近郊	合衆国	アムウェイ（家庭用品販売）	64 B2
グルノーブル	フラン	ロシニョール（スポーツ用品）	40 E7
クレルモン・フェラン	フラン	ミシュラン（タイヤ）	36 D6
ケルン	ドイツ	ルフトハンザ（航空運輸）	36 C6
ケルン近郊		バイエル（医薬品・化学）	
コペンハーゲン	デンマ	A.P.モラー・マースク（海運）	36 C7
		カールスバーグ（酒類）	
		ナスダック・コペンハーゲン（証券取引）	
コロンバス	合衆国	アフラック（保険）	60 E13
コロンボ	スリラ	コロンボ証券取引所	8 G7
サ			
ザグレブ	クロア	ザグレブ証券取引所	36 D7
サン・ディエゴ	合衆国	クアルコム（半導体）	60 F10
サン・ディエゴ近郊		キャロウェイゴルフ（ゴルフ用品）	
サン・ノゼ	合衆国	アドビ（ソフトウェア）	62 D3
		イーベイ（インターネット販売）	
サン・ノゼ近郊		アップル（コンピュータ）	
		インテル（マイクロプロセッサー）	
		グーグル（インターネット）	
		HP（コンピュータ）	
		メタ（インターネット）	
サン・パウロ	ブラジ	ブラジル証券取引所	70 F6
サン・パウロ近郊		エンブラエル（航空機）	
サンクト・ペテルブルク	ロシア	ガスプロム（天然ガス）	
		ペテルスブルク証券取引所	52 D6
サンサルバドル	エルサ	エルサルバドル証券取引所	68 D3
サンティアゴ	チリ	サンティアゴ証券取引所	70 C7
サンフランシスコ	合衆国	ウーバー（シェアサービス）	60 F9
		エアビーアンドビー（シェアサービス）	
		ギャップ（アパレル）	
		ツイッター（インターネット）	
		VISA（クレジットカード）	
		リーバイ・ストラウス（アパレル）	
サンホセ	コスタ	コスタリカ証券取引所	68 E4
シアトル	合衆国	アマゾン・ドット・コム（インターネット販売）	60 E9
		スターバックス（コーヒーショップ）	
シアトル近郊		コストコ・ホールセール（小売）	
		マイクロソフト（ソフトウェア）	
シェンチェン 深圳	中国	深圳証券取引所	14 G10
		ファーウェイ（通信機器）	
シカゴ	合衆国	シカゴ証券取引所	60 E13
		シカゴ・トリビューン（新聞・放送）	
		ハイアットホテルアンドリゾーツ（ホテル）	
		ボーイング（航空機・防衛機器）	
		マクドナルド（ファストフード）	
シドニー	オスラ	オーストラリア証券取引所	32 H6
ジャカルタ	イドネ	インドネシア証券取引所	8 H10
シャーロット	合衆国	バンク・オブ・アメリカ（銀行）	62 D11
シャンハイ 上海	中国	上海証券取引所	8 D12
シュトゥットガルト	ドイツ	シュトゥットガルト証券取引所	36 D6
		メルセデス・ベンツ・グループ（自動車）	
シンガポール	シンガ	シンガポール航空（航空運輸）	8 G10
		シンガポール証券取引所	
シンペイ 新北	台湾	フォックスコン（電子機器）	12 G7
スウォン 水原	韓国	サムスン電子（エレクトロニクス）	12 C4
スコピエ	マケド	マケドニア証券取引所	36 D8
ストックホルム	スウェ	H&M（アパレル）	36 C7
		SASグループ（航空運輸）	
		エリクソン（通信）	
		エレクトロラックス（家電）	
		サーブ（航空・防衛）	
		ナスダック・ストックホルム（証券取引）	
セント・ルイス	合衆国	アンハイザー・ブッシュ（酒類）	60 F12
ソウル	韓国	LGエレクトロニクス（家電）	8 D12
		起亜自動車、現代自動車（自動車）	
		大韓航空（航空運輸）、ロッテ（菓子・ホテル）	
ソフィア	ブルガ	ブルガリア証券取引所	36 D8
タ			
ダービー	イギリ	ロールス・ロイス（航空機部品）	38 F5
タイペイ 台北	台湾	台湾証券取引所	8 E12
		エイスース（コンピュータ・通信機器）	
		エバーグリーン・グループ（海運・航空）	
タオユワン 桃園	台湾	チャイナエアライン（航空運輸）	12 G7
ダッカ	バング	ダッカ証券取引所	8 E9
ダブリン	アイル	ユーロネクスト・ダブリン（証券取引）	36 C5
ダラス	合衆国	AT&T（電話）	60 F12
		テキサス・インスツルメンツ（半導体）	
ダラス近郊		エクソンモービル（石油・天然ガス）	
チューリヒ	スイス	クレディ・スイス・グループ（銀行）	36 D6
		UBS（金融）、スイス証券取引所	
		チューリヒ保険（保険）	
チューリヒ近郊		アデコ（人材派遣）	
チンタオ 青島	中国	ハイアール・グループ（家電）	14 D12
デトロイト	合衆国	ゼネラル・モーターズ（自動車）	60 E13
デトロイト近郊		フォード・モーター（自動車）	
テヘラン	イラン	テヘラン証券取引所	8 D5
デュッセルドルフ	ドイツ	ヘンケル（化学）	36 C6

アムステルダム（オランダ）
運河で有名なアムステルダムは、商業活動の中心でもある

アトランタ（アメリカ合衆国）
合衆国東南部の中心都市

シアトル（アメリカ合衆国）
合衆国の太平洋側北部の経済活動の中心都市

*リスト中の色文字は、特に著名なものや写真で紹介しているものを示します。

シカゴ（アメリカ合衆国）
五大湖のほとり、
合衆国中北部の中心都市

ダラス（アメリカ合衆国）
ヒューストンなどとともに、合衆国南部の
中核都市

ミュンヘン（ドイツ）
ドイツ南部、バイエルン地方の中心都市。
写真は市庁舎

テル・アヴィヴ・ヤフォ	イスラ	テル・アヴィヴ証券取引所	28 C3
デリー	インド	デリー証券取引所	8 E7
デルフト	オラン	イケア（家具小売）	40 A7
ドバイ	アラブ	ドバイ金融市場	26 D9
トリノ	イタリ	フィアット（自動車）	36 D6
トレヴィーゾ近郊	イタリ	ベネトン（アパレル）	46 D3
トロント	カナダ	トロント証券取引所	60 E14

ナ

ナイロビ	ケニア	ナイロビ証券取引所	56 G6
ニューベリー	イギリ	ボーダフォン・グループ（移動体通信）	38 F6
ニューヨーク	合衆国	J.P.モルガン・チェース（銀行・証券）	60 E14
		アメリカン・インターナショナル・グループ（保険）	
		アメリカン・エキスプレス（金融）	
		アルコア（アルミ製品）	
		S&Pグローバル（情報サービス）	
		エスティローダー（化粧品）	
		ゴールドマン・サックス・グループ（証券・投資銀行）	
		サザビーズ（美術品競売）、シティグループ（金融）	
		ワーナー・ブラザース（メディア・オンラインサービス）	
		ニューズ・コーポレーション（出版・情報サービス）	
		ティファニー（装身具）	
		FOXコーポレーション（映画・放送）	
		ナスダック（証券取引）	
		ニューヨーク証券取引所	
		ニューヨーク・タイムズ（新聞・出版・放送）	
		パラマウント・グローバル（放送）	
		ファイザー（医薬品）	
		ブルームバーグ（情報サービス）	
		ラルフローレン（衣類・雑貨）	
		ムーディーズ（格付け・企業情報）	
		メットライフ（保険）	
		モルガン・スタンレー（証券・クレジットカード）	
ニューヨーク近郊		IBM（コンピュータ）	
		ジョンソン・エンド・ジョンソン（医薬品・トイレタリー）	
		ハネウェル・インターナショナル（防衛・航空宇宙機器）、ペプシコ（食品）	
		メルク（医薬品）	
ノヴァーラ	イタリ	デアゴスティーニ（出版）	46 B3

ハ

ハーシー	合衆国	ハーシー（菓子）	64 D2
バーゼル	スイス	ノバルティス（医薬品）	40 D8
バトル・クリーク	合衆国	ケロッグ（食品）	64 B2
パナマシティー	パナマ	パナマ証券取引所	68 E5
ハミルトン	バミュ	バミューダ証券取引所	62 E15
パリ	フラン	BNPパリバ（銀行）、アクサ（保険）	36 D6
		エルメス・インターナショナル（カバン・服飾）	
		サノフィ（医薬品）	
		ダノン（食品）	
		グループPSA（自動車）、トタル（石油）	
		LVMH（カバン・化粧品・酒）	
		ユーロネクスト・パリ（証券取引）	
パリ近郊		エール・フランス（航空運輸）	
		カルフール（スーパーマーケット）、ルノー（自動車）	
バンコク	タイ	タイ証券取引所	8 F10
ハンチョウ 杭州	中国	アリババグループ（インターネット販売）	14 E12
ピオリア	合衆国	キャタピラー（建設機械）	62 C10
ピッツバーグ	合衆国	H.J.ハインツ（食品）	60 E13
ヒューストン	合衆国	コノコフィリップス（石油）	60 G12
フィラデルフィア	合衆国	ナスダックPHLX	60 F14
フィラデルフィア近郊		キャンベル・スープ（食品）	
		ユニシス（コンピュータ）	
ブエノス・アイレス	アゼチ	ブエノス・アイレス証券取引所	70 E7
ブカレスト	ルーマ	ブカレスト証券取引所	36 D8
プサン 釜山	韓国	韓国取引所	8 D12
ブダペスト	ハンガ	ブダペスト証券取引所	36 D7
ブラチスラバ	スロバ	ブラチスラバ証券取引所	36 D7
プラハ	チェコ	プラハ証券取引所	36 C7
フランクフルト・アム・マイン	ドイツ	ドイチェ・バンク（銀行）	36 C6
		フランクフルト証券取引所	
ブリッジポート近郊	合衆国	ゼネラル・エレクトリック（重工業）	64 E2
		ゼロックス（事務機器）	
ブリュッセル	ベルギ	ユーロネクスト・ブリュッセル（証券取引）	36 C6
ベイルート	レバノ	ベイルート証券取引所	8 D3
ペキン 北京	中国	百度（インターネット）	8 C11
		シノペック（石油）、CNPC（石油・天然ガス）	
		レノボ（コンピュータ）	
ヘルシンキ	フィン	ナスダック・ヘルシンキ（証券取引）	36 B8
ベルリン	ドイツ	ベルリン証券取引所	36 C7
ベントンヴィル	合衆国	ウォルマート（総合小売）	62 D9
ポートランド近郊	合衆国	ナイキ（スポーツシューズ）	66 B2
ボゴタ	コロン	コロンビア証券取引所	70 C3
ボストン	合衆国	ナスダックBX	60 E14
ポハン 浦項	韓国	ポスコ（鉄鋼）	12 D4
ボルティモア近郊	合衆国	マコーミック（食品）	64 D3
ボローニャ	イタリ	ドゥカティ（バイク）	36 D7
ボン	ドイツ	DHL（国際宅配）	42 C2
		ドイツ・テレコム（電話）	
ホンコン 香港	中国	香港証券取引所、長江実業（不動産）	8 E11
		キャセイパシフィック航空（航空運輸）	

マ

マドリード	スペイ	マドリード証券取引所	36 D5
マナーマ	バレン	バーレーン証券取引所	8 E5
マニラ	フリピ	フィリピン証券取引所	8 F12
ミッドランド	合衆国	ダウ・ケミカル（化学）	64 C2
ミュンヘン	ドイツ	BMW（自動車）、シーメンス（電機）	36 D7
		アリアンツ（保険）、ミュンヘン証券取引所	
ミラノ	イタリ	イタリア証券取引所	36 D6
		ピレリ（タイヤ・ケーブル）	
ミルウォーキー	合衆国	ハーレーダビッドソン（バイク）	60 E13
		マンパワーグループ（人材派遣）	
ムンバイ	インド	ボンベイ証券取引所	8 F7
		インド国立証券取引所	
メキシコシティ	メキシ	メキシコ証券取引所	60 H12
メルボルン	オスラ	BHPグループ（鉱業）	32 H5
メンフィス	合衆国	フェデックス（航空運輸・陸運）	60 F12
モスクワ	ロシア	モスクワ証券取引所	52 D6
モントリオール	カナダ	ボンバルディア（鉄道車両・航空機）	60 E14
		モントリオール取引所	

ヤ

ヨハネスバーグ	南アフ	JSE（証券取引）	56 F8

ラ

ライデン	オラン	エアバス（航空機・防衛機器）	40 A7
ラヴァル	カナダ	ボシュロム（コンタクトレンズ）	64 E1
ラパス	ボリビ	ボリビア証券取引所	70 D5
リオ・デ・ジャネイロ	ブラジ	ペトロブラス（石油）	70 F6
		リオ・デ・ジャネイロ証券取引所	
リガ	ラトビ	ナスダック・リガ（証券取引）	36 C8
リスボン	ポルト	ユーロネクスト・リスボン（証券取引）	36 E5
リマ	ペルー	リマ証券取引所	70 C5
リュブリャナ	スロベ	リュブリャナ証券取引所	36 D7
ルクセンブルク	ルクセ	アルセロール・ミタル（鉄鋼）	36 D6
		ルクセンブルク証券取引所	
ロサンゼルス近郊	合衆国	ウォルト・ディズニー（テーマパークなど）	66 C5
		ドール・フード（生鮮フルーツ・野菜）	
ロンドン	イギリ	BP（石油）、BTグループ（電話）	36 C5
		HSBCホールディングス（金融）	
		シェル（石油）	
		デロイトトウシュトーマツ（会計）	
		プライスウォーターハウスクーパース（コンサルティング）	
		ブリティッシュ・エアウェイズ（航空運輸）	
		ユニリーバ（食品・洗剤）	
		ロンドン証券取引所	
ロンドン近郊		テスコ（スーパーマーケット）	

ワ

ワシントンD.C.	合衆国	ワシントン・ポスト（新聞・出版・放送）	60 F14
ワシントンD.C.近郊		ヒルトン・ワールドワイド（ホテル・リゾート）	
ワルシャワ	ポーラ	ワルシャワ証券取引所	36 C8

歴史上の事件や戦いなどの出来事、著名な人物に関係する地名と、おもな遺跡をまとめています。また、現在までに改称したおもな地名については、旧称とともにのせています。

●歴史に関わる地名●

地名（旧称）	国略称	歴史上の出来事、関係人物など	ページ	索引記号
ア				
アーヘン	ドイツ	アーヘンの和約（オーストリア継承戦争）	42	C2
アイゼナハ	ドイツ	J.S.バッハ（作曲家）生誕の地	42	C4
アウクスブルク	ドイツ	アウクスブルクの和議（宗教改革）	42	D4
アクラ	ガーナ	野口英世（細菌学者）終焉の地	56	C5
アスタナ（アクモラ）	カザフ	カザフスタンの首都	8	B7
アッシジ	イタリ	聖フランチェスコ（フランシスコ修道会創設）	46	D4
アテネ	ギリシ	古代ギリシャの都市国家	36	E8
アナーニ	イタリ	アナーニ事件（叙任権闘争）	46	D5
アミアン	フラン	アミアンの和約（ナポレオン戦争）	36	D6
アムリトサル（アムリッツァル）	インド	アムリッツァルの虐殺	24	B2
アユタヤ	タイ	アユタヤ朝タイの首都	18	B3
アラモゴード	合衆国	世界初の核実験	62	E6
アルマティ（アルマ・アタ）	カザフ	カザフスタン最大の都市	8	C7
アンカラ（アンゴラ）	トルコ	アンゴラの戦い（オスマン・トルコ対ティムール）	8	D3
アンナバ（ボーヌ）	アルジ	地中海沿岸の港湾都市	46	A7
イエーナ	ドイツ	ヘーゲル（哲学者）活躍の地	42	C4
イエンアン 延安	中国	中国革命本拠地	14	D9
イスタンブール（コンスタンティノープル）	トルコ	ビザンツ帝国・オスマン帝国の都	8	C2
イズニク（ニカエア）	トルコ	ニカエア公会議（キリスト教の第1回公会議）	44	G4
イスファハーン	イラン	サファビー朝ペルシアの都	8	D5
イズミット（ニコメディア）	トルコ	紀元前264年に建設	26	A3
イズミル（スミルナ）	トルコ	トルコ最大の貿易港	8	D2
イリ川	カザフ	イリ条約（ロシア、清）	30	D9
インチョン 仁川	韓国	仁川上陸作戦（朝鮮戦争）	8	D12
インパール	インド	インパール作戦（第2次世界大戦）	14	G6
ヴァイマル（ワイマール）	ドイツ	ワイマール憲法（民主主義憲法）	42	C4
ヴァナゾール（キロヴァカン）	アルメ	アルメニア北部の工業都市	30	D2
ウィーン	オスリ	ウィーン会議、ウィーン体制	36	D7
ヴィシー	フラン	ヴィシー政府（対独協力政府）	40	D6
ヴィツェブスク（ヴィテーブスク）	ベラル	シャガール（画家）生誕の地	36	C9
ヴィッテンベルク	ドイツ	ルター（宗教改革者）活躍の地	42	C5
ヴェネツィア	イタリ	マルコ・ポーロ生誕の地	36	D7
ヴェルサイユ	フラン	ヴェルサイユ条約（第1次世界大戦）	40	C6
ヴェルダン	フラン	ヴェルダン条約（フランク王国の分割） ヴェルダンの戦い（第一次世界大戦）	40	C7
ヴォルゴグラート（スターリングラード）	ロシア	スターリングラード攻防戦	52	E7
ヴォルムス	ドイツ	ヴォルムス帝国議会（宗教改革）	42	D3
ウジジ	タンザ	リヴィングストンとスタンリー（探検家）の邂逅	58	B5
ウプサラ	スウェ	リンネ（博物学者）活躍の地	36	C7
ウラジカフカス（オルジョニキーゼ）	ロシア	北オセチア共和国の中心都市	52	E7
ウリヤノフスク（シンビルスク）	ロシア	レーニン（革命家）生誕の地	52	D7
エカテリンブルク（スベルドロフスク）	ロシア	現称は女帝エカテリーナ1世に由来	52	D9
エディルネ（アドリアノープル）	トルコ	アドリアノープル条約（露土戦争）	26	A3
エルバ島	イタリ	ナポレオン1世流刑の地	46	C4
エンゲリス（ポクロフスク）	ロシア	思想家・エンゲルスにちなみ改称	52	D7
オーゼンセ	デンマ	アンデルセン（童話作家）生誕の地	36	C7
オシフィエンチム（アウシュヴィッツ）	ポーラ	アウシュヴィッツ強制収容所	42	C8
オスナブリュック	ドイツ	ウェストファリア条約（三十年戦争）	42	B3
オスロ（クリスチャニア）	ノルウ	ノルウェーの首都	36	C7
オルレアン	フラン	ジャンヌ・ダルク活躍の地	36	D6
カ				
カイロ	エジプ	カイロ会談（チャーチル、ルーズベルト、蒋介石）	56	G2
ガガーリン（グジャーツク）	ロシア	宇宙飛行士・ガガーリンにちなみ改称	54	A4
ガダルカナル島	ソロモ	ガダルカナル島の戦い（第2次世界大戦）	32	F6
ガラパゴス諸島	エクア	ダーウィン（生物学者）が進化論のヒントを得た地	70	A3
カリーニングラート（ケーニヒスベルク）	ロシア	カント（哲学者）活躍の地	36	C8
カルナータカ州（マイソール州）	インド	州再編とともに改称	24	C5
カルロヴィ・ヴァリ（カールスバート）	チェコ	カールスバートの決議	42	C5
カンファ島 江華島	韓国	江華島事件（日本軍艦による砲撃事件）	12	C4
キー・ウェスト	合衆国	ヘミングウェイ（作家）活躍の地	60	G13
キーロフ（ヴャートカ）	ロシア	政治家・キーロフにちなみ改称	52	D7
キサンガニ（スタンリーヴィル）	コン民	コンゴ盆地の中心都市	56	F5
喜望峰	南アフ	ディアス（航海者）が到達	56	E9
キャフタ	ロシア	キャフタ条約（ロシア、清）	52	D13
ギャンジャ（キロヴァバード）	アゼル	アゼルバイジャン西部の中心都市	30	D3
ギュムリ（レニナカン）	アルメ	アルメニア第二の都市	30	D2
キョンジュ 慶州	韓国	新羅の都	12	D5
キンシャサ（レオポルドヴィル）	コン民	コンゴ民主共和国の首都	56	E6
グアヤキル	エクア	野口英世（細菌学者）活躍の地	70	C4
クスコ	ペルー	インカ帝国の都	70	C5
グダニスク（ダンツィヒ）	ポーラ	ポーランド最大の港湾都市	36	C7
クライペダ（メーメル）	リトア	リトアニア最大の港湾都市	36	C8
クリュニー	フラン	クリュニー修道院（修道院改革運動）	40	D7
クレルモン・フェラン（クレルモン）	フラン	クレルモン公会議（十字軍発動宣言）	36	D6
クロトーネ（クロトン）	イタリ	ピタゴラス（数学者）活躍の地	46	F6
ケソン 開城	北朝鮮	高麗の都	12	C4
ゲティスバーグ	合衆国	ゲティスバーグの演説、ゲティスバーグの戦い	64	D3
ゲリボル（ガリポリ）	トルコ	ガリポリの戦い（第1次世界大戦）	44	F4
コーリコード（カリカット）	インド	ヴァスコ・ダ・ガマ（航海者）が到達	24	C6
コタンタン半島	フラン	ノルマンディー上陸作戦（第2次世界大戦）	40	C4

アッシジ（イタリア）
サン・フランチェスコ大聖堂

ウィーン（オーストリア）
奥の建物がシェーンブルン宮殿

ロンドン（イギリス）
19世紀末に完成したタワーブリッジ

*リスト中の色文字は、特に著名なものや写真で紹介しているものを示します。

フィラデルフィア（アメリカ合衆国）
独立宣言で打ち鳴らされたという自由の鐘

フィレンツェ（イタリア）
14世紀に造られたという
フィレンツェ最古のヴェッキオ橋

プラハ（チェコ）
14世紀にボヘミアの首都とされ、繁栄してきた。
写真はプラハ城

地名（旧称・別称）	国略称	歴史上の出来事、関係人物	ページ	索引記号
ポルタヴァ	ウクラ	ポルタヴァの戦い（北方戦争）	36	D9
ポワティエ	フラン	トゥール=ポワティエ間の戦い（イスラム、フランク）	36	D6
ボン	ドイツ	ベートーベン（作曲家）生誕の地	42	C2
マ				
マインツ	ドイツ	グーテンベルク（印刷技術）活躍の地	42	C3
マゼラン海峡	アゼチ・チリ	マゼラン（航海者）が発見	70	D9
マプト（ロレンソ・マルケス）	モザン	モザンビークの首都	56	G8
マラウイ湖（ニアサ湖）	マラウ・モザン	アフリカ大地溝帯南端の湖	56	G7
マラガ	スペイ	ピカソ（画家）生誕の地	36	E5
マラトン	ギリシ	マラトンの戦い（ペルシア戦争）	44	D5
マラボ（サンタ・イサベル）	赤道ギ	赤道ギニアの首都	56	D5
マリウポリ（ジダーノフ）	ウクラ	アゾフ海に面する港湾都市	36	D9
マリョルカ島	スペイ	ショパン（作曲家）療養の地	36	E6
マル（メルヴ）	トルク	歴史の古いオアシス都市	30	E6
マルヌ川	フラン	マルヌの戦い（第1次世界大戦）	40	C7
ミッドウェー諸島	合衆国	ミッドウェー海戦（第2次世界大戦）	32	B9
ミュンスター	ドイツ	ウェストファリア条約（三十年戦争）	42	C2
ミュンヘン	ドイツ	ミュンヘン一揆、ミュンヘン会談	36	D7
ミラノ	イタリ	レオナルド・ダ・ヴィンチ（画家）活躍の地	36	D6
ムンバイ（ボンベイ）	インド	インド最大の貿易港	8	F7
メッカ（マッカ）	サウジ	ムハンマド（イスラム教の開祖）生誕の地	8	E3
メディナ	サウジ	ムハンマド（イスラム教の開祖）移住の地	8	E3
モハーチ	ハンガ	モハーチの戦い（オスマン・トルコ、ハンガリー）	42	F8
ヤ				
ヤーシ	ルーマ	ヤーシ条約（露土戦争）	36	D8
ヤルタ	ウクラ	ヤルタ会談（チャーチル、ルーズベルト、スターリン）	54	D4
ヤンゴン（ラングーン）	ミャン	ミャンマーの首都	8	F9
ユトレヒト	オラン	ユトレヒト条約（スペイン継承戦争）	36	C6
ラ				
ライデン	オラン	レンブラント（画家）生誕の地	40	A7
ライプツィヒ	ドイツ	ライプツィヒの戦い、J.S.バッハ（作曲家）活躍の地	36	C7
ラシード（ロゼッタ）	エジプ	ロゼッタ・ストーン（古代エジプト文字）	28	D1
リューシュンコウ 旅順口	中国	旅順攻防戦（日露戦争）	16	E3
ルオヤン 洛陽	中国	古都（後漢・隋など）	8	D11
レイテ島	フリピ	レイテ沖海戦（第2次世界大戦）	8	F12
レグニーツァ（ワールシュタット）	ポーラ	ワールシュタットの戦い（モンゴル、欧州）	42	C7
ロイチン 瑞金	中国	長征開始（中国革命）	14	F11
ローザンヌ	スイス	ローザンヌ条約（トルコ、連合国）	40	D8
ローマ	イタリ	ローマ帝国の首都	36	D7
ロカルノ	スイス	ロカルノ条約（第1次世界大戦後の安全保障）	40	D9
ロンドン	イギリ	ロンドン軍縮会議	36	C5
ワ・ン				
ワーテルロー	ベルギ	ワーテルローの戦い（ナポレオン戦争）	40	B7
ンジャメナ（フォール・ラミー）	チャド	チャドの首都	56	E4

●遺　跡●

遺跡名	国略称	略　歴	ページ	索引記号
ア				
アクィレイア	イタリ	古代ローマの都市	46	D3
アグリジェント	イタリ	古代ギリシャ・ローマの都市	46	D7
アクロポリス	ギリシ	パルテノン神殿	44	D6
アジャンタ	インド	石窟寺院	24	C4
アッシュール	イラク	古代アッシリア帝国の都	26	B6
アブ・シンベル	エジプ	アブ・シンベル神殿	26	E4
アブ・メナ	エジプ	キリスト教コプト派の聖地	26	C3
アルタミラ	スペイ	旧石器時代の壁画	48	A3
アンコール・トム	カンボ	古代カンボジアの都	20	C2
アンコール・ワット	カンボ	古代カンボジアの仏教寺院（トム内にある）	20	C2
アンジャル	レバノ	ウマイヤ朝の都市	28	C4
殷墟	中国	殷王朝の都	16	C3
ヴァルカモニカ	イタリ	先史時代の岩壁画	46	C2
ヴェゼール渓谷	フラン	ラスコー洞窟の壁画	40	E5
ヴェルギナ	ギリシ	マケドニア王国の墳墓	44	D4
ウォルビリス	モロコ	古代ローマの都市	56	C2
ウガリト	シリア	古代シリアの都市	28	B3
ウシュマル	メキシ	古代マヤの都市	68	B3
ウル	イラク	古代メソポタミアの都市	26	C7
雲崗石窟	中国	石窟寺院	16	C2
エピダウロス	ギリシ	古代ギリシャの都市	44	D6
エフェソス	トルコ	古代ギリシャ・ローマの都市	44	F6
エブラ	シリア	古代シリアの都市国家	28	B4
エル・タヒン	メキシ	トトナカ族の古代都市	62	G8
エルコラーノ	イタリ	古代ローマの都市	46	E5
エレファンタ	インド	石窟寺院	24	B5
エローラ	インド	石窟寺院	24	C4
オリュンピア	ギリシ	オリンピック発祥の地	44	C6
カ				
カジュラーホ	インド	ヒンドゥー教寺院	24	C4
カッパドキア	トルコ	洞窟修道院	26	B4
カミ	ジンバ	モノモタパ王国の都市	56	F8
カラクムル	メキシ	古代マヤの都市	68	C3
カルタゴ	チュニ	古代フェニキア・ローマの都市	46	C7
キュレーネ	リビア	古代ギリシャの植民都市	56	F2
キリグア	グアテ	古代マヤの都市	68	C3
クサントス	トルコ	古代リュキア人の都市	26	B3
クテシフォン	イラク	古代メソポタミアの都市	26	C6
クノッソス	ギリシ	クノッソス宮殿	44	E7
グレート・ジンバブエ	ジンバ	モノモタパ王国の都市	56	G8
コア渓谷	ポルト	先史時代の岩壁画	48	B2
コナーラク	インド	ヒンドゥー教寺院	24	E5
コパン	ホンジ	古代マヤの都市	68	D3

ミラノ（イタリア）
古い歴史を持つ北イタリアの中心都市。
写真はゴシック様式のドゥオモ（大聖堂）

ボストン（アメリカ合衆国）
植民地政府が置かれていた建物。旧州議事堂

ローマ（イタリア）
17世紀に造られたナヴォーナ広場の噴水

*リスト中の色文字は、特に著名なものや写真で紹介しているものを示します。

アンコール・ワット（カンボジア）
12世紀に建てられた壮大な仏教寺院の遺跡

パレンケ（メキシコ）
マヤの都市遺跡。ヒスイのマスクが出土した

ポンペイ（イタリア）
火砕流に埋もれていた遺跡を復元している

レジャーに関係する地名として、世界の観光地、スポーツに関係する地名、美術館・博物館のある都市について、ページを設けています。

●観光地●

世界の観光地を、その特徴やゆかりのある事柄を、ジャンルにわけてのせています。

地名	国略称	ジャンル	特徴	ページ	索引記号
ア					
アイゼナハ	ドイツ	●人物	バッハ生誕地	42	C4
アオラキ（クック山）	ニュジ	●自然	山麓をトレッキング	32	I8
アカプルコ	メキシ	●リゾート	ビーチ・リゾート	60	H12
アクラ	ガーナ	●人物	野口英世、黄熱病研究中に逝去	56	C5
アグラ	インド	●建造物	タージ・マハル	24	C3
アッシジ	イタリ	●聖地	サン・フランチェスコ大聖堂	46	D4
アテネ	ギリシ	●建造物	**ギリシャ文明の遺跡**	36	E8
アトランタ	合衆国	●文学	『風と共に去りぬ』	60	F13
アブ・シンベル	エジプ	●建造物	**アブ・シンベル神殿**	26	E4
アムステルダム	オラン	●観光地	運河、ダム広場、アンネの家	36	C6
アユタヤ	タイ	●歴史	アユタヤ王朝の都	18	B3
アリス・スプリングズ	オスラ	●拠点	エアーズ・ロックへ	32	G4
アントウェルペン	ベルギ	●文学	『フランダースの犬』	40	B7
アンドン 安東	韓国	●祭	仮面劇	12	D4
イスタンブール	トルコ	●観光地	**トプカプ宮殿、アヤソフィア、金角湾**	8	C2
イズミル	トルコ	●拠点	エーゲ海クルーズの拠点	8	D2
インスブルック	オスリ	●自然	古都。チロルの自然	42	E4
インターラーケン	スイス	●拠点	ユングフラウ山への観光拠点	40	D8
ヴァラナシ	インド	●聖地	ヒンドゥー教文化。ガンジス川沐浴	8	E8
ウィーン	オスリ	●音楽	モーツァルトなど、音楽ゆかりの地	36	D7
ウィスラー	カナダ	●リゾート	スキー・リゾート	66	B1
ヴェクシェー	スウェ	●産地	ガラス工芸	50	C4
ヴェネツィア	イタリ	●観光地	水の都、ガラス、仮装祭、映画祭	36	D7
ヴェルサイユ	フラン	●建造物	**ヴェルサイユ宮殿**	40	C6
ヴェローナ	イタリ	●文学	『ロミオとジュリエット』	36	D7
ウボンラチャターニー	タイ	●祭	ガー・ヘーティアン（ろうそく祭）	18	B3
ヴュルツブルク	ドイツ	●拠点	ロマンティック街道の起点	42	D3
エアーズ・ロック（ウルル）	オスラ	●自然	**世界最大級の一枚岩**	34	C3
エヴィアン・レ・バン	フラン	●産地	エヴィアン水。温泉	40	D8
エダム	オラン	●食	エダム・チーズ	40	A7
エディンバラ	イギリ	●祭	スコットランドの古都	36	C5
エペルネ	フラン	●食	シャンパン	40	C6
オアハカ	メキシ	●祭	ゲラゲッツァ祭（舞踏祭）	60	H12
オークランド	ニュジ	●観光地	シティ・オブ・セイルズ（ヨット）	32	H8
オーゼンセ	デンマ	●人物	アンデルセンの生誕地	36	C7
オーランド	合衆国	●観光地	ウォルト・ディズニー・ワールド・リゾート ユニバーサル・オーランド・リゾートなど	62	F11
オックスフォード	イギリ	●学問	オックスフォード大学	38	F6
オルレアン	フラン	●人物	ジャンヌ・ダルクのオルレアン救助	36	D6
カ					
カイロ	エジプ	●拠点	**エジプト観光の拠点**	56	G2
ガジアンテップ	トルコ	●食	ピスタチオ	26	B5
カッセル	ドイツ	●人物	グリム兄弟が暮らした町	42	C3
カプリ島	イタリ	●リゾート	青の洞窟	46	E5
カルガリー	カナダ	●祭	スタンピード（ロデオ大会）	60	D10
ガルミッシュ・パルテンキルヘン	ドイツ	●リゾート	アルペン・リゾート	42	E4
カンクン	メキシ	●リゾート	ビーチ・リゾート	60	G13
カンタベリー	イギリ	●聖地	イギリス国教会の総本山	38	G6
カント	ベトナ	●拠点	メコン川クルーズ	18	B3
カンヌ	フラン	●リゾート	カンヌ映画祭	40	F8
キーウ	ウクラ	●芸術	キエフバレエ	36	C9
ギザ	エジプ	●建造物	ピラミッド	28	D1
キャンディ	スリラ	●祭	ペラヘラ祭（仏歯をのせた象の行進）	24	D7
キュタヒヤ	トルコ	●陶磁器	イズニック・タイルの産地	26	B3
キョンジュ 慶州	韓国	●歴史	新羅の都	12	D5
キングストン	ジャマ	●音楽	レゲエ発祥地	68	C5
キンデルダイク	オラン	●建造物	風車	40	B7
グアム島	グアム	●リゾート	ビーチ・リゾート	32	C5
クイーンズタウン	ニュジ	●観光地	アウトドア・アクティビティ	34	I7
クーバー・ピディ	オスラ	●産地	オパールの産地	34	C3
クスコ	ペルー	●歴史	**インカ帝国の都**	70	C5
クチ	ベトナ	●歴史	ベトナム戦争時のトンネル基地跡	20	C3
クライストチャーチ	ニュジ	●観光地	大聖堂。追憶の橋	32	I8
グラナダ	スペイ	●建造物	**アルハンブラ宮殿**	36	E5
グリンデルヴァルト	スイス	●リゾート	ユングフラウ山麓のアルペン・リゾート	40	D9
グレート・バリア・リーフ	オスラ	●自然	珊瑚礁。ダイビング・スポット	32	F5
クレタ島	ギリシ	●歴史	クノッソス宮殿	36	E8
ケアンズ	オスラ	●拠点	グレート・バリア・リーフへ	32	F5
ケイマン諸島	ケイマ	●リゾート	ビーチ・リゾート	68	C4
ケベック	カナダ	●祭	フランス文化。ウィンター・カーニバル	60	E14
ケリケリ	ニュジ	●食	キウイ・フルーツ	34	G8
ケルン	ドイツ	●建造物	大聖堂	36	C6
ケンブリッジ	イギリ	●学問	ケンブリッジ大学	38	G5
コイリン 桂林	中国	●観光地	景勝地。桂林山水観光祭	14	F10
ゴーダ	オラン	●食	ゴーダ・チーズ	40	A7
ゴールド・コースト	オスラ	●観光地	シー・ワールドなどテーマパーク	34	C5
湖水地方	イギリ	●自然	『ピーター・ラビット』の舞台	38	E4
コスタ・デル・ソル	スペイ	●リゾート	ビーチ・リゾート	48	D3
コス島	ギリシ	●祭	ヒポクラティア祭（医療奉仕の祭礼）	44	F6
コニャック	フラン	●食	コニャック	40	E4
コペンハーゲン	デンマ	●陶磁器	ロイヤル・コペンハーゲン	36	C7
コルドバ	スペイ	●歴史	イスラム様式が残るキリスト教文化	36	E5

ジャンル	●観光地・リゾート・拠点・祭・自然	●歴史・文学・芸術・音楽・人物・学問	●食・産地・陶磁器	●建造物・聖地・遺跡

グラナダ（スペイン）
イスラム様式の色濃いアルハンブラ宮殿の内部

グリンデルヴァルト（スイス）
U字谷の美しい景色。背景はヴェッターホルン（3701m）

サントリーニ島（ギリシャ）
エーゲ海のなかほどにある、断崖に囲まれた島

*リスト中の色文字は、特に著名なものや写真で紹介しているものを示します。

ストラトフォード・アポン・エイヴォン（イギリス）
エイヴォン河畔のロイヤル・シェイクスピア劇場

タヒチ（フランス領ポリネシア）
写真はボラボラ島のリーフとリゾート・コテージ

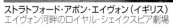

ナイアガラ滝（アメリカ合衆国・カナダ）
カナダ滝（手前）がアメリカ滝（奥）より規模が大きい

コワンチョウ 広州	中国	●食	広東料理	8	E11
サ					
サイパン島	北マリ	●リゾート	ビーチ・リゾート	32	C5
サムイ島	タイ	●リゾート	ビーチ・リゾート	18	C3
ザルツブルク	オスリ	●音楽	モーツァルト生誕地。音楽祭	36	D7
サン・ホセ・デル・カボ	メキシ	●拠点	ビーチ・リゾートのロス・カボスへ	62	G6
サン・モリッツ	スイス	●リゾート	アルペン・リゾート	40	D9
サン・レモ	イタリ	●音楽	ポップスの音楽祭	46	A4
サンクト・ペテルブルク	ロシア	●歴史	ロシア帝国ロマノフ朝の都	52	D6
サンティアゴ・デ・コンポステラ	スペイ	●聖地	フランスから続く巡礼路	36	D5
サントリーニ島（ティラ島）	ギリシ	●リゾート	アトランティス伝説	44	E6
サンフランシスコ	合衆国	●観光地	ゴールデンゲート・ブリッジなど	60	F9
シーアン 西安	中国	●拠点	唐の都。シルクロードの出発点	8	D10
ジヴェルニー	フラン	●人物	モネが晩年を過ごした村	40	C5
シエナ	イタリ	●祭	カンポ広場のパリオ競馬祭	46	C4
ジェノヴァ	イタリ	●人物	コロンブスの生誕地	36	D6
シェムレアップ	カンボ	●拠点	世界3大仏教遺跡アンコールワットへ	20	C2
シェルブール	フラン	●芸術	映画『シェルブールの雨傘』	40	C4
シカゴ	合衆国	●観光地	ビル街。ジャズ、ブルース	60	E13
シドニー	オスラ	●観光地	オペラハウス、ハーバーブリッジ	32	H6
ジャイプル	インド	●建造物	風の宮殿。象にのる観光	24	C3
シャオシン 紹興	中国	●食	紹興酒	14	F12
シャモニー・モン・ブラン	フラン	●リゾート	モン・ブラン山麓のアルペン・リゾート	40	E8
シャンハイ 上海	中国	●観光地	夜景。上海料理	8	D12
シュトゥットガルト	ドイツ	●拠点	黒い森（シュヴァルツヴァルト）の拠点	36	D6
ジョクジャカルタ	イドネ	●拠点	世界3大仏教遺跡ボロブドゥルへ	22	D3
シンガポール	シンガ	●観光地	マーライオン、オーチャード・ロード	8	G10
シンペイトウ 新北投	台湾	●観光地	台湾で最大規模の温泉郷	12	G7
スコータイ	タイ	●遺跡	タイ初の統一王朝スコータイ朝	18	B2
ストーク・オン・トレント	イギリ	●陶磁器	ウェッジウッド、ロイヤル・ドルトン	38	E5
ストラスブール	フラン	●建造物	ドイツ風、木骨組の家	36	D6
ストラトフォード・アポン・エイヴォン	イギリ	●人物	シェイクスピアの生誕地	38	F5
スリン	タイ	●祭	象祭り	20	C2
セーラム	合衆国	●歴史	魔女裁判	64	E2
セビーリャ	スペイ	●祭	春祭り、フラメンコや闘牛の本場	36	E5
セブ	フリピ	●リゾート	ビーチ・リゾート	18	B5
セルチュク	トルコ	●拠点	エフェソス遺跡へ	44	F6
セント・ルイス	合衆国	●食	バドワイザー	60	F12
ソウル	韓国	●観光地	景福宮、明洞、ロッテワールド	8	D12
ソールズベリー	イギリ	●遺跡	ストーンヘンジ	38	F6
タ					
ダーウィン	オスラ	●拠点	カカドゥ国立公園へ	32	F4
ダージリン	インド	●観光地	ヒマラヤ展望。登山鉄道。紅茶	24	E3
タイペイ 台北	台湾	●観光地	孔子廟、西門町	8	E12
タオルミナ	イタリ	●リゾート	映画『グラン・ブルー』	46	E7
ダニーディン	ニュジ	●拠点	ペンギンが見られるオタゴ半島へ	32	I8
タヒチ島	仏領ポ	●リゾート	ビーチ・リゾート。画家ゴーギャン	32	F12
ダラス	合衆国	●歴史	ケネディ暗殺の地	60	F12
チェダー	イギリ	●食	チェダー・チーズ	38	E6
チエンマイ	タイ	●祭	ソンクラーン（水かけ祭）	8	F9
チャンチュン 長春	中国	●祭	長春国際映画祭	8	C12
チョンジュ 全州	韓国	●食	ビビンバ	12	C5
チョンチン 重慶	中国	●拠点	三峡くだりの起点	8	E10
チョントゥー 成都	中国	●食	四川料理	8	D10
チンタオ 青島	中国	●食	青島ビール。青島国際ビール祭	8	D12
チントーチェン 景徳鎮	中国	●陶磁器	中国4大名鎮。国際陶磁祭。	14	F11
チンホン 景洪	中国	●祭	雲南ダイ族水かけ祭り	14	G8
ツェルマット	スイス	●リゾート	マッターホルン山麓のアルペン・リゾート	40	D8
テ・アナウ	ニュジ	●拠点	トレッキングの拠点	34	I7
デルフト	オラン	●陶磁器	デルフト焼	40	A7
トゥール	フラン	●拠点	ロワールの古城めぐりへ	36	D6
トゥンホワン 敦煌	中国	●遺跡	シルク・ロード。石窟	14	C6
トマール	ポルト	●祭	タブレイロスの祭	48	C1
トレド	スペイ	●人物	エル・グレコの創作活動の地	36	E5
ナ					
ナーンタリ	フィン	●文学	ムーミン・ワールド	50	E3
ナイアガラ滝	合衆国・カナダ	●自然	アメリカ滝とカナダ滝（ホースシュー滝）	64	D2
ナスカ	ペルー	●遺跡	地上絵	70	C5
ナポリ	イタリ	●食	パスタ、ピザ、ジェラート	36	D7
ナンキン 南京	中国	●人物	古都。孫文ゆかりの地	8	D11
ナンディ	フィジ	●拠点	フィジー観光の拠点	32	F8
ニース	フラン	●リゾート	コート・ダジュールへの玄関口	36	D6
ニャウンウー	ミャン	●拠点	世界3大仏教遺跡バガンへ	18	A2
ニャチャン	ベトナ	●リゾート	白砂が続くビーチ・リゾート	18	B3
ニュー・カレドニア島	カレド	●リゾート	ビーチ・リゾート	32	G7
ニューオーリンズ	合衆国	●音楽	ジャズ、ジャンバラヤ	60	G12
ニューマーケット	イギリ	●産地	サラブレッドの産地	38	G5
ニューヨーク	合衆国	●観光地	自由の女神像、ブロードウェイ、摩天楼	60	E14
ノールカップ	ノルウ	●自然	白夜の観光	36	A8
ハ					
ハーシー	合衆国	●観光地	ハーシー・チョコレート・ワールド	64	D2
バーデンバーデン	ドイツ	●リゾート	温泉保養地	42	D3
ハートフィールド	イギリ	●文学	『クマのプーさん』	38	G6
ハーナウ	ドイツ	●人物	グリム兄弟生誕地。メルヘン街道起点	42	C3
ハーメルン	ドイツ	●文学	『ハーメルンの笛吹き男』	42	B3
ハールレム	オラン	●祭	花祭り	40	A7
ハイデルベルク	ドイツ	●学問	ドイツ最古の大学。古城街道起点	42	D3
バイロイト	ドイツ	●音楽	ワーグナーゆかりの地。音楽祭	42	D4
バゴー	ミャン	●歴史	古都。世界最大の寝釈迦像	18	B2
バサースト	オスラ	●歴史	ゴールド・ラッシュ。自動車耐久レース	34	D4
バス	イギリ	●観光地	温泉。「風呂」の語源となった	38	E6
パタヤ	タイ	●リゾート	ビーチ・リゾート	20	C2
パリ	フラン	●観光地	エッフェル塔、シャンゼリゼ通り	36	D6
バリ島	イドネ	●リゾート	ビーチ・リゾート。ヒンドゥー文化	8	H11

地 名	国略称	ジャンル	特 徴	ページ	索引記号
バルセロナ	スペイ	●芸術	建築家ガウディの作品が点在	36	D6
パルマ	イタリ	●食	プロシュート	46	C3
バレンシア	スペイ	●祭	火祭、オレンジ、パエリア	36	E5
ハワース	イギリ	◎文学	『嵐が丘』	38	F5
ハワイ諸島	合衆国	●リゾート	ビーチ・リゾート、火山観光	60	G6
パンコール島	マレー	●リゾート	ビーチ・リゾート	22	B1
バンコク	タイ	●観光地	タイ王宮、ワット・プラ・ケオなど	8	F10
バンフ	カナダ	●拠点	カナディアン・ロッキー観光の拠点	66	C1
パンプロナ	スペイ	●祭	サン・フェルミン祭（牛追い祭）	36	D5
ピサ	イタリ	◎建造物	斜塔。『ピノキオ』	46	C4
ファティマ	ポルト	◎聖地	カトリック3大聖地	48	C1
フィゲレス	スペイ	◎人物	ダリ生誕地	48	A7
フィラデルフィア	合衆国	◎歴史	独立宣言	60	F14
フィレンツェ	イタリ	●芸術	ルネサンス発祥地。メディチ家	36	D7
プーケット島	タイ	●リゾート	ビーチ・リゾート	8	G9
フーチョウ 福州	中国	◎産地	ウーロン茶	8	E11
フエ	ベトナ	◎歴史	グエン朝の古都	8	F10
ブダペスト	ハンガ	●観光地	王宮、マーチャーシュ教会など	36	D7
フュッセン	ドイツ	◎建造物	ノイシュヴァンシュタイン城	42	E4
プヨ 扶余	韓国	◎歴史	百済の都	12	C4
ブラガ	ポルト	●祭	聖地ボン・ジェズス。聖ジョアンの祭	36	D5
フランクフルト・アム・マイン	ドイツ	●観光地	メッセ。ブックフェア	36	C6
ブリスベン	オスラ	●拠点	ゴールド・コーストへ。コアラ保護区	32	G6
プリマス	合衆国	◎歴史	メイフラワー号、清教徒上陸の地	64	E2
ブリュッセル	ベルギ	●観光地	グラン・プラス	36	C6
プリンス・エドワード島	カナダ	◎文学	『赤毛のアン』	62	B15
フルガダ	エジプ	●リゾート	紅海のビーチ・リゾート	26	D4
ブルッヘ	ベルギ	●観光地	水の都。マルクト広場	40	B6
ブレーメン	ドイツ	◎文学	『ブレーメンの音楽隊』メルヘン街道	36	C6
ペキン 北京	中国	●観光地	紫禁城、天安門広場。元・明・清の都	8	D11
ペナン島	マレー	●リゾート	ビーチ・リゾート	18	C3
ペリグー	フラン	●食	トリュフ、フォアグラ	40	E5
ベルゲン	ノルウ	●拠点	フィヨルド観光の拠点	36	B6
ベルリン	ドイツ	◎歴史	第2次大戦。ベルリン映画祭	36	C7
ヘレス・デ・ラ・フロンテラ	スペイ	●食	シェリー酒	48	D2
ホーチミン	ベトナ	●観光地	ベン・タイン市場、戦争犯罪博物館	8	F10
ボーヌ	フラン	●食	ブルゴーニュ・ワイン	40	D7
ボストン	合衆国	◎歴史	ボストン茶会事件、赤煉瓦建物群	60	E14
ホノルル	合衆国	●リゾート	ビーチ・リゾート	60	G6
ポルト	ポルト	●食	ポルト・ワイン	36	D5
ボルドー	フラン	●食	ボルドー・ワイン	36	D5
ボローニャ	イタリ	◎学問	欧州最古ボローニャ大学	36	D7

地 名	国略称	ジャンル	特 徴	ページ	索引記号
ホワリエン 花蓮	台湾	◎産地	大理石の産地	12	G8
ホンコン 香港	中国	●観光地	ビクトリア・ピーク、ショッピング	8	E11
マ					
マイアミ	合衆国	●リゾート	ビーチ・リゾート	60	G13
マイエンフェルト	スイス	◎文学	『アルプスの少女』	40	D9
マイセン	ドイツ	◎陶磁器	マイセン磁器	42	C5
マインツ	ドイツ	●拠点	ライン川下りの起点	42	C3
マカオ 澳門	中国	●観光地	カジノ	8	E11
マドリード	スペイ	●観光地	王宮、マヨール広場	36	D5
マレ	モルデ	●リゾート	ビーチ・リゾート	8	G7
ミコノス島	ギリシ	●リゾート	エーゲ海のリゾート。白亜の町並み	44	E6
ミュンヘン	ドイツ	●祭	オクトーバー・フェスト（ビール祭）	36	D7
ミラノ	イタリ	●観光地	ドゥオモ、スカラ座	36	D6
ミルフォード・サウンド	ニュジ	●自然	フィヨルド	34	H7
ムンバイ	インド	●祭	ガネーシャ祭（ヒンドゥー教の祭礼）	8	F7
モスクワ	ロシア	◎歴史	クレムリン、赤の広場	52	D6
モナコ	モナコ	●リゾート	コート・ダジュールのリゾート	40	F8
モン・サン・ミシェル	フラン	◎建造物	海に突きだした僧院。巡礼地	40	C4
モントリオール	カナダ	◎音楽	国際ジャズ・フェスティバル	60	E14
モントルー	スイス	◎音楽	国際ジャズ・フェスティバル	40	D8
ラ					
ラヴェンナ	イタリ	◎建造物	モザイク美術、ビザンチン文化	36	D7
ラサ 拉薩	中国	◎聖地	チベット仏教聖地	8	E9
ラス・ヴェガス	合衆国	●観光地	カジノ、テーマパーク	60	F10
ラスコー	フラン	◎遺跡	ラスコー洞窟の壁画	40	E5
ランカウイ島	マレー	●リゾート	ビーチ・リゾート	18	C2
リヴァプール	イギリ	◎音楽	ビートルズを生んだ街	36	C5
リオ・デ・ジャネイロ	ブラジ	●祭	カーニバル。ボサノバ発祥地	70	F6
リスボン	ポルト	◎音楽	ファド発祥地	36	E5
リモージュ	フラン	◎陶磁器	七宝焼き、リモージュ焼き	36	D6
ルオヤン 洛陽	中国	◎歴史	古都。4月中旬洛陽牡丹祭	8	D11
ルクソール	エジプ	◎歴史	ルクソール神殿、王家の谷	26	D4
ルツェルン	スイス	◎音楽	国際音楽祭	40	D9
ロヴァニエミ	フィン	●観光地	サンタクロース村	36	B8
ロードス島	ギリシ	●リゾート	エーゲ海のリゾート。カジノ	44	F6
ローマ	イタリ	●芸術	コロッセオ、スペイン広場	36	D7
ロサンゼルス	合衆国	●観光地	ハリウッド、ディズニーランド・リゾートなど	60	F10
ロトルア	ニュジ	●観光地	マオリの伝統文化。温泉	34	G9
ロンドン	イギリ	●観光地	ビッグ・ベン、バッキンガム宮殿など	36	C5
ワ					
ワシントン	合衆国	●観光地	ホワイトハウス、国会議事堂	60	F14

ジャンル	●観光地・リゾート・拠点・祭・自然	◎歴史・文学・芸術・音楽・人物・学問	●食・産地・陶磁器	◎建造物・聖地・遺跡

ピサ（イタリア）
ドゥオモと斜塔。斜塔は14世紀に完成

マイアミ（アメリカ合衆国）
フロリダ半島の大西洋岸。近隣のリゾートの中心地

ミルフォード・サウンド（ニュージーランド）
フィヨルドと険しい山々が絶景をつくる

＊リスト中の色文字は、特に著名なものや写真で紹介しているものを示します。

●スポーツ●

このスポーツのリストには、オリンピックの開催地、メジャー・リーグ・チームとおもなプロサッカーチームのホームとなっている都市をまとめました。

オ オリンピック開催地
メ メジャー・リーグ・チームのホーム
サ プロサッカーチームのホーム

シアトル（アメリカ合衆国）
マリナーズのホーム球場、セーフコ・フィールド

都市名	国略称	種別	チーム名/大会名	ページ	索引記号
ア					
アーリントン	合衆国	メ	テキサス・レンジャーズ	62	E8
アウクスブルク	ドイツ	サ	アウクスブルク	42	D4
アテネ	ギリシ	オ	夏季1回1896年、夏季28回2004年	36	E8
アトランタ	合衆国	オ	夏季26回1996年	60	F13
		メ	ブレーブス		
アナハイム	合衆国	メ	ロサンゼルス・エンゼルス	66	C5
アムステルダム	オラン	オ	夏季9回1928年	36	C6
		サ	アヤックス		
アルベールヴィル	フラン	オ	冬季16回1992年	40	E8
アントウェルペン	ベルギ	オ	夏季7回1920年	40	B7
イスタンブール	トルコ	サ	ガラタサライ、フェネルバフチェSKなど	8	C2
インスブルック	オスリ	オ	冬季9回1964年、冬季12回1976年	42	E4
ヴァンクーヴァー	カナダ	オ	冬季21回2010年	60	E9
ヴェローナ	イタリ	サ	キエーボ・ヴェローナ	46	C3
ウォルフスブルク	ドイツ	サ	VfLウォルフスブルク	42	B4
ウディネ	イタリ	サ	ウディネーゼ	46	D2
エイントホーフェン	オラン	サ	PSVアイントホーフェン	40	B7
エンスヘデ	オラン	サ	トゥエンテ	40	A8
オークランド	合衆国	メ	アスレチックス	62	D3
オスロ	ノルウ	オ	冬季6回1952年	36	C7
カ					
カルガリー	カナダ	オ	冬季15回1988年	60	D10
ガルミッシュ・パルテンキルヘン	ドイツ	オ	冬季4回1936年	42	E4
カンザス・シティ	合衆国	メ	ロイヤルズ	60	F12
グラスゴー	イギリ	サ	セルティックFC、グラスゴー・レンジャーズFC	62	B6
クリーヴランド	合衆国	メ	ガーディアンズ	60	E13
クリチバ	ブラジ	サ	アトレチコ・パラナエンセ	70	F6
グルノーブル	フラン	オ	冬季10回1968年	36	D6
ゲルゼンキルヘン	ドイツ	サ	シャルケ04	42	C2
ケルン	ドイツ	サ	1.FCケルン	36	C6
コルティーナ・ダンペッツォ	イタリ	オ	冬季7回1956年、冬季25回2026年（予定）	46	D2
サ					
サウザンプトン	イギリ	サ	サウサンプトンFC	38	F6
札幌	日本	オ	冬季11回1972年	8	C14
サラエボ	ボスニ	オ	冬季14回1984年	36	D7
サン・ディエゴ	合衆国	メ	パドレス	60	F10
サンテティエンヌ	フラン	サ	ASサンテティエンヌ	36	D6
サン・パウロ	ブラジ	サ	パルメイラス、コリンチャンス	70	F6
サン・モリッツ	スイス	オ	冬季2回1928年、冬季5回1948年	40	D9
サンフランシスコ	合衆国	メ	ジャイアンツ	60	F9
シアトル	**合衆国**	メ	**マリナーズ**	60	E9
ジェノヴァ	イタリ	サ	ジェノアCFC、UCサンプドリア	36	D6
シカゴ	合衆国	メ	ホワイトソックス、カブス	60	E13
シドニー	オスラ	オ	夏季27回2000年	32	H6
シャモニー・モン・ブラン	フラン	オ	冬季1回1924年	40	E8
シンシナティ	合衆国	メ	レッズ	60	F13
スコー・ヴァレー	合衆国	オ	冬季8回1960年	66	C4
ストックホルム	スウェ	オ	夏季5回1912年、夏季16回1956年	36	C7
セビーリャ	スペイ	サ	レアル・ベティス、セビージャ	36	E5
セント・ピーターズバーグ	合衆国	メ	タンパベイ・レイズ	62	F11
セント・ルイス	合衆国	オ	夏季3回1904年	60	F12
		メ	カージナルス		
ソウル	韓国	オ	夏季24回1988年	8	D12
ソチ	ロシア	オ	冬季22回2014年	52	E6
ソルト・レーク・シティ	合衆国	オ	冬季19回2002年	60	E10
タ					
デトロイト	合衆国	メ	タイガース	60	E13
デンヴァー	合衆国	メ	コロラド・ロッキーズ	60	F11
東京	日本	オ	夏季18回1964年、夏季32回2021年	8	D13
トリノ	イタリ	オ	冬季20回2006年	36	D6
		サ	ユベントス、トリノ		
ドルトムント	ドイツ	サ	ボルシア・ドルトムント	36	C6
トロント	カナダ	メ	ブルージェイズ	60	E14
ナ					
長野	日本	オ	冬季18回1998年	10	C6
ナポリ	イタリ	サ	SSCナポリ	36	D7
ナント	フラン	サ	FCナント	40	D4
ニース	フラン	サ	OGCニース	36	D6
ニューヨーク	**合衆国**	メ	**ヤンキース、メッツ**	60	E14
ハ					
バーミンガム	イギリ	サ	アストン・ビラ	36	C5
パリ	フラン	オ	夏季2回1900年、夏季8回1924年、夏季33回2024年（予定）	36	D6
		サ	パリ・サンジェルマン		
バルセロナ	スペイ	オ	夏季25回1992年	36	D6
		サ	FCバルセロナ、エスパニョール		
バレンシア	スペイ	サ	バレンシア	36	E5
ハンブルク	ドイツ	サ	ハンブルガーSV	36	C7
ピッツバーグ	合衆国	メ	パイレーツ	60	E13
ヒューストン	合衆国	メ	アストロズ	60	G12
ピョンチャン 平昌	韓国	オ	冬季23回2018年	12	D4
ビルバオ	スペイ	サ	アスレティック・ビルバオ	48	A4
フィラデルフィア	合衆国	メ	フィリーズ	60	F14
フィレンツェ	イタリ	サ	フィオレンティーナ	36	D7
フェニックス	合衆国	メ	アリゾナ・ダイヤモンドバックス	60	F10
ブエノスアイレス	アゼチ	サ	リーベル・プレート、ボカ・ジュニアーズなど	70	E7
フランクフルト・アム・マイン	ドイツ	サ	アイントラハト・フランクフルト	36	C6
ブレーメン	ドイツ	サ	ベルダー・ブレーメン	36	C6
ペキン 北京	中国	オ	夏季29回2008年、冬季24回2022年	8	D11
ベルガモ	イタリ	サ	アタランタ	46	B3
ヘルシンキ	フィン	オ	夏季15回1952年	36	B8
ベルリン	ドイツ	オ	夏季11回1936年	36	C7
		サ	ヘルタ・ベルリン		
ベロ・オリゾンテ	ブラジ	サ	アトレチコ・ミネイロ	70	F5
ボストン	合衆国	メ	レッドソックス	60	E14
ボルティモア	合衆国	メ	オリオールズ	60	F14
ポルト	ポルト	サ	FCポルト	36	D5
ポルト・アレグレ	ブラジ	サ	グレミオ、インテルナシオナル	70	E7
ボルドー	フラン	サ	ジロンダン・ド・ボルドー	36	D5
マ					
マイアミ	合衆国	メ	マーリンズ	60	G13
マインツ	ドイツ	サ	1.FSVマインツ05	42	D3
マドリード	スペイ	サ	レアル・マドリードなど	36	D5
マルセイユ	フラン	サ	オランピック・マルセイユ	36	D6
マンチェスター	イギリ	サ	マンチェスター・シティなど	36	C5
ミネアポリス	合衆国	メ	ミネソタ・ツインズ	60	E12
ミュンヘン	ドイツ	オ	夏季20回1972年	36	D7
		サ	バイエルン・ミュンヘン		
ミラノ	イタリ	サ	インテル、ACミラン	36	D6
		オ	冬季25回2026年（予定）		
ミルウォーキー	合衆国	メ	ブルワーズ	60	E13
メキシコシティ	メキシ	オ	夏季19回1968年	60	H12
メルボルン	オスラ	オ	夏季16回1956年	32	H5
モスクワ	ロシア	オ	夏季22回1980年	52	D6
		サ	CSKAモスクワ		
モナコ	モナコ	サ	ASモナコ	36	D6
モントリオール	カナダ	オ	夏季21回1976年	60	E14
ラ					
リヴァプール	イギリ	サ	リヴァプール、エバートン	36	C5
リオ・デ・ジャネイロ	ブラジ	サ	ボタフォゴ、フラメンゴなど	70	F6
		オ	夏季31回2016年		
リスボン	ポルト	サ	ベンフィカ、スポルティングCP	36	E5
リヨン	フラン	サ	オリンピック・リヨン	36	D6
リレハンメル	ノルウ	オ	冬季17回1994年	36	B7
レーク・プラシッド	合衆国	オ	冬季3回1932年、冬季13回1980年	64	E2
レスター	イギリ	サ	レスター・シティ	38	F5
ローマ	イタリ	オ	夏季17回1960年	36	D7
		サ	ラツィオ、ローマ		
ロサンゼルス	合衆国	オ	夏季10回1932年、夏季23回1984年	60	F10
		メ	ドジャース		
ロッテルダム	オラン	サ	フェイエノールト	36	C6
ロンドン	イギリ	オ	夏季4回1908年、夏季14回1948年、夏季30回2012年	36	C5
		サ	アーセナル、チェルシーなど		
ワ					
ワシントン	合衆国	メ	ナショナルズ	60	F14

●美術館・博物館●

世界のおもな美術館・博物館の名称と所在地をまとめています。

都市名	国略称	名 称	ページ	索引記号
ア				
アッシジ	イタリ	サン・フランチェスコ大聖堂	46	D4
アテネ	ギリシ	国立考古学博物館、アクロポリス博物館	36	E8
アデレード	オスラ	サウス・オーストラリア美術館	32	H4
アバディーン	イギリ	アバディーン美術館	36	C5
アムステルダム	**オラン**	**アムステルダム国立美術館**、ファン・ゴッホ美術館、アムステルダム市立美術館、レンブラントの家	36	C6
アルビ	フラン	トゥールーズ=ロートレック美術館	40	F6
アンティーブ	フラン	ピカソ美術館	40	F8
アントウェルペン	ベルギ	アントウェルペン王立美術館、アントウェルペン大聖堂	40	B7
イェーテボリ	スウェ	イェーテボリ美術館	36	C7
イスタンブール	**トルコ**	**トプカプ宮殿博物館**	8	C2
イラクリオン	ギリシ	イラクリオン考古学博物館	36	E8
ヴァイマル	ドイツ	バウハウス博物館	42	C4
ウィーン	**オスリ**	**美術史美術館**、レオポルト美術館、オーストリア・ギャラリー（ベルヴェデーレ宮殿）、造形美術アカデミー付属美術館	36	D7
ヴィンタートゥール	スイス	オスカー・ラインハルト・コレクション	40	D9
ヴェネツィア	イタリ	アカデミア美術館、コッレール博物館	36	D7
ヴェリキー・ノヴゴロト	ロシア	国立ノヴゴロト総合博物館	52	D6
ヴェルサイユ	フラン	ヴェルサイユ宮殿美術館	40	C6
ウルビーノ	イタリ	国立マルケ美術館	46	D4
エディンバラ	イギリ	スコットランド国立美術館、ディーン・ギャラリー、スコットランド国立近代美術館、子供史博物館	36	C5
オークランド	合衆国	カリフォルニア・オークランド博物館	62	D3
オスロ	ノルウ	オスロ国立美術館、ムンク美術館、ヴァイキング船博物館	36	C7
オタワ	カナダ	カナダ国立美術館	60	E14
オックスフォード	イギリ	アシュモーリアン博物館	38	F6
カ				
カーディフ	イギリ	カーディフ国立博物館	36	C5
カーニュ・シュル・メール	フラン	ルノワール美術館	40	F8
カイロ	**エジプ**	**エジプト考古学博物館**	56	G2
カッセル	ドイツ	古典絵画館（ヴィルヘルムスヘーエ城）	42	C3
カンザス・シティ	合衆国	ネルソン=アトキンズ美術館	60	F12
クラクフ	ポーラ	チャルトリスキ美術館	36	C7
グラスゴー	イギリ	ハンタリアン美術館	36	C5
クリーヴランド	合衆国	クリーヴランド美術館	60	E13
グルノーブル	フラン	グルノーブル美術館	36	D6
ケルン	ドイツ	ヴァルラフ=リヒャルツ美術館、ルートヴィヒ美術館	36	C6
ケンブリッジ	イギリ	フィッツウィリアム美術館	38	G5
コペンハーゲン	デンマ	コペンハーゲン国立美術館、ニー・カールスベア美術館	36	C7
コルカタ	**インド**	**インド博物館**	8	E8
コルマル	フラン	ウンターリンデン美術館	40	C8
サ				
サン・パウロ	ブラジ	サン・パウロ美術館	70	F6
サン・モリッツ	スイス	セガンティーニ美術館	40	D9
サンクト・ペテルブルク	**ロシア**	**エルミタージュ美術館**、ロシア美術館	52	D6
サンフランシスコ	合衆国	サンフランシスコ近代美術館、デ・ヤング美術館	60	F9
シアトル	合衆国	シアトル美術館	60	E9
シーアン 西安	中国	西安碑林博物館、陝西歴史博物館、秦始皇兵馬俑博物館	8	D10
ジヴェルニー	フラン	ジヴェルニー印象派美術館	40	C5
シカゴ	**合衆国**	**シカゴ美術館**	60	E13
シャンハイ 上海	中国	上海博物館	8	D12
シュトゥットガルト	ドイツ	シュトゥットガルト州立美術館	36	D6
ジュネーヴ	スイス	プティ・パレ美術館	36	D6
ストックホルム	スウェ	スウェーデン国立美術館、ストックホルム近代美術館、ダンス博物館、スカンセン野外博物館	36	C7
セビーリャ	スペイ	セビーリャ美術館	36	E5
セント・ルイス	合衆国	セント・ルイス美術館	60	F12
ソウル	**韓国**	**国立中央博物館**	8	D12
タ				
タイペイ 台北	**台湾**	**国立故宮博物院**	8	E12
ダブリン	アイル	アイルランド国立美術館、トリニティ・カレッジ図書館、アイルランド国立博物館	36	C5
ダラス	合衆国	ダラス美術館	60	F12
チェンナイ	インド	チェンナイ州立博物館	8	F8
チューリヒ	スイス	チューリヒ美術館	36	D6
テッサロニキ	ギリシ	テッサロニキ考古学博物館、ビザンティン文化博物館	36	D8
デトロイト	合衆国	デトロイト美術館	60	E13
デュッセルドルフ	ドイツ	ノルトライン・ヴェストファーレン州立美術館	36	C6
ドレスデン	ドイツ	ドレスデン美術館	36	C7
トレド	スペイ	サンタ・クルス美術館	36	E5
トレド	合衆国	トレド美術館	62	C11
トロント	カナダ	オンタリオ美術館	60	E14
ナ				
ナポリ	イタリ	国立考古学博物館、カポディモンテ美術館	36	D7
ナンキン 南京	中国	南京博物院	8	D11
ナンシー	フラン	ナンシー美術館、ナンシー派美術館	40	C8
ニース	フラン	シャガール美術館、マティス美術館	36	D6
ニュー・デリー	インド	ニュー・デリー国立博物館	8	E7
ニュー・ヘヴン	合衆国	イェール大学美術館	62	C13
ニューオーリンズ	合衆国	ニューオーリンズ美術館	60	G12
ニューヨーク	**合衆国**	**メトロポリタン美術館、アメリカ自然史博物館、ニューヨーク近代美術館 MoMA**、グッゲンハイム美術館、ホイットニー美術館	60	E14
ニュルンベルク	ドイツ	ゲルマン国立博物館	36	D7

ウィーン（オーストリア）
ウィーン美術史美術館

サンクト・ペテルブルク（ロシア）
エルミタージュ美術館

ニューヨーク（アメリカ合衆国）
メトロポリタン美術館

*リスト中の色文字は、特に著名なものや写真で紹介しているものを示します。

フィレンツェ(イタリア)
ウフィツィ美術館

マドリード(スペイン)
プラド美術館

ロンドン(イギリス)
ナショナル・ギャラリー

ハ				
ハーグ	オラン	マウリッツハイス美術館、ハーグ市立美術館	36	C6
バーゼル	スイス	バーゼル美術館	36	D6
ハートフォード	合衆国	ワズワース・アテネウム美術館	60	E14
バーミンガム	イギリ	バーミンガム博物館&美術館	36	C5
ハールレム	オラン	フランス・ハルス美術館	40	A7
ハイデルベルク	ドイツ	ドイツ薬事博物館	42	D3
バイヨンヌ	フラン	ボナ美術館	40	F4
パサディナ	合衆国	ノートン・サイモン美術館	62	E4
バス	イギリ	ローマ浴場跡博物館	38	E6
バチカン	バチカ	バチカン美術館	36	D7
バッファロー	合衆国	オルブライト=ノックス美術館	60	E14
ハノーファー	ドイツ	ニーダーザクセン州立博物館	36	C6
パリ	フラン	ルーヴル美術館、オルセー美術館、パリ国立近代美術館(ポンピドゥー・センター)、オランジュリー美術館、マルモッタン・モネ美術館、パリ市立近代美術館、ギュスターヴ・モロー美術館、プティ・パレ美術館、ロダン美術館、ピカソ美術館	36	D6
バルセロナ	スペイ	ピカソ美術館、ミロ美術館、カタルーニャ美術館	36	D6
パレルモ	イタリ	シチリア州立考古学博物館	36	E7
ハンブルク	ドイツ	ハンブルク市立美術館	36	C7
ピッツバーグ	合衆国	アンディ・ウォーホール美術館	60	E13
ヒューストン	合衆国	ヒューストン美術館、メニル・コレクション	60	G12
ビルバオ	スペイ	ビルバオ・グッゲンハイム美術館	36	D5
フィゲレス	スペイ	ダリ劇場美術館	48	A7
フィラデルフィア	合衆国	フィラデルフィア美術館	60	F14
フィレンツェ	イタリ	ウフィツィ美術館、ピッティ宮殿パラティーナ美術館、アカデミア美術館、サン・マルコ美術館	36	D7
ブエノスアイレス	アゼチ	アルゼンチン国立美術館	70	E7
フォート・ワース	合衆国	キンベル美術館	60	F12
ブカレスト	ルーマ	ルーマニア国立美術館	36	D8
ブザンソン	フラン	ブザンソン美術考古学博物館	40	D8
ブダペスト	ハンガ	ハンガリー国立美術館	36	D7
プラハ	チェコ	プラハ国立美術館	36	C7
フランクフルト・アム・マイン	ドイツ	シュテーデル美術館	36	C6
ブリュッセル	ベルギ	ベルギー王立美術館	36	C6
ブルッヘ	ベルギ	市立グルーニンゲ美術館、メムリンク美術館	40	B6
プロヴィデンス	合衆国	ロードアイランド・デザイン学校付属美術館	60	E14
ベオグラード	セルビ	セルビア国立博物館	36	D8
ペキン 北京	中国	故宮博物院	8	D11
ベルジュラック	フラン	タバコ博物館	40	E5
ヘルシンキ	フィン	アテネウム美術館	36	B8
ベルリン	ドイツ	ベルリン絵画館、旧国立美術館、新国立美術館、新博物館、ペルガモン博物館	36	C7
ベルン	スイス	ベルン美術館	36	D6
ヘント	ベルギ	シント・バーフ大聖堂	40	B6
ボストン	合衆国	ボストン美術館、イザベラ・スチュワート・ガードナー美術館	60	E14
ホノルル	合衆国	ホノルル美術館、ビショップ博物館	60	G6
ボルティモア	合衆国	ボルティモア美術館	60	F14
ボルドー	フラン	ボルドー美術館	36	D5
ボローニャ	イタリ	ポッジ宮殿博物館	36	D7
マ				
マドリード	スペイ	プラド美術館、ティッセン=ボルネミッサ美術館、ソフィア王妃芸術センター	36	D5
マンチェスター	イギリ	マンチェスター市立美術館	36	C5
ミネアポリス	合衆国	ミネアポリス美術館	60	E12
ミュールーズ	フラン	国立自動車博物館	40	D8
ミュンヘン	ドイツ	アルテ・ピナコテーク、ノイエ・ピナコテーク、ピナコテーク・デア・モデルネ、市立レンバッハハウス美術館	36	D7
ミラノ	イタリ	ブレラ絵画館、サンタ・マリア・デッレ・グラツィエ修道院、ポルディ・ペッツォーリ美術館、スフォルツァ城美術館、レオナルド・ダ・ヴィンチ国立科学技術博物館	36	D6
メキシコシティ	メキシ	国立宮殿、ベジャス・アルテス宮殿	60	H12
メルボルン	オスラ	ヴィクトリア国立美術館	32	H5
モスクワ	ロシア	プーシキン美術館、トレチャコフ美術館	52	D6
モナコ	モナコ	モナコ海洋博物館	40	F8
モントーバン	フラン	アングル美術館	40	E5
モントリオール	カナダ	モントリオール美術館	60	E14
モンペリエ	フラン	ファーブル美術館	36	D6
ヤ				
ヨーク	イギリ	イギリス国立鉄道博物館	38	F5
ラ				
ライデン	オラン	国立古代博物館、国立民族学博物館	40	A7
ランス	フラン	ランス美術館	40	C7
リール	フラン	リール宮殿美術館	36	C6
リヴァプール	イギリ	ウォーカー美術館	36	C5
リスボン	ポルト	リスボン国立古美術館、グルベンキアン美術館	36	E5
リヨン	フラン	リヨン美術館	36	D6
ルクソール	エジプ	ルクソール博物館	26	D4
ローマ	イタリ	ボルゲーゼ美術館、国立近代美術館、国立古典絵画館(パラッツォ・バルベリーニ)	36	D7
ロサンゼルス	合衆国	ポール・ゲッティ美術館、ロサンゼルス郡立美術館、ロサンゼルス現代美術館	60	F10
ロッテルダム	オラン	ボイマンス=ファン・ブーニンヘン美術館	36	C6
ロンドン	イギリ	大英博物館、ナショナル・ギャラリー、テート・ブリテン、テート・モダン、コートールド研究所美術館、ナイチンゲール博物館	36	C5
ワ				
ワシントン	合衆国	ナショナル・ギャラリー、スミソニアン博物館群(国立自然史博物館、国立航空宇宙博物館、フリーア美術館など)、フィリップス・コレクション	60	F14
ワルシャワ	ポーラ	ワルシャワ国立美術館	36	C8

ここでは、世界のおもな鉄道の路線を図示しています。その中でも特に著名な鉄道や列車の紹介をしています。

●ヨーロッパの鉄道・列車●

番号	鉄道名・列車名	国名(略称)	運行区間
27	フライング・スコッツマン	イギリ	ロンドン～エディンバラ
28	ユーロスター	イギリ・フラン・ベルギ	ロンドン～パリ ほか
29	フレッチャロッサ	イタリ	ローマ～ミラノ ほか
30	X2000	スウェ	ストックホルム～イェーテボリ ほか
31	ノールランストーグ号	スウェ・ノルウ	ストックホルム～ナルヴィク
32	アルファペンドゥラール	ポルト	リスボン～ポルト ほか
33	AVE	スペイ	マドリード～セビーリャ ほか
34	ICE	ドイツ	ハンブルク～ミュンヘン ほか
35	TGV大西洋線	フラン	パリ～ボルドー ほか
36	TGV地中海線	フラン	パリ～マルセイユ ほか
37	TGV東ヨーロッパ線	フラン	パリ～ストラスブール ほか
38	タリス	フラン・ベルギ・オラン・ドイツ	パリ～アムステルダム ほか

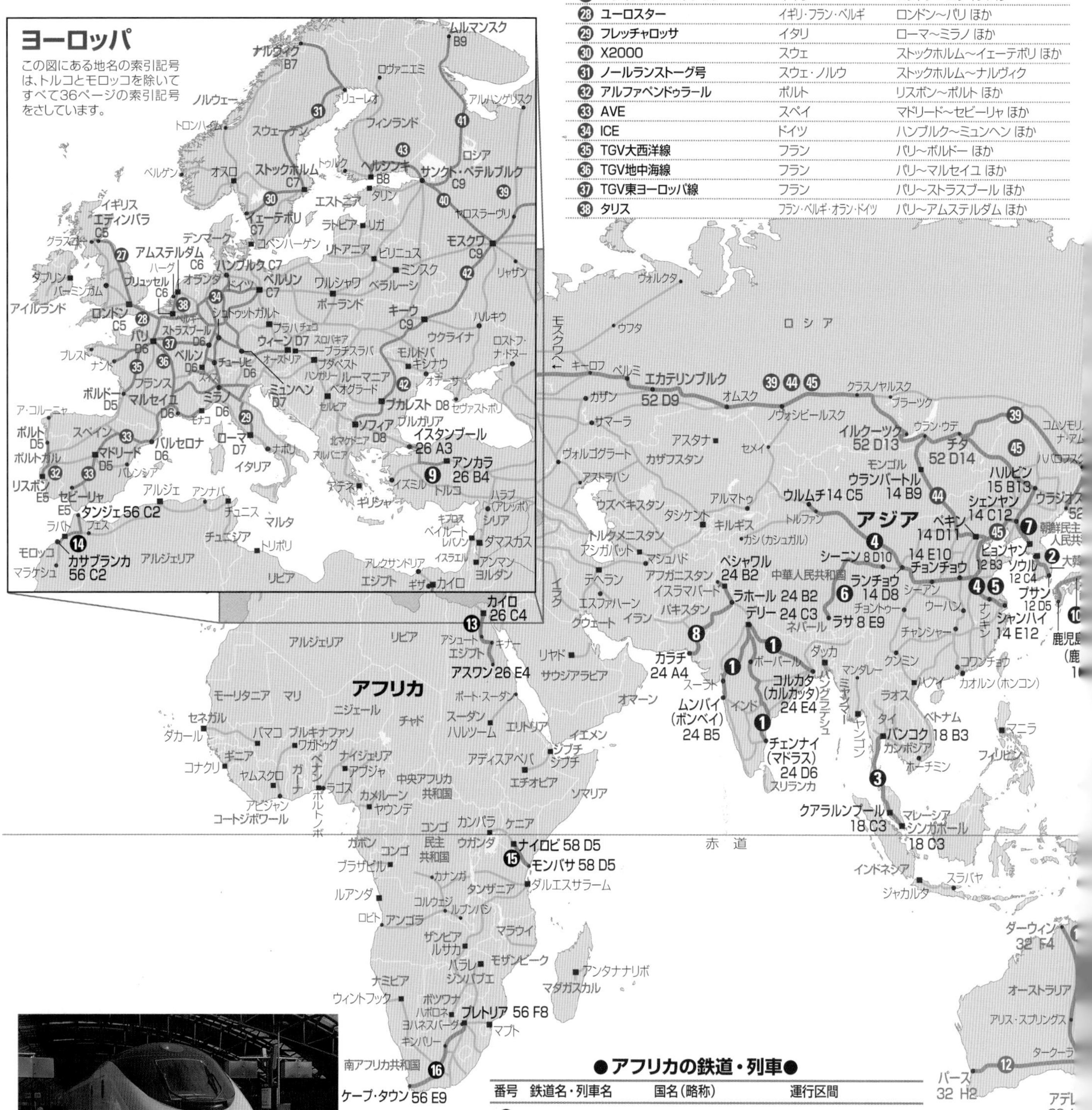

●アフリカの鉄道・列車●

番号	鉄道名・列車名	国名(略称)	運行区間
13	ナイル・エクスプレス	エジプ	カイロ～アスワン
14	LGVモロッコ	モロコ	カサブランカ～タンジェ
15	マダラカ・エクスプレス	ケニア	モンバサ～ナイロビ
16	ブルートレイン	南アフ	プレトリア～ケープ・タウン

ユーロスター（イギリス・フランス・ベルギー）
ユーロトンネルを使って、イギリスと大陸を結ぶ。

●ロシアの鉄道・列車●

番号	鉄道名・列車名	国名（略称）	運行区間
39	ロシア号（シベリア鉄道）	ロシア	モスクワ～ウラジオストク
40	サプサン	ロシア	モスクワ～サンクト・ペテルブルク ほか
41	北極号	ロシア	モスクワ～ムルマンスク
42	ブルガリア・エクスプレス	ロシア・ウクラ・ルーマ・ブルガ	モスクワ～ソフィア
43	トルストイ号	ロシア・フィン	モスクワ～ヘルシンキ
44	K3/4次列車	ロシア・モンゴ・中国	モスクワ～ウランバートル～ペキン 北京
45	ヴォストーク号	ロシア・中国	モスクワ～ハルビン～ペキン 北京

●北アメリカの鉄道・列車●

番号	鉄道名・列車名	国名（略称）	運行区間
17	サンセット・リミテッド号	合衆国	ニューオーリンズ～ロサンゼルス
18	カリフォルニア・ゼファー号	合衆国	シカゴ～オークランド近郊
19	エンパイア・ビルダー号	合衆国	シカゴ～シアトル
20	サウスウェスト・チーフ号	合衆国	シカゴ～ロサンゼルス
21	アラスカ鉄道	合衆国	スアード～フェアバンクス
22	アセラ・エクスプレス	合衆国	ボストン～ワシントンD.C.
23	コースト・スターライト号	合衆国	ロサンゼルス～シアトル
24	カナディアン号	カナダ	トロント～ヴァンクーヴァー
25	チワワ太平洋鉄道	メキシ	チワワ～ロス・モチス

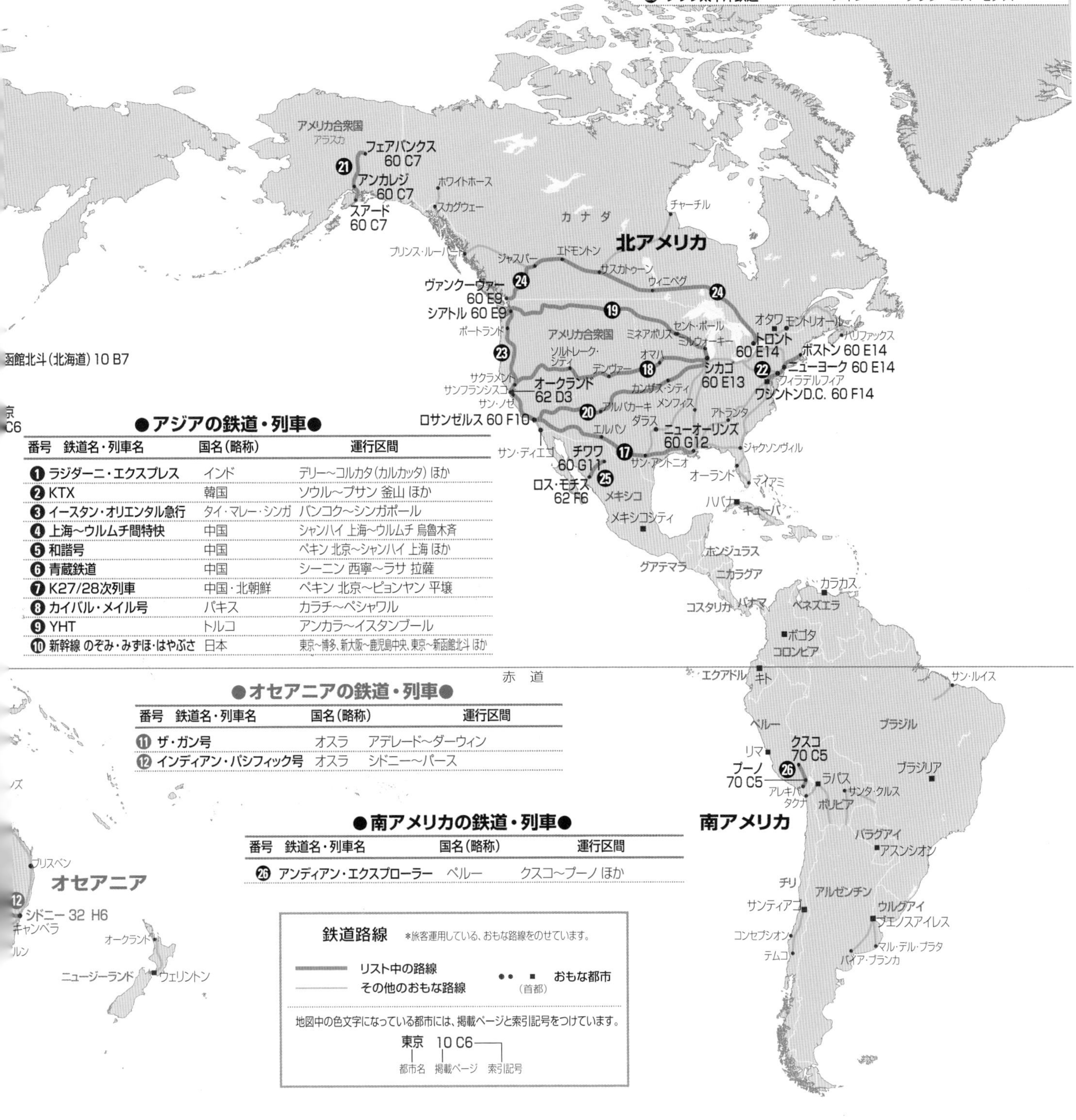

●アジアの鉄道・列車●

番号	鉄道名・列車名	国名（略称）	運行区間
1	ラジダーニ・エクスプレス	インド	デリー～コルカタ（カルカッタ）ほか
2	KTX	韓国	ソウル～プサン 釜山 ほか
3	イースタン・オリエンタル急行	タイ・マレー・シンガ	バンコク～シンガポール
4	上海～ウルムチ間特快	中国	シャンハイ 上海～ウルムチ 烏魯木斉
5	和諧号	中国	ペキン 北京～シャンハイ 上海 ほか
6	青蔵鉄道	中国	シーニン 西寧～ラサ 拉薩
7	K27/28次列車	中国・北朝鮮	ペキン 北京～ピョンヤン 平壌
8	カイバル・メイル号	パキス	カラチ～ペシャワル
9	YHT	トルコ	アンカラ～イスタンブール
10	新幹線 のぞみ・みずほ・はやぶさ	日本	東京～博多、新大阪～鹿児島中央、東京～新函館北斗 ほか

●オセアニアの鉄道・列車●

番号	鉄道名・列車名	国名（略称）	運行区間
11	ザ・ガン号	オスラ	アデレード～ダーウィン
12	インディアン・パシフィック号	オスラ	シドニー～パース

●南アメリカの鉄道・列車●

番号	鉄道名・列車名	国名（略称）	運行区間
26	アンディアン・エクスプローラー	ペルー	クスコ～プーノ ほか

鉄道路線 ＊旅客運用している、おもな路線をのせています。

- リスト中の路線
- その他のおもな路線
- ●● ■ おもな都市（首都）

地図中の色文字になっている都市には、掲載ページと索引記号をつけています。

東京 10 C6（都市名・掲載ページ・索引記号）

日本からの直行便が発着する、おもな世界の国際空港を
地域ごとにまとめています。

●アジアへの直行便●

国名・地域名	都市名	番号	空港名	ページ	索引記号
アラブ首長国連邦	アブダビ	1	アブダビ	8	E5
	ドバイ	2	ドバイ	26	D9
イスラエル	テル・アヴィヴ・ヤフォ	3	ベン・グリオン	26	C4
インド	デリー	4	インディラ・ガンディー	8	E7
	ベンガルール	5	ケンペゴウダ	8	F7
	ムンバイ（ボンベイ）	6	チャトラパティ・シヴァージー	8	F7
インドネシア	ジャカルタ	7	スカルノ・ハッタ	8	H10
	デンパサル	8	ングラ・ライ	18	D4
ウズベキスタン	タシケント	9	タシュケント	8	C6
カタール	ドーハ	10	ハマド	8	E5
シンガポール	シンガポール	11	チャンギ	8	G10
スリランカ	コロンボ	12	バンダーラナーヤカ	8	G7
タイ	チェンマイ	13	チェンマイ	8	F9
	バンコク	14	スワンナプーム	8	F10
	バンコク	15	ドンムアン	8	F10
大韓民国（韓国）	ソウル	16	仁川（インチョン）	8	D12
	ソウル	17	金浦（キンポ）	8	D12
	チェジュ 済州	18	済州（チェジュ）	12	C6
	テグ 大邱	19	大邱（テグ）	8	D12
	プサン 釜山	20	金海（キムヘ）	8	D12
	ヤンヤン 襄陽	21	襄陽（ヤンヤン）	12	D3
台湾	カオション 高雄	22	高雄（カオション）	8	E12
	タイペイ 台北	23	松山（ソンシャン）	8	E12
	タイペイ 台北	24	台湾桃園（タイワンタオユワン）	8	E12
中華人民共和国	ウーシー 無錫	25	蘇南碩放（スーナンシュオファン）	14	E12
	クンミン 昆明	26	長水（チャンショイ）	8	E10
	コワンチョウ 広州	27	白雲（パイユン）	8	E11
	シーアン 西安	28	咸陽（シエンヤン）	8	D10
	シェンチェン 深圳	29	宝安（ポーアン）	14	G10
	シェンヤン 瀋陽	30	桃仙（タオシエン）	8	C12
	シャンハイ 上海	31	浦東（プートン）	8	D12
	シャンハイ 上海	32	虹橋（ホンチャオ）	8	D12
	ターリエン 大連	33	周水子（チョウショイツー）	8	D12
	チーナン 済南	34	遥墻（ヤオチャン）	8	D11
	チンタオ 青島	35	流亭（リウティン）	8	D12
	ティエンチン 天津	36	浜海（ピンハイ）	8	D11
	ナンキン 南京	37	禄口（ルーコウ）	8	D11
	ニンポー 寧波	38	櫟社（リーシャー）	8	E12
	ハルビン 哈爾浜	39	太平（タイピン）	8	C12
	ハンチョウ 杭州	40	蕭山（シャオシャン）	8	D12
	フーチョウ 福州	41	長楽（チャンロー）	8	E11
	ペキン 北京	42	首都（ショウトゥー）	8	D11
	ホンコン 香港	43	香港（ホンコン）	8	E11
	マカオ 澳門	44	マカオ	8	E11
トルコ	イスタンブール	45	アタテュルク	8	C2
ネパール	カトマンズ	46	トリブバン	8	E8
フィリピン	セブ	47	マクタン	8	F12
	マニラ	48	ニノイ・アキノ	8	F12
ブルネイ	バンダル・スリ・ブガワン	49	ブルネイ	8	G11
ベトナム	ダナン	50	ダナン	8	F10
	ハノイ	51	ノイバイ	8	E10
	ホーチミン	52	タンソンニャット	8	F10
マレーシア	クアラルンプール	53	クアラルンプール	8	G10
	コタ・キナバル	54	コタ・キナバル	18	C4
モンゴル	ウランバートル	55	チンギスハーン	8	C10

●オセアニアへの直行便●

国名・地域名	都市名	番号	空港名	ページ	索引記号
オーストラリア	ケアンズ	56	ケアンズ	32	F5
	ゴールド・コースト	57	ゴールド・コースト	32	G6
	シドニー	58	キングズフォード・スミス	32	H6
	ブリスベン	59	ブリスベン	32	G6
	メルボルン	60	タラマリン	32	H5
グアム島（合衆国）	ハガッニャ	61	グアム	32	C5
サイパン島（合衆国）		62	サイパン	32	C5
ニュー・カレドニア島（フランス）	ヌーメア	63	ラ・トントゥータ	34	C6
ニュージーランド	オークランド	64	オークランド	34	G8
フィジー	ナンディ	65	ナンディ	32	F8
仏領ポリネシア	パペーテ	66	ファアア	32	F12

●国際線が発着する日本の空港●

成田、東京（羽田）、中部、関西、福岡、
旭川、新千歳、函館、青森、仙台、茨城、新潟、小松、岡山、広島、米子、高松、松山、北九州、長崎、熊本、鹿児島、那覇、石垣、下地島

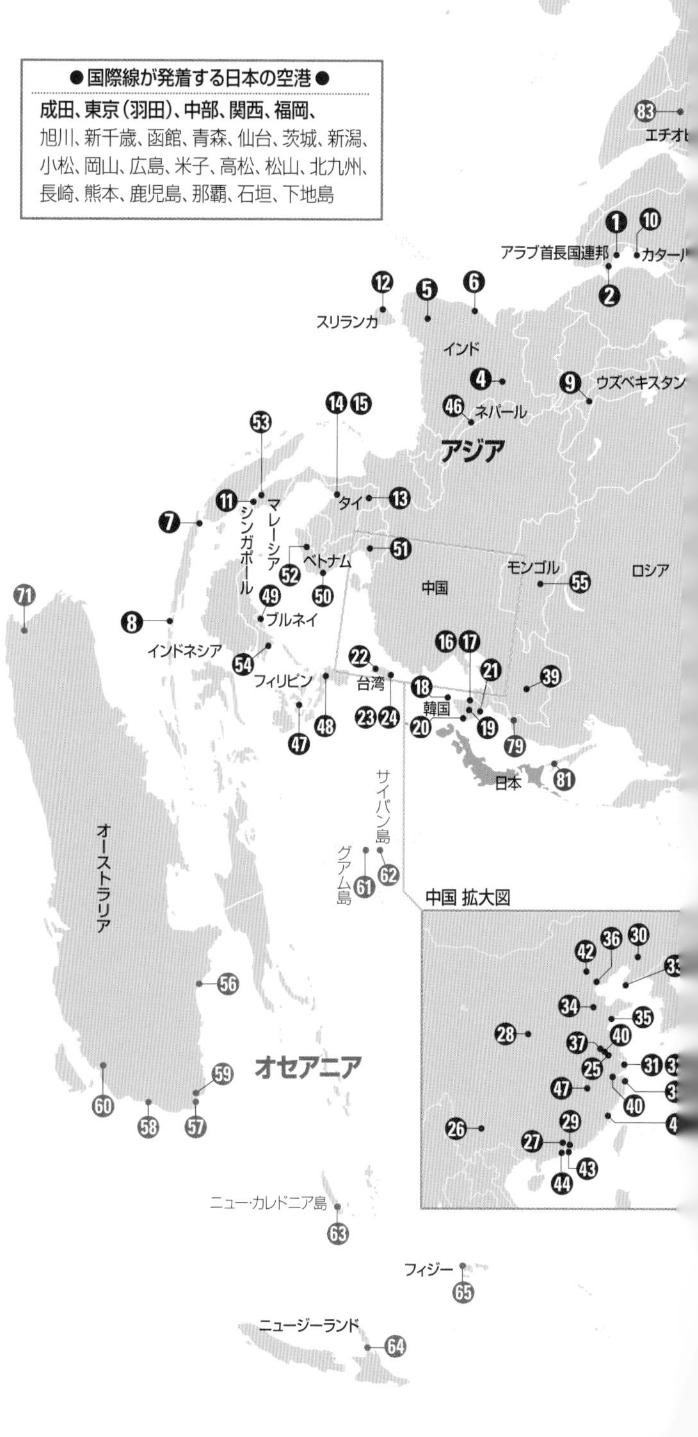

●ヨーロッパへの直行便●

国名・地域名	都市名	番号	空港名	ページ	索引記号
イギリス	ロンドン	67	ヒースロー	36	C5
イタリア	ローマ	68	フィウミチーノ	36	D7
オランダ	アムステルダム	69	スキポール	36	C6
スイス	チューリヒ	70	チューリヒ	36	D6
スペイン	マドリード	71	アドルフォ・スアレス・マドリード=バラハス	36	D5
デンマーク	コペンハーゲン	72	カストラップ	36	C7
ドイツ	フランクフルト・アム・マイン	73	フランクフルト・アム・マイン	36	C6
	ミュンヘン	74	フランツ・ヨーゼフ・シュトラウス	36	D7
フィンランド	ヘルシンキ	75	ヴァンター	36	B8
フランス	パリ	76	シャルル・ド・ゴール	36	D6
ベルギー	ブリュッセル	77	ブリュッセル	36	C6
ポーランド	ワルシャワ	78	ショパン	36	C8
ロシア	ウラジオストク	79	ウラジオストク	52	E16
	モスクワ	80	シェレメチェヴォ	52	D6
	ユジノ・サハリンスク	81	ホムトヴォ	52	E17

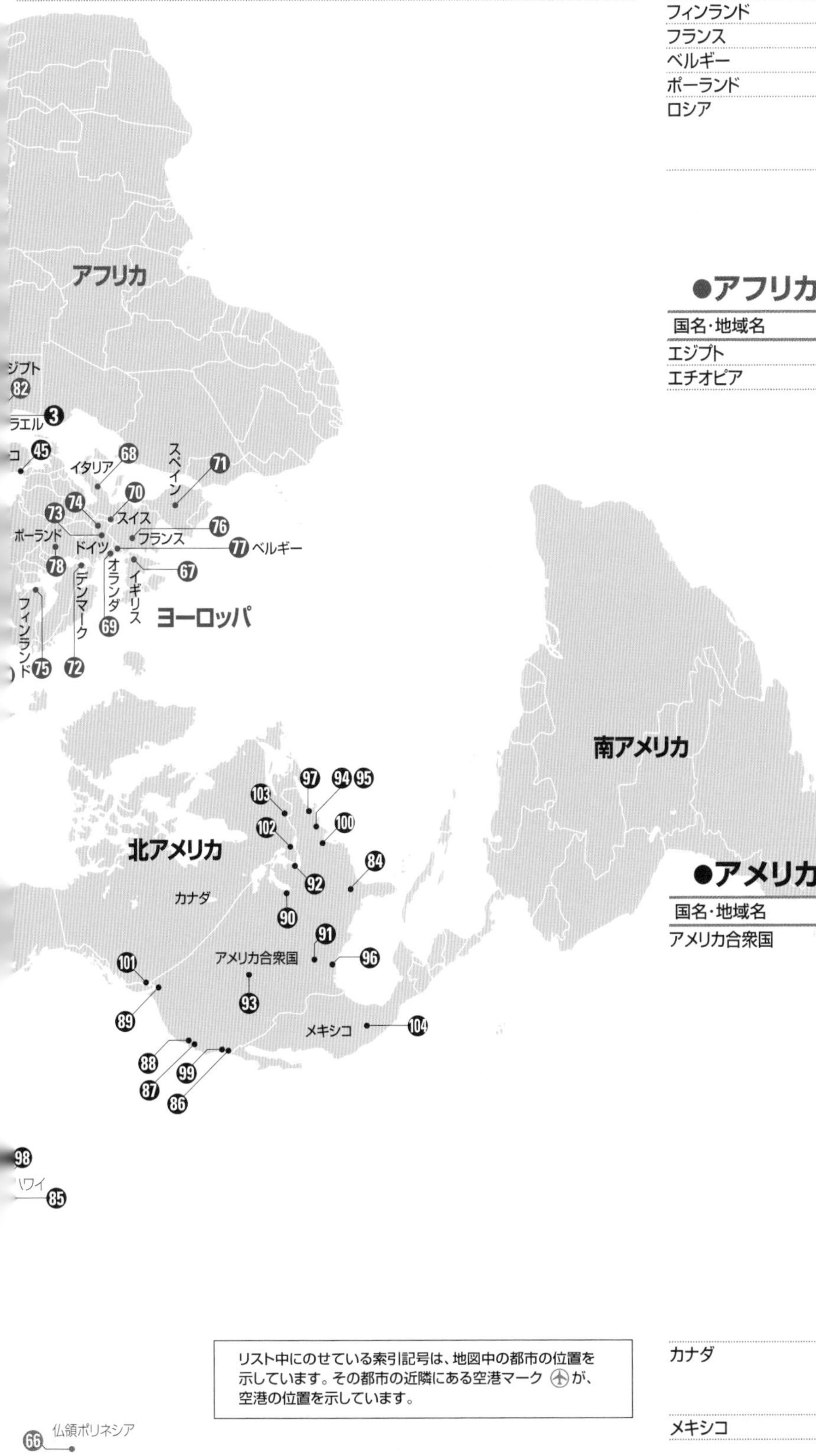

アフリカ
ヨーロッパ
南アメリカ
北アメリカ
カナダ
アメリカ合衆国
メキシコ
イタリア
スペイン
スイス
フランス
ベルギー
ポーランド
ドイツ
オランダ
イギリス
デンマーク
フィンランド
ハワイ
仏領ポリネシア

●アフリカへの直行便●

国名・地域名	都市名	番号	空港名	ページ	索引記号
エジプト	カイロ	82	カイロ	56	G2
エチオピア	アディスアベバ	83	ボレ	56	G5

●アメリカへの直行便●

国名・地域名	都市名	番号	空港名	ページ	索引記号
アメリカ合衆国	アトランタ	84	ハーツフィールド・ジャクソン	60	F13
	コナ	85	エリソン・オニヅカ・コナ	60	H6
	サン・ディエゴ	86	サン・ディエゴ	66	C5
	サン・ノゼ	87	ノーマン・Y・ミネタ	62	D3
	サンフランシスコ	88	サンフランシスコ	60	F9
	シアトル	89	タコマ	60	E9
	シカゴ	90	オヘア	60	E13
	ダラス	91	フォートワース	60	F12
	デトロイト	92	メトロポリタン・ウェイン・カウンティ	60	E13
	デンヴァー	93	デンヴァー	60	F11
	ニューヨーク	94	J.F.ケネディ	60	E14
	ニューヨーク	95	ニューアーク・リバティー	60	E14
	ヒューストン	96	ジョージ・ブッシュ	60	G12
	ボストン	97	ジェネラル・エドワード・ローレンス・ローガン	60	E14
	ホノルル	98	ダニエル・K・イノウエ	60	G6
	ロサンゼルス	99	ロサンゼルス	60	F10
	ワシントンD.C.	100	ダレス	60	F14
カナダ	ヴァンクーヴァー	101	ヴァンクーヴァー	60	E9
	トロント	102	ピアソン	60	E14
	モントリオール	103	ピエール・エリオット・トルドー	60	E14
メキシコ	メキシコシティ	104	ベニート・フアレス	60	H12

リスト中にのせている索引記号は、地図中の都市の位置を示しています。その都市の近隣にある空港マーク ✈ が、空港の位置を示しています。

世界のおもな山、河川、湖沼などをまとめました。それぞれのリストには、山の標高や川の長さなどの情報ものせています。
★印は、世界一を表しています。

●世界のおもな山●

山岳名	大陸	標高	ページ 索引記号
ア			
アオラキ（クック山）	オセアニア	3724m	32 I8
アコンカグア山	南アメリカ	6961m	70 C7
アネト山	ヨーロッパ	3404m	48 A6
アンナプルナ山	アジア	8091m	24 D3
イヤンブ山	南アメリカ	6485m	72 D5
ヴァイスホルン山	ヨーロッパ	4506m	40 D8
ウィルヘルム山	オセアニア	4509m	18 D7
ヴィンソン・マシフ山	南極	4892m	74 F12
★エヴェレスト山	アジア	8848m	8 E8
（チョモランマ山（中国名）、サガルマータ山（ネパール名））			
エトナ山	ヨーロッパ	3323m	46 E7
エミ・クーシ山	アフリカ	3415m	56 E4
エルバート山	北アメリカ	4398m	62 D6
エレバス山	南極	3794m	74 F17
オホス・デル・サラド山	南アメリカ	6908m	70 D6
オリサバ山	北アメリカ	5610m	62 H8
オリンポス山	ヨーロッパ	2917m	44 D4
カ			
ガシャーブルム山	アジア	8068m	24 C1
カメルーン山	アフリカ	4100m	56 D5
カンチェンジュンガ山	アジア	8586m	24 E3
キリマンジャロ山	アフリカ	5892m	56 G6
ギルウェ山	オセアニア	4088m	18 D7
グロースグロックナー山	ヨーロッパ	3798m	42 E5
K2	アジア	8611m	8 D7
ケニア山	アフリカ	5199m	56 G6
コジアスコ山	オセアニア	2228m	32 H5
コルノ・グランデ山	ヨーロッパ	2912m	46 D4
コロブナ山	南アメリカ	6425m	70 C5
コングール山（公格爾山）	アジア	7649m	14 D3
サ			
サバナ・ントレニャナ山	アフリカ	3482m	56 F8
サハマ山	南アメリカ	6542m	70 D5
シシャパンマ峰	アジア	8027m	24 E3
シャスタ山	北アメリカ	4317m	60 E9
ジャヤ山	オセアニア	4884m	32 E4
ジュジャインジャコ山	南アメリカ	6723m	70 D6
セント・エライアス山	北アメリカ	5489m	60 C7

山岳名	大陸	標高	ページ 索引記号
タ			
ダウラギリ山	アジア	8167m	24 D3
チョ・オユー山	アジア	8201m	24 E3
ティリチ・ミール山	アジア	7690m	29 B4
デナリ（マッキンリー山）	北アメリカ	6190m	60 C6
トゥブカル山	アフリカ	4167m	56 C2
トゥプンガト山	南アメリカ	6800m	70 D7
ナ			
ナンガ・パルバット山	アジア	8126m	24 B1
ハ			
ハーヴァード山	北アメリカ	4395m	66 E4
ブランカ・ピーク	北アメリカ	4364m	66 E4
ベルニーナ山	ヨーロッパ	4049m	40 D9
ホイットニー山	北アメリカ	4418m	60 F10
ボネテ山	南アメリカ	6872m	70 D6
ポポカテペトル山	北アメリカ	5452m	62 H8
マ			
マウナ・ケア山	オセアニア	4205m	60 H6
マカルー山	アジア	8463m	24 E3
マッターホルン山	ヨーロッパ	4478m	40 E8
マッラ山	アフリカ	3088m	56 F4
マナスル山	アジア	8163m	24 D3
マルゲリータ山	アフリカ	5109m	56 F5
ムスターグ山（木孜塔格峰）	アジア	6973m	14 D5
ムラセン山	ヨーロッパ	3482m	48 D4
メルー山	アフリカ	4565m	58 D5
メルセダリオ山	南アメリカ	6770m	70 C7
モン・ブラン山	ヨーロッパ	4808m	40 E8
モンテ・ローザ山	ヨーロッパ	4634m	40 E8
ヤ			
ユングフラウ山	ヨーロッパ	4158m	40 D8
ラ			
ラス・ダシャン山	アフリカ	4620m	58 D2
ルアペフ山	オセアニア	2797m	32 H8
レーニア山	北アメリカ	4392m	60 E9
ローガン山	北アメリカ	5959m	60 C7
ローツェ山	アジア	8516m	＊
ワ			
ワスカラン山	南アメリカ	6768m	70 C4

＊ローツェ山は縮尺の都合で地図中に表記していないが、エヴェレスト山に隣接する。

●世界のおもな川●

河川名	大陸	長さ＊＊	ページ 索引記号
ア			
アーカンザス川	北アメリカ	2348km	60 F11
アマゾン川	南アメリカ	6516km	70 E4
アムール川	アジア	4444km	52 D16
アムダリヤ川	アジア	2540km	8 D6
アラグアイア川	南アメリカ	2627km	70 E5
アルグン川	アジア	1620km	52 D15
アルダン川	アジア	2273km	52 C16
アンガラ川	アジア	1779km	52 D12
イシム川	アジア	2450km	8 B6
イルティシ川	アジア	4248km	52 D9
インダス川	アジア	3180km	8 E6
インディギルカ川	アジア	1977km	52 B17
ヴィチム川	アジア	1978km	52 D14
ヴィリューイ川	アジア	2650km	52 C14
ヴォルガ川	ヨーロッパ	3688km	52 E7
ウカヤリ川	南アメリカ	2738km	70 C4
ウラル川	アジア・ヨーロッパ	2428km	36 D11
エーヤワディ川	アジア	1992km	8 F9
エニセイ川	アジア	5550km	52 C11
オハイオ川	北アメリカ	2102km	62 D10
オビ川	アジア	5568km	52 C9
オリノコ川	南アメリカ	2500km	70 D3
オレニョーク川	アジア	2292km	52 B15
オレンジ川	アフリカ	2100km	56 E8
カ			
カケタ川	南アメリカ	2816km	70 C4
カサイ川	アフリカ	2153km	56 F6
ガンジス川	アジア	2510km	8 E8
グアポレ川	南アメリカ	1749km	70 D5
クバンゴ川	アフリカ	1600km	56 E7
コルイマ川	アジア	2513km	52 C18
コロラド川	北アメリカ	2333km	60 F10
コロンビア川	北アメリカ	2000km	60 E9
コンゴ川	アフリカ	4667km	56 E5
サ			
サルウィン川	アジア	2400km	8 F9
サン・フランシスコ川	南アメリカ	2900km	70 F5
ザンベジ川	アフリカ	2736km	56 G7
シー　西江	アジア	1957km	14 G10
ジュバ川	アフリカ	1658km	56 H5
ジュルア川	南アメリカ	3283km	70 D4
シルダリヤ川	アジア	3078km	8 C6
白ナイル川	アフリカ	2084km	56 G4

＊＊長さは、その河川の本流と支流をあわせた最長部を採用している。
ただし、支流でも著名な河川については、リスト中にのせている。

エヴェレスト山（ネパール・中国）
左奥のピークがエヴェレスト山、右はローツェ山

モン・ブラン山（フランス）
ヨーロッパ（ロシアを除く）最高峰。仏語『白い山』の意

マッキンリー山（アメリカ合衆国）
北アメリカ大陸の最高峰。デナリとも呼ばれる

＊リスト中の色文字は、特に著名なものや写真で紹介しているものを示します。

ソグネフィヨルド（ノルウェー）50 B3
北欧で、もっとも規模が大きいフィヨルド

ブランカ山脈（ペルー）72 B3
ワスカラン山のあるアンデス山脈の要部

グランド・キャニオン（アメリカ合衆国）66 D4
コロラド川が作り出した巨大な峡谷

シングー川	南アメリカ	2100km	70 E4
スネーク川	北アメリカ	1670km	62 C4
セネガル川	アフリカ	1641km	56 B4
セント・ローレンス川	北アメリカ	3058km	60 E15
ソンホワ 松花江	アジア	1927km	8 C12
タ			
ダーリング川	オセアニア	2844km	32 H5
タパジョス川	南アメリカ	1992km	70 E4
タリム川	アジア	2030km	8 C8
チャン 長江	アジア	6380km	8 D10
チュー 珠江	アジア	2197km	16 C6
ティグリス川	アジア	1900km	8 D4
トカンチンス川	南アメリカ	2750km	70 F4
ドナウ川	ヨーロッパ	2850km	36 D8
ドニプロ川	ヨーロッパ	2200km	36 D9
ドン川	ヨーロッパ	1870km	36 C10
ナ			
★ナイル川	アフリカ	6695km	56 G3
ニジェール川	アフリカ	4184km	56 D5
ニジニャヤ・ツングースカ川	アジア	2989km	52 C12
ネグロ川	南アメリカ	2253km	70 D4
ネルソン川	北アメリカ	2570km	60 D12
ハ			
パトカメンナヤ・ツングースカ川	アジア	1865km	52 C12
パラグアイ川	南アメリカ	2550km	70 E6
パラナ川	南アメリカ	4500km	70 D7
パルナイーバ川	南アメリカ	1700km	70 F4
ピルコマヨ川	南アメリカ	2500km	70 D5
プトゥマヨ川	南アメリカ	1609km	70 C4
ブラマプトラ川	アジア	2840km	8 E9
プルス川	南アメリカ	3211km	70 D4
ペチョラ川	ヨーロッパ	1809km	52 C8
ホワン 黄河	アジア	5464km	8 D11
マ			
マッケンジー川	北アメリカ	4241km	60 C9
マデイラ川	南アメリカ	3350km	70 D4
マモレ川	南アメリカ	1931km	70 D5
マラニョン川	南アメリカ	1905km	70 C4
マレー川	オセアニア	3672km	32 H5
ミシシッピ川	北アメリカ	5969km	60 G13
ミズーリ川	北アメリカ	4086km	60 F12
メコン川	アジア	4425km	8 G10
ヤ			
ユーコン川	北アメリカ	3185km	60 C5
ユーフラテス川	アジア	2800km	8 D4
ラ			
ラ・プラタ川	南アメリカ	***	70 E7
リオ・グランデ川	北アメリカ	3057km	60 G11
レッド川	北アメリカ	2044km	60 F12
レナ川	アジア	4400km	52 B15

***慣習上「ラ・プラタ川」と呼ばれるが、パラナ川河口につながる狭い湾をさしている。

●世界のおもな湖●

湖沼名	大陸	面積(万平方km)	ページ 索引記号
アラル海	アジア	※6.41	8 C5
ヴィクトリア湖	アフリカ	6.88	56 G6
ウィニペグ湖	北アメリカ	2.38	60 D12
エリー湖	北アメリカ	2.58	60 E13
オネガ湖	ヨーロッパ	0.99	52 C6
オンタリオ湖	北アメリカ	1.90	60 E14
★カスピ海	アジア・ヨーロッパ	37.40	8 C4
カティサンダ・エーア湖	オセアニア	※0.97	32 G4
グレート・スレーヴ湖	北アメリカ	2.86	60 C10
グレート・ベア湖	北アメリカ	3.12	60 C9
スペリオル湖	北アメリカ	8.24	60 E13
タンガニーカ湖	アフリカ	3.20	56 G6
チャド湖	アフリカ	※2.09	56 E4
ティティカカ湖	南アメリカ	0.84	70 C5
トゥルカナ湖	アフリカ	0.87	56 G5
ニカラグア湖	北アメリカ	0.82	68 D3
バイカル湖	アジア	3.15	52 D13
バルハシ湖	アジア	※1.82	8 C7
ヒューロン湖	北アメリカ	5.96	60 E13
マラウイ湖	アフリカ	2.25	56 G7
マラカイボ湖	南アメリカ	1.30	70 C3
ミシガン湖	北アメリカ	5.80	60 E13

※の湖沼面積は乾燥地帯にあるため、激しく大小が変化する。数値はある時点の値。

●世界のおもな海溝●

海溝名	海洋	最大深度	ページ 索引記号
アリューシャン海溝	太平洋	7679m	60 D4
伊豆・小笠原海溝	太平洋	9780m	8 D14
ケルマデック海溝	太平洋	10047m	32 H9
サン・クリストバル海溝	太平洋	8322m	34 B6
サンタ・クルーズ海溝	太平洋	9175m	34 B6
スンダ（ジャワ）海溝	インド洋	7125m	8 H10
千島・カムチャツカ海溝	太平洋	9550m	8 C15
中央アメリカ海溝	太平洋	6662m	68 D3
チリ海溝	太平洋	8170m	70 C5
トンガ海溝	太平洋	10800m	32 G9
日本海溝	太平洋	8058m	8 D14
ニュー・ブリテン海溝	太平洋	8940m	32 E6
パラオ海溝	太平洋	8054m	32 D4
フィリピン海溝	太平洋	10057m	8 G12
プエルト・リコ海溝	大西洋	8605m	68 C8
ペルー海溝	太平洋	6262m	70 B4
★マリアナ海溝	太平洋	10920m	32 C5
ヤップ海溝	太平洋	8946m	32 D4

●世界のおもな島●

名称	大陸	面積(万平方km)	ページ 索引記号
アイルランド島	ヨーロッパ	8.3	36 C4
イスパニョーラ島	北アメリカ	7.6	68 B6
カリマンタン（ボルネオ）島	アジア	74.6	8 H11
キューバ島	北アメリカ	11.1	68 B4
★グリーンランド	北アメリカ	217.6	60 B17
グレート・ブリテン島	ヨーロッパ	21.9	36 C6
サハリン（樺太）	アジア	7.6	52 D17
ジャワ島	アジア	13.2	8 H10
スピッツベルゲン島	ヨーロッパ	3.8	52 B3
スマトラ島	アジア	47.4	8 H10
スラウェシ（セレベス）島	アジア	18.9	8 H11
セイロン島	アジア	6.6	8 G8
タスマニア島	オセアニア	6.8	32 I5
南島	オセアニア	15.1	32 I8
ニューギニア島	オセアニア	80.9	32 E4
ニューファンドランド島	北アメリカ	10.9	60 E16
バフィン島	北アメリカ	50.8	60 C14
フエゴ島	南アメリカ	4.7	70 D9
本州	アジア	22.7	8 D13
マダガスカル島	アフリカ	58.7	56 H8
ミンダナオ島	アジア	9.5	8 G12
ルソン島	アジア	10.5	8 F12

●世界のおもな砂漠●

名称	大陸	面積(万平方km)	ページ 索引記号
アタカマ砂漠	南アメリカ	36	70 D6
カヴィール砂漠	アジア	26	8 D5
カラクム砂漠	アジア	35	8 D6
カラハリ砂漠	アフリカ	57	56 F8
クズルクム砂漠	アジア	30	8 C6
グレート・ヴィクトリア砂漠	オセアニア	65	32 G3
グレート・サンディ砂漠	オセアニア	40	32 G3
グレート・ベースン	北アメリカ	49	60 F10
ゴビ砂漠	アジア	130	8 C10
★サハラ砂漠	アフリカ	907	56 C3
タール砂漠	アジア	60	8 E7
タクラマカン砂漠	アジア	52	8 D8
ナミブ砂漠	アフリカ	14	56 E8

●おもな都市●

ここでは、海外の人口10万人以上の都市を中心に、その他著名な都市をのせています。

アテネ(ギリシャ)
前5世紀の遺跡、アクロポリスのパルテノン神殿

アントウェルペン(ベルギー)
港湾都市として発展。写真は市庁舎前広場

ヴァラナシ(インド)
ヒンドゥー教の聖地。ガンジス川の沐浴が有名

*リスト中の色文字は、特に著名なものや写真で紹介しているものを示します。

ウインザー(イギリス)38 F6
テムズ川にかかる橋とレンガの町並み

ヴェローナ(イタリア)
『ロミオとジュリエット』の舞台になった、北イタリアの美しい町

ヴェネツィア(イタリア)
水の都ヴェネツィア。写真は観光客向けのゴンドラ

ウルル/エアーズ・ロック(オーストラリア)34 C3
平原に突出している巨大な岩山

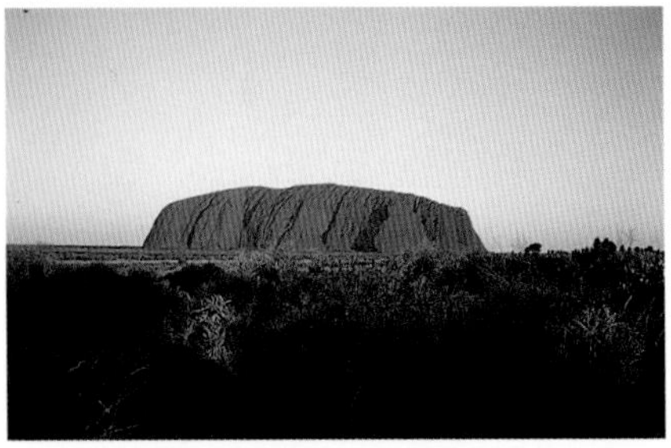

エルサレム(イスラエル)
ユダヤ教・キリスト教・イスラム教の聖地

カイセリ(トルコ)
写真はカイセリから行くカッパドキアの奇岩

*リスト中の色文字は、特に著名なものや写真で紹介しているものを示します。

カジュラーホ(インド) 24 C4
9〜14世紀の間に建てられたヒンドゥー教の寺院群

ギアナ高地(ベネズエラなど) 70 D3
浸食によってできたテーブル状の山々が連なる

キリマンジャロ山(タンザニア) 58 D5
万年雪をまとうアフリカ大陸最高峰(5895m)

キ

ク

ケ

コ

アオラキ(クック)山(ニュージーランド)34 H8
ニュージーランドの最高峰(3724m)

ケープ・タウン(南アフリカ) アフリカ大陸南端の港湾都市。背景の山はテーブル・マウンテン

コイリン 桂林(中国)
奇峰が林立する景勝地

*リスト中の色文字は、特に著名なものや写真で紹介しているものを示します。

サーンチー(インド)24 C4
仏陀の遺骨を納めているといわれるストゥーパ

サマルカンド(ウズベキスタン)
イスラム建築で有名なシールダル・マドラサ

サンフランシスコ(アメリカ合衆国)
坂道の多い街をケーブルカーが走る

ス

シカゴ(アメリカ合衆国)
高層ビルが建ち並ぶ、別名ウィンディ・シティ

シドニー(オーストラリア)
帆船をイメージした、オペラ・ハウス

シャンハイ 上海(中国)
アジア最大のテレビ塔、東方明珠塔

*リスト中の色文字は、特に著名なものや写真で紹介しているものを示します。

スリナガル(インド・パキスタン)
雄大な自然を見渡せるカシミール谷にある

セント・ピーターズバーグ(アメリカ合衆国)
海岸沿いにホテルが立ち並ぶ、ビーチ・リゾート

タイペイ 台北(台湾)
蒋介石の業績を讃える、中正紀念堂

タンパ(アメリカ合衆国)
フロリダ半島西側の中核都市

天壇(中国、ペキン 北京)8 D11
明の時代から続いた祭礼をおこなう建物

チアユーコワン 嘉峪関(中国) 万里の長城の西端で、シルクロードの関門の遺跡が残る

*リスト中の色文字は、特に著名なものや写真で紹介しているものを示します。

ツ

テ

ト

テオティワカン(メキシコ)62 H8
世界第3の大きさを誇る、太陽のピラミッド

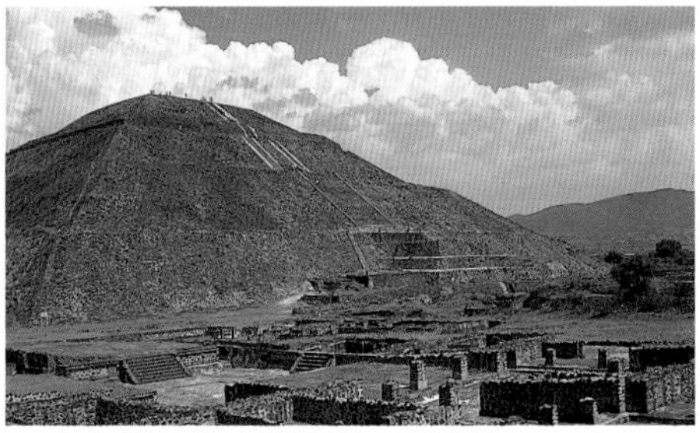

トゥンホワン 敦煌
(中国)8 C9
莫高窟は3～4世紀から掘削が始められた石窟群

ナミブ砂漠(ナミビア)56 E8
巨大な砂丘が連なるアフリカ南部の砂漠

ニューヨーク
(アメリカ合衆国)
中心地マンハッタン島の夕景

バス(イギリス)
38 E6
近郊の村、カッスルクーム(写真)は田園風景の町並みで有名

*リスト中の色文字は、特に著名なものや写真で紹介しているものを示します。

ハイデルベルク(ドイツ)
中世の町並みを色濃く残す。大学都市としても有名

バチカン(バチカン)
キリスト教カトリックの総本山。
写真はサン・ピエトロ大聖堂

バルセロナ(スペイン)
ガウディ設計のサグラ・ダ・
ファミリア教会(建設中)

ハーメルン(ドイツ)42 B3
『笛吹き男』の舞台、ハーメルンの家並み

ハンブルク(ドイツ)
中心街に面するアルスター湖畔のようす

ブダペスト(ハンガリー)
街の中心を流れるドナウ川周辺の夕暮れ

*リスト中の色文字は、特に著名なものや写真で紹介しているものを示します。

へ

ブハラ(ウズベキスタン)
イスラム教の神学校ミーリ・アラブ・マドラサ

ブルッヘ(ベルギー)
中世の家並みが美しい、運河の町

ベルヒテスガーデン(ドイツ)42 E5
かつてヒトラーが別荘を建てた保養地

ベルン(スイス)　噴水が点在する旧市街は世界遺産に登録されている

ポートランド(アメリカ合衆国)60 E14
四季折々の美しさを見せるメーン州ポートランド

ボストン(アメリカ合衆国)
開拓初期の中心都市で大学が多い

*リスト中の色文字は、特に著名なものや写真で紹介しているものを示します。

ホンコン 香港(中国)
「100万ドルの夜景」として名高いビル街

マサイマラ(ケニア)58 D5
広大な草原は野生動物の保護区となっている

マッターホルン
（スイス・イタリア）40 E8
山麓のツェルマットにはハイキングコースが多数ある（4478m）

ライデン(オランダ)
オランダの風景としてなじみ深い風車が並ぶ

ラス・ヴェガス(アメリカ合衆国) 24時間眠らない、カジノとエンターテインメントの町

リオ・デ・ジャネイロ(ブラジル)
複雑な地形が美しい、リオの町を見渡す

*リスト中の色文字は、特に著名なものや写真で紹介しているものを示します。

ルアンパバーン(ラオス)
6世紀にわたり栄えた、ラオス初の統一国家の古都

ロサンゼルス(アメリカ合衆国)
ロスの行政・経済の中心地、ダウンタウン

ロンドン(イギリス)
テムズ川沿いのウェストミンスター地区を望む

世界時差マップ

・地図の色分けは、それぞれの時刻帯の陸（濃い色）と海（淡い色）を示し、数字は帯状の時刻帯の日本との時差（時間）を示します。

・時刻帯の多くは時間単位で区切られていますが、場所によっては分単位を採用しているところがあり、これは色を変えて分単位の日本との時差を示しています。

・国によってサマータイムを設けているところがあり、季節によって時差は変わります。

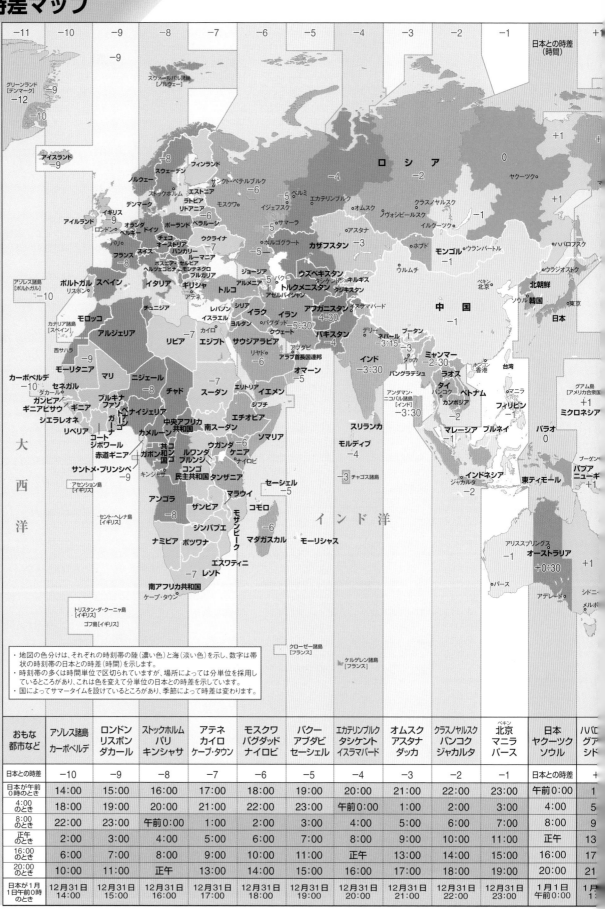

・地図の色分けは、それぞれの時刻帯の陸（濃い色）と海（淡い色）を示し、数字は帯状の時刻帯の日本との時差（時間）を示します。
・時刻帯の多くは時間単位で区切られていますが、場所によっては分単位を採用しているところがあり、これは色を変えて分単位の日本との時差を示しています。
・国によってサマータイムを設けているところがあり、季節によって時差は変わります。

おもな都市など	アゾレス諸島 カーボベルデ	ロンドン リスボン ダカール	ストックホルム パリ キンシャサ	アテネ カイロ ケープ・タウン	モスクワ バグダッド ナイロビ	バクー アブダビ セーシェル	エカテリンブルク タシケント イスラマバード	オムスク アスタナ ダッカ	クラスノヤルスク バンコク ジャカルタ	北京（ペキン） マニラ パース	日本 ヤクーツク ソウル	ハバロ グア シド
日本との時差	−10	−9	−8	−7	−6	−5	−4	−3	−2	−1	日本との時差	+
日本が午前0時のとき	14:00	15:00	16:00	17:00	18:00	19:00	20:00	21:00	22:00	23:00	午前0:00	1
4:00のとき	18:00	19:00	20:00	21:00	22:00	23:00	午前0:00	1:00	2:00	3:00	4:00	5
8:00のとき	22:00	23:00	午前0:00	1:00	2:00	3:00	4:00	5:00	6:00	7:00	8:00	9
正午のとき	2:00	3:00	4:00	5:00	6:00	7:00	8:00	9:00	10:00	11:00	正午	13
16:00のとき	6:00	7:00	8:00	9:00	10:00	11:00	正午	13:00	14:00	15:00	16:00	17
20:00のとき	10:00	11:00	正午	13:00	14:00	15:00	16:00	17:00	18:00	19:00	20:00	21
日本が1月1日午前0時のとき	12月31日 14:00	12月31日 15:00	12月31日 16:00	12月31日 17:00	12月31日 18:00	12月31日 19:00	12月31日 20:00	12月31日 21:00	12月31日 22:00	12月31日 23:00	1月1日 午前0:00	1月 1

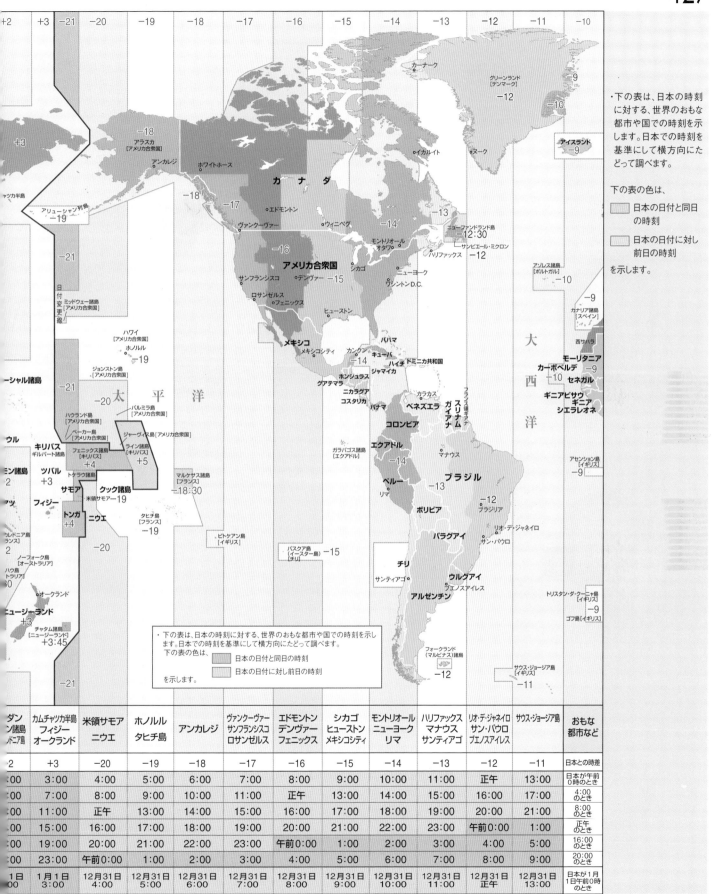

・下の表は、日本の時刻に対する、世界のおもな都市や国での時刻を示します。日本での時刻を基準にして横方向にたどって調べます。

下の表の色は、

- 日本の日付と同日の時刻
- 日本の日付に対し前日の時刻

を示します。

ダン ン諸島 ドニア島	カムチャツカ半島 フィジー オークランド	米領サモア ニウエ	ホノルル タヒチ島	アンカレジ	ヴァンクーヴァー サンフランシスコ ロサンゼルス	エドモントン デンヴァー フェニックス	シカゴ ヒューストン メキシコシティ	モントリオール ニューヨーク リマ	ハリファックス マナウス サンティアゴ	リオ・デ・ジャネイロ サン・パウロ ブエノスアイレス	サウス・ジョージア島	おもな都市など
2	+3	−20	−19	−18	−17	−16	−15	−14	−13	−12	−11	日本との時差
:00	3:00	4:00	5:00	6:00	7:00	8:00	9:00	10:00	11:00	正午	13:00	日本が午前0時のとき
:00	7:00	8:00	9:00	10:00	11:00	正午	13:00	14:00	15:00	16:00	17:00	4:00のとき
:00	11:00	正午	13:00	14:00	15:00	16:00	17:00	18:00	19:00	20:00	21:00	8:00のとき
.00	15:00	16:00	17:00	18:00	19:00	20:00	21:00	22:00	23:00	午前0:00	1:00	正午のとき
:00	19:00	20:00	21:00	22:00	23:00	午前0:00	1:00	2:00	3:00	4:00	5:00	16:00のとき
:00	23:00	午前0:00	1:00	2:00	3:00	4:00	5:00	6:00	7:00	8:00	9:00	20:00のとき
1日 00	1月1日 3:00	12月31日 4:00	12月31日 5:00	12月31日 6:00	12月31日 7:00	12月31日 8:00	12月31日 9:00	12月31日 10:00	12月31日 11:00	12月31日 正午	12月31日 13:00	日本が1月1日午前0時のとき

■ 写真協力

PANA通信社、岩楯光生、木村克也、関野邦章、千足伸行、武政良宏、アメリカ南部12州政府観光局、イタリア政府観光局、インドネシア大使館、英国政府観光庁、ギリシャ政府観光局、スペイン政府観光局、タイ国政府観光庁、チェコ政府観光局、ニュージーランド観光局、ハンガリー政府観光局、フランス政府観光局、ベネズエラ大使館、ベルギー観光局（89ページ ブリュッセル、© Toerisme Vlaanderen）

■ 参考資料

外務省ホームページ
『理科年表』（丸善）
『Demographic Yearbook』（国際連合）
『中華人民共和国行政区画簡冊』（中国地図出版社出版）
『世界遺産年報』（講談社）

■ 編集制作

装　幀　菊谷美緒

地図制作・執筆
小学館クリエイティブ
高橋俊浩　堀野和彦　齊藤晶子
五十嵐誠　横山晃一　渡辺真史
井原宏臣　高橋雅子
Rand McNally

編集協力　インフォ・マップ　長井　正
堀　公明
若杉智子

本書の世界地図は、米国Rand　McNally社の世界地図データを使用し、編集・作成しました。

本書の内容についてのお問い合わせは、
小学館クリエイティブ（電話 03-3288-1344）までご連絡ください。
［受付時間は、土・日・祝を除く 11:00〜18:00です。］

なんでもひける 世界地図

2023年4月1日発行

編　者　成美堂出版編集部
発行者　深見公子
発行所　成美堂出版
〒162-8445　東京都新宿区新小川町1-7
電話(03)5206-8151　FAX(03)5206-8159
印　刷　共同印刷株式会社

ISBN978-4-415-33247-5
落丁・乱丁などの不良本はお取り替えします
定価はカバーに表示してあります